D1287147

Mort subite

Du même auteur :

Le Psychiatre, roman, Québec Amérique, Montréal, 1995

Le Golfeur et le Millionnaire, roman, Québec Amérique, Montréal, 1996

Le Livre de ma femme, roman, Québec Amérique, Montréal, 1997

Le Millionnaire, roman, Québec Amérique, Montréal, 1997

Les Hommes du zoo, roman, Québec Amérique, Montréal, 1998

Le Cadeau du Millionnaire, roman, Québec Amérique, Montréal, 1998

L'Ouverture du cœur, roman, Un monde différent, Montréal, 1999

L'Homme qui ne pouvait vivre sans sa fille, roman, Libre Expression, Montréal, 1999

Le Bonheur et autres mystères, essai, Un monde différent, Montréal, 2000

Conseils à un jeune romancier, essai, Québec Amérique, Montréal, 2000

Les Six degrés du désir, roman, Lanctôt, Montréal, 2000

Miami, roman, Québec Amérique, Montréal, 2001

L'Ascension de l'âme, autobiographie spirituelle, Un monde différent, Montréal, 2001

La Vie est un rêve, roman autobiographique, Un monde différent, Montréal, 2001

Le Métier de romancier suivi de *L'Art du suspense chez Mary Higgins Clark*, essai, Trait d'Union, Montréal, 2002

Le Testament du Millionnaire, roman, Un monde différent, Montréal, 2002

Le Vendeur et le Millionnaire, roman, Québec Amérique, Montréal, 2003

Le Millionnaire, tome 2, Québec Amérique, Montréal, 2004

MARC FISHER

MORT SUBITE

LES INTOUCHABLES

Les Éditions des Intouchables bénéficient du soutien financier de la SODEC, du Programme de crédits d'impôt du gouvernement du Québec, du PADIÉ et sont inscrites au Programme de subvention globale du Conseil des Arts du Canada.

LES ÉDITIONS DES INTOUCHABLES
1463, boulevard Saint-Joseph Est
Montréal, Québec
H2J 1M6
Téléphone : (514) 526-0770
Télécopieur : (514) 529-7780
www.lesintouchables.com

DISTRIBUTION : PROLOGUE
1650, boulevard Lionel-Bertrand
Boisbriand, Québec
J7H 1N7
Téléphone : (450) 434-0306
Télécopieur : (450) 434-2627

Impression : Transcontinental
Photographie de la couverture : Laurence Dutton/Getty Images
Infographie et maquette de la couverture : Benoît Desroches

Dépôt légal : 2004
Bibliothèque nationale du Québec
Bibliothèque nationale du Canada

ISBN 2-89549-139-9

À Julia P. qui est, pour mamachika et moi, comme Dieu l'était pour Pascal, un cercle dont le centre est partout et la circonférence nulle part.

Pour nos trois grâces littéraires, Arlette Cousture, Chrystine Brouillette et Marie Laberge, qui ont prouvé par a + b (et des milliers de romans vendus !) la belle vitalité de notre littérature.

Pour ceux qui m'ont montré qu'on pouvait être publié à l'étranger, Yves Thériault, Marie-Claire Blais, Yves Beauchemin et Michel Tremblay.

Et enfin, merci à Michel Brûlé et toute sa formidable équipe, Marie-Ève Maltais, Ingrid Remazeilles, Benoît Desroches et Hélène Paraire.

Marc Fisher

1

Il devait être un peu passé 9 h du matin et, comme le temps était absolument magnifique en ce début de juin, le champ d'exercice du prestigieux club de golf Hamptons, dans Long Island, était déjà passablement achalandé. C'était une journée de semaine, un lundi en fait, aussi pouvait-on y admirer surtout des femmes, pour la plupart fort élégantes, qui s'échinaient sur leur élan ou tentaient de perfectionner leurs coups d'approche.

Il y avait aussi bien entendu les vieux retraités, ou les rentiers précoces qui, eux, jouaient presque tous les jours, et se rendaient au club même par temps de pluie. Mais alors, ils troquaient plaisamment le golf pour le bridge : on peut toujours trouver une bonne raison de s'évader du donjon conjugal !

Seulement quelques trous du parcours venaient mourir dans l'océan Atlantique. Mais l'on pouvait respirer la brise marine jusque dans le champ d'exercice, qui était pourtant séparé de l'eau par l'imposant chalet de style hispanique, avec sa toiture de bardeaux rouges et ses murs de crépi blanc.

Même si l'on dit : «jouer» au golf, pour plusieurs ce n'est pas un jeu mais bien une sorte de travail — car c'est laborieux ! — ou une drogue parce qu'ils y sacrifient tout.

Mais Louise Eaton, qui n'avouait que trente-cinq ans même si elle en avait trente-neuf, n'était pas une passionnée de golf. Lorsque, sept ans plus tôt, elle avait épousé son richissime mari, Joseph Eaton, elle n'avait pour ainsi dire pas eu le choix : c'était une question de standing. Presque toutes ses voisines jouaient au golf — ou au bridge ! — au prestigieux terrain, et son mari en était le président.

Malgré son intérêt mitigé pour le noble sport, comme elle était orgueilleuse de nature, elle était rapidement parvenue à battre la marque des 90 et avait même remporté le championnat de sa classe à quelques reprises : lorsqu'elle se mettait quelque chose en tête, en général, elle l'obtenait.

Par exemple, lorsqu'elle avait décidé, après avoir été larguée par un homme marié qui l'avait fait poireauter pendant trois ans, de se dénicher un mari riche : les hommes vous laissent toujours tomber, de toute manière, alors pourquoi ne pas pleurer en Rolls plutôt qu'en Honda ?

Mais le mariage lui avait enseigné autre chose au sujet de l'amour : vous vous mariez parce que vous en avez soupé des soirées solitaires et, finalement, vous vous rendez compte que vous êtes encore plus seule avec un mari à vos côtés !

Spécialement lorsqu'il... n'est pas à vos côtés parce qu'il est continuellement en voyage d'affaires.

Avec Dieu sait qui !

Alors, au début vous vous montrez philosophe en essayant d'abaisser vos attentes.

Ensuite vous tentez d'abaisser votre marge d'erreur en prenant plus de leçons de golf.

Avec le nouveau pro, David Berger.

Le premier jour où elle avait posé les yeux sur lui, Louise Eaton avait su qu'elle était en danger.

Et qu'elle se retrouverait un jour entre des draps avec lui.

Et dans de beaux draps (enfin peut-être pas si beaux...) avec son mari !

Avec son abondante chevelure blonde, ses yeux bleus que son teint basané rendait plus troublants encore, sa fine moustache qui ourlait des lèvres charnues, son sourire étincelant, le pro de trente-deux ans faisait tourner bien des têtes. Et en plus, véritable aubaine, il était célibataire, ou plutôt divorcé, donc libre. Enfin, on ne lui connaissait aucune liaison...

À la première leçon, lorsqu'il avait vérifié sa prise, l'aidant gentiment à placer ses doigts sur son bâton, Louise Eaton s'était mise littéralement à trembler. Des frissons avaient parcouru tout son corps et elle avait connu une sorte de transe qui n'avait rien de « golfique ». C'est à cet instant précis qu'elle avait mesuré la profondeur de son erreur avec son mari, aussi fortuné fût-il.

L'argent, c'était amusant, exaltant même au début surtout lorsque vous avez été fauchée toute votre vie, mais ça ne lui avait jamais donné pareils émois. Du reste, elle aurait eu de la difficulté à se rappeler la dernière fois où Joseph Eaton, qui croulait sous le travail, avait daigné la toucher.

Un jour qu'elle en avait marre d'être ignorée par un mari qui maintenant ne s'endormait plus aussitôt après avoir fait l'amour (quel romantisme!), mais AVANT de le faire (quelle débandade!), elle avait demandé à David de jouer une partie seul avec elle, tard un samedi après-midi, l'heure la plus tranquille de la semaine…

Au douzième trou, elle avait délibérément expédié sa balle dans le boisé — le plus dense du parcours.

Lorsqu'elle en était ressortie, quinze minutes plus tard, elle était souriante…

Et ce n'était pas parce qu'elle avait retrouvé sa balle!

C'était parce qu'elle avait trouvé un homme qui s'était agenouillé devant elle pour lui faire vous savez quoi, ce que répugnait à faire son mari depuis, hum, six ans et demi: et les hommes disent qu'ils aiment le sexe! Oui, mais pas avec leur femme! Oui, David avait immédiatement succombé à son charme lorsque, appuyée contre un arbre, elle avait audacieusement soulevé devant ses yeux étonnés et ravis sa jupette de golfeuse! Il faut dire qu'elle ne portait pas de slip et que ses longues jambes étaient l'irrésistible compas qui menait à une autre forêt: son duvet parfumé et sombre de fausse blonde. L'arrivée de David Berger au club avait engendré des pensées fort peu conjugales dans la tête de bien des femmes pourtant fidèlement mariées depuis des années. Et bien des plaisanteries aussi. Que devait souvent subir Louise Eaton sans sourciller ni se trahir.

Par exemple, une partenaire de golf, apercevant David Berger qui arpentait le terrain de son pas habituellement pressé, faisait la remarque suivante: « Dommage qu'il ne donne pas des leçons de golf à la maison! » Ou encore plus crûment: « J'aimerais bien jouer le dix-neuvième trou avec lui! » Ou: « Ce que je donnerais pour tenir en main son bâton! »

Oui, Louise Eaton devait souvent subir avec stoïcisme ces commentaires parfois salaces, se retenir de faire des confidences, alors que quelques heures plus tôt elle était dans les

11

bras de cet Adonis, que sa taille se cambrait sous ses mains athlétiques.

Ces mains qui ne savaient pas seulement frapper puissamment la balle ou exécuter de petits coups subtils autour des verts…

Ces mains qui, véritables magiciennes, savaient faire frémir comme nulle autre ses seins d'adolescente invisibles aux yeux de son mari banalement amateur d'opulentes poitrines.

Ces mains qui exploraient, avec une liberté qu'elle n'avait jamais permise à aucun autre homme avant, les profondeurs de sa féminité.

En un mot comme en mille, il la rendait folle et elle lui permettait toutes les audaces, non seulement pour lui prouver hors de tout doute son amour, mais parce qu'elle avait envie de les commettre avec lui…

Elle était miraculeusement parvenue à garder cette liaison secrète, même si, comme on dit, tout finit par se savoir. Surtout dans son groupe d'amies qui s'épiaient toutes les unes les autres avec une férocité souriante et dont le sport préféré — hormis le golf, bien entendu — était les qu'en-dira-t-on et la médisance. Cette passion occupait toute sa vie, la torturait, la ravageait.

Aussi écoutait-elle bien distraitement les conseils que lui prodiguait son amant en cette leçon de golf matinale. Elle se concentrait sur ses mains. Ses mains à lui, alors que c'est sa propre prise qu'elle aurait dû vérifier !

Ses mains qu'elle n'avait pas senties sur son corps depuis des jours.

Elle craignait qu'il ne se fût déjà lassé d'elle.

Le sexe — le vrai sexe, pas les échanges hygiéniques entre adultes ennuyés ! — dure combien de temps ?

Un an ? Deux ans avec un peu de chance ?

Et lorsque c'est la principale chose que vous partagez avec votre amant, et que vous ne le faites plus que comme des gens mariés… qui ne le font plus, il vous reste quoi ?

Comme il faisait avec tous les élèves à qui il dispensait patiemment (et souvent inutilement) sa science, David Berger plaçait lui-même la balle sur le tee avant chaque coup. Ce n'étaient pas des balles de terrain d'exercice ordinaires, marquées d'une ligne rouge ou noire, pour dissuader les joueurs peu scrupuleux de les glisser subrepticement dans

12

leur sac, mais des balles parfaitement blanches et neuves : il n'y avait pas de voleurs au chic club Hamptons. Ou s'il y en avait, les seuls délits qui les intéressaient relevaient de la haute finance !

– Maintenant, dit David avec ce ton impersonnel qu'il adoptait avec tous les élèves — et il ne faisait pas exception avec sa maîtresse afin de ne pas éveiller les soupçons —, on essaie de monter lentement et de ne pas trop précipiter la descente.

Louise, fort racée avec ses yeux verts à l'éclat impérieux, son front haut et ses pommettes saillantes, eut un sourire ennuyé, comme si ces mots dépourvus de passion l'irritaient suprêmement.

Elle n'écouta pas son professeur. En fait, elle fit exactement le contraire de ce qu'il lui demandait. Elle précipita son élan, et néanmoins réussit un coup de deux cents verges, droit comme une flèche. David parut impressionné.

– Très bien, dit-il.

Il déposa une autre balle sur le tee. Elle la frappa tout de suite, si vite même qu'elle faillit heurter la main de son bien-aimé professeur. Il eut un mouvement de recul, écarquilla les yeux : voulait-elle le frapper ? Son impatience pourtant ne l'avait pas desservie, car c'était une autre balle parfaite qui s'envolait dans ce ciel bleu de juin : quel talent, surtout vu son manque d'application !

– Impressionnant ! la félicita David.

– Je suis fatiguée.

– Je trouve que tu frappes plutôt bien.

– Non, je veux dire : je n'en peux plus, David ! Tu ne sais pas ce que c'est de devoir vivre avec lui tous les jours…

Son expression avait changé, subitement, et il y avait dans son beau visage quelque chose de douloureux, qui n'aurait sans doute pas échappé aux autres golfeuses près d'elle si elle leur avait fait face… L'expression torturée de Louise semblait par contre avoir retenu l'attention de l'homme vêtu de noir qui était tapi dans le petit boisé délimitant la partie occidentale du champ d'exercice. Il portait non seulement une veste et un pantalon noirs, mais un grand chapeau noir, et non pas le gant unique du golfeur, mais bien deux gants noirs, de fine peau. Muni d'un long téléobjectif, il prenait mystérieusement des gros plans du couple.

13

– Je comprends… C'est difficile pour moi de… de te voir avec un autre homme.

– J'aimerais que nous nous voyions plus souvent…

– Mais nous nous voyons presque tous les jours! De toute manière, je ne crois pas que ce soit le lieu ni le moment pour parler de ça…

Et en disant cela, il esquissa un sourire un peu forcé qui parut curieux. Il s'était détourné, Louise Eaton se détourna elle aussi, juste à temps pour voir une jeune golfeuse de vingt-deux ans, la fille d'un des membres, se pencher pour ramasser son gant de golf qu'elle avait laissé échapper — volontairement? — en s'approchant.

Ce faisant, elle offrait à David une vue privilégiée de son soutien-gorge rose au balconnet éloquent.

– Bonjour, David! dit-elle d'une voix qui parut horriblement précieuse à madame Eaton, est-ce que vous êtes libre dans la matinée pour me donner une leçon?

– Euh… passez un peu plus tard à la boutique, il faut que je vérifie mon horaire.

– C'est bien! déclara-t-elle, enchantée.

Et ayant pris la peine de sourire pour montrer ses dents étincelantes, elle s'éloigna pendant que Louise Eaton fulminait et l'imitait d'une voix méprisante: « Bonjour, David est-ce que vous êtes libre? »

Elle devenait nerveuse lorsque ces filles qu'elle appelait les « petites dindes *siliconées* » se trémoussaient devant son homme car, mince comme une liane, elle n'avait pour ainsi dire pas de seins. Pourtant, elle avait toujours refusé de recourir au scalpel avantageux des chirurgiens même si elle savait bien que la plupart des hommes cessaient d'utiliser leur cerveau — si du moins ils l'avaient jamais utilisé! — dès qu'ils étaient mis en présence de fortes quantités d'argent ou de fortes poitrines.

La vue de la jeune golfeuse et son petit stratagème trop évident à l'endroit de David avaient réveillé une de ses hantises les plus tenaces: après tout, son amant avait sept ans de moins qu'elle, un écart qui, le craignait-elle, la desservirait de plus en plus avec le temps. Voudrait-il encore d'elle lorsqu'elle aurait cinquante-cinq ans et que des minettes en mal d'hommes matures seraient attirées par les tempes grisonnantes de David?

14

Il lui semblait même que son propre mari, qui accusait pourtant cinquante-cinq ans bien sonnés, avait commencé à regarder les femmes plus jeunes. D'ailleurs peut-être avait-il déjà une maîtresse : comment savoir ? Il était si secret… et tellement absent.

En tout cas, elle était certaine qu'elle n'était pas totalement paranoïaque et que sa méfiance était légitime… Du moins avec son mari. C'était arrivé à tant de ses amies une fois atteint l'incertain rivage de la quarantaine, son lot dans une petite année (et celui de la cinquantaine était encore plus terrifiant, lui avait confié sa partenaire de golf régulière !). Voilà quel était le scénario (tristement classique) auquel elle devait se préparer : un jour, son mari, qu'elle ne voyait presque jamais, la surprendrait en l'invitant à un dîner romantique (enfin, idiote qu'elle était, elle le croirait romantique !) et il la prierait de garder son calme avant de lui annoncer qu'il la quittait pour une autre femme qui, comme par hasard — mais il n'y a pas de hasards, seulement des goujats ! — avait vingt ans de moins qu'elle ! Charmant !

Au loin, dans le petit boisé si dense que nul rayon de soleil n'y avait droit de cité, même par les plus lumineuses journées d'été, le photographe en noir prenait de nouveaux clichés. Il avait allumé une cigarette et, entre chaque photo, il en tirait patiemment une bouffée, ayant au préalable vérifié, avec un professionnalisme qui l'honorait, la direction du vent. Il soufflait de la mer vers le petit boisé : le mystérieux photographe pouvait fumer tranquille !

— Tu en as assez ? Tu ne veux plus qu'on se voie ?

— Mais non, pourquoi dis-tu ça ?

— Parce que ça fait presque dix jours qu'on n'a pas…

— Tu as l'air d'oublier que tu es mariée au président du club ! S'il découvre un jour que…

— King Kong ne découvrira jamais rien. Il est bien trop occupé à faire de l'argent.

King Kong, c'était le charmant sobriquet qu'avait trouvé Louise Eaton pour désigner son mari bien-aimé !

— Il arrive justement…, murmura David.

Il arrivait en effet, au volant de la voiturette électrique qu'il conduisait invariablement, ses mauvais genoux lui interdisant de marcher, même un neuf trous.

C'était un homme d'allure imposante qui faisait un peu plus vieux que son âge. Ce n'était pas que son front fût dégarni, au contraire il possédait encore une abondante chevelure, qu'il teignait un peu coquettement et sans grande habileté, car il était évident que le noir de geai n'était pas ou du moins n'était plus depuis longtemps sa couleur naturelle.

Il y avait quelque chose de menaçant chez lui, comme s'il était un tueur déguisé en homme du monde, ou plutôt en homme d'affaires. Des lunettes à grosse monture noire et à verres épais comme des loupes rendaient encore plus intimidant son regard d'acier. Tous ses traits dénotaient la puissance : un front large, un nez épais et droit, un menton encore carré malgré l'embonpoint. Et des mains velues et larges qui le servaient comme golfeur, car il était un long cogneur.

Il parut contrarié de trouver sa femme en compagnie du professionnel du club. Pourtant, il se plaignait souvent qu'elle ne jouait pas assez bien — il était lui-même bon joueur — avec une fort respectable marge d'erreur de treize. Mais peut-être soupçonnait-il l'aventure de sa femme, ou était-il simplement irrité de l'intérêt qu'elle semblait porter, comme les femmes de tant d'autres membres, à ce bellâtre que, tout compte fait, il aurait peut-être mieux valu ne pas embaucher !

— Louise, décréta-t-il d'une voix qui trahissait une impatience certaine, on t'attend au premier départ.

Elle consulta sa jolie montre en or, un des innombrables cadeaux dont il l'avait couverte à leurs débuts : maintenant il était trop pressé et se contentait de lui donner de l'argent pour qu'elle se les achète elle-même !

— Je croyais que notre départ était à 11 h 24…

— Le préposé nous a trouvé une place, on peut partir avant. Et comme notre avion est à 16 h…

Elle se demandait souvent pourquoi diable il tenait à jouer au golf, même s'il devait le faire à la course et expédiait ses dix-huit trous en à peine quatre heures, comme s'il s'agissait d'une corvée ou d'un marathon. Le golf n'était-il pas censé être un jeu amusant ? Alors, pourquoi ne pas prendre son temps, pourquoi ne pas prolonger le plaisir ? Mais non, il fallait jouer vite, comme on fait tout vite, pour pouvoir se vanter — gloire paradoxale — qu'on avait joué en quatre heures dix, comme on dit : « J'ai fait New York-Montréal en cinq heures ! »

16

Mais il y avait bien des choses que Louise Eaton ne comprenait pas chez son mari et qu'elle avait d'ailleurs renoncé depuis longtemps à comprendre. Il venait non seulement d'un autre milieu, mais d'une autre planète que la sienne, et elle n'avait pas pu s'habituer à leurs différences, même après des années de mariage.

– Bonjour, monsieur Eaton! dit respectueusement David, avec une vague crainte, car il avait senti son irritation.

Savait-il qu'il couchait avec sa femme?

– Bonjour, David! Est-ce que ma femme fait des progrès?

«Est-ce que ma femme fait des progrès?» Comme la question était insidieuse, comme elle pouvait avoir des sens divers!

– Euh... oui, immenses...

– Immenses? Bravo! Elle doit avoir un bon professeur.

– Elle a surtout du talent.

– Oh! pour avoir du talent, je suis sûr qu'elle en a.

David s'empressa d'installer le sac de son élève bien particulière à l'arrière de la voiturette du mari. Il emballa son embarras dans le sourire plastique dont il se servait vingt fois par jour pour dissimuler l'humiliation qu'il éprouvait à devoir faire des courbettes devant ces millionnaires qui le traitaient souvent comme un moins que rien.

– Merci, David, dit Eaton, dont le visage était maintenant complètement fermé.

Sa femme monta dans la voiturette, comme un petit animal serait entré dans sa cage après un trop bref moment de liberté, jeta furtivement vers David un regard dans lequel se lisait une sorte de désespoir: on aurait dit qu'on l'amenait à la chaise électrique!

David regarda le couple s'éloigner et il ne put s'empêcher de penser à la bizarrerie explosive de la situation: il était amoureux de la femme du président du club! Pourquoi ne s'était-il pas retenu? Mais comment freiner la passion? Comment se séparer d'une femme qu'on a dans la peau sans se séparer de soi-même? Maintenant, n'était-il pas trop tard pour faire marche arrière? Ne lui restait-il pas qu'à croiser les doigts et à espérer que les choses s'arrangeraient même si elles ne s'étaient jamais vraiment arrangées dans sa vie?

Louise...

Il n'avait jamais cru pouvoir rencontrer une femme comme elle…

Elle était si différente de son ex, qui était distante et froide…

Dans le petit boisé, le mystérieux photographe vêtu de noir avait disparu, après avoir écrasé imparfaitement sa cigarette à ses pieds, laissant un mégot qui fumait encore, heureusement loin des brindilles de pin qui formaient au sol un tapis odorant.

2

Chaque soir, avant de partir, David avait l'habitude de faire un bref arrêt au bar du club. Il y voyait non sans justesse un double avantage: entretenir de bonnes relations avec les membres et se débarrasser du stress de la journée en s'envoyant un verre ou deux derrière la cravate.

Il en profitait aussi pour bavarder avec Paul Loria, le barman, un homme discret qui avait appris depuis longtemps que l'art de la conversation consiste essentiellement en celui d'écouter, ce qui est encore plus vrai lorsque votre interlocuteur est... plus fortuné que vous! Il y excellait d'ailleurs et connaissait les petits secrets de bien des membres.

Ce talent lui avait valu de rester barman depuis plus de vingt ans au Hamptons et en faisait un des plus anciens employés. À cinquante-deux ans, il ne se voyait pas travailler ailleurs et souhaitait finir sa carrière dans le distingué club, qui non seulement lui assurait un salaire décent mais lui procurait une sorte de prestige.

C'était un homme de petite taille, qui n'avait guère épaissi avec l'âge et qui, même s'il ne souriait que rarement, était aimé de tous les membres.

Il servit à David ce qu'il lui servait invariablement chaque soir, une bière dont ce dernier dégusta la première gorgée (toujours la plus suave) en fermant les yeux avec recueillement, comme s'il voulait oublier plus sûrement les soucis de la journée. Sa situation avec la femme qu'il aimait devenait de plus en plus délicate.

Au début — c'est-à-dire avant de s'éprendre d'elle —, il l'avait simplement trouvée amusante. Et surtout pratique! Elle ne lui demandait rien. Sauf de lui faire l'amour comme un dieu chaque fois que son mari s'absentait ! C'était parfait pour lui, car il ne pouvait rien donner de plus. Son divorce l'avait littéralement détruit. Il avait perdu non seulement sa femme et sa maison, mais sa fille adorée qu'il ne pouvait voir qu'un week-end sur deux. Quand il avait de la chance. Car son ex-femme trouvait toujours des moyens plus ingénieux les uns que les autres pour réduire des visites déjà trop rares !

Et dire qu'il lui avait fallu allonger quinze mille dollars de frais d'avocat pour aboutir à ce qu'il aurait obtenu de toute manière s'il n'était pas allé en cour ! Quinze mille dollars qu'il n'avait pas et qu'il avait été obligé d'emprunter, car, au moment de son divorce, il ne travaillait pas encore aux Hamptons, mais dans un autre club qui payait beaucoup moins, si bien qu'il avait dû participer à de nombreux tournois — et les gagner ! — pour boucler les fins de mois !

Quelques secondes avant que Louise Eaton ne devienne sa maîtresse, hypnotisé par sa chatte révélée de manière si inattendue, il avait raisonné (ou cru raisonner) de la manière suivante : « Elle ne me demandera jamais rien, en tout cas ni de l'argent ni de l'épouser, puisqu'elle est déjà mariée et riche. »

– As-tu pensé à ma proposition ? demanda le barman avec un demi-sourire.

David commença par essuyer sa moustache qui avait retenu un peu de mousse, puis répliqua.

– Euh… non, pas vraiment.

– J'ai apporté quelque chose qui va peut-être te convaincre.

Le barman regarda autour de lui — il n'y avait pas de membres au bar car ils étaient tous assis dans la salle, aux tables, une vingtaine tout au plus — puis tira d'un tiroir une grande enveloppe brune qu'il posa sur le comptoir.

David l'entrouvrit. Il en sortit une photo en noir et blanc. Il éprouva une sensation étrange, une sorte de commotion. Il avait l'impression de rêver. La photo représentait une jeune femme très belle, aux cheveux blonds et aux grands yeux clairs, ce qui en soi aurait pu être banal. Mais ce qui l'était moins, c'était qu'elle ressemblait énormément à Louise Eaton. Elle semblait un peu plus jeune que sa maîtresse, mais elle aurait vraiment pu passer pour sa sœur. Absolument le même type de femme, en tout cas.

Le barman observa avec attention la réaction de David.

– Entremetteur ! se contenta de dire ce dernier.

Paul Loria rigola et demanda :

– Alors ? C'est ton genre ou quoi ?

– Je dois admettre qu'elle ne ressemble pas à mon ex. C'est un bon point pour elle.

Son ex, Carole, avait le type latin bien marqué, avec ses longs cheveux noirs abondamment bouclés, ses yeux bruns, son teint foncé.

– Écoute, renchérit le barman, tout en rangeant méthodiquement les verres que le plongeur lui avait rapportés de la cuisine quelques minutes plus tôt, c'est la candidate idéale. Trente-deux ans, dentiste, pas d'enfant, pas de MTS.

– Hum, bien. Mais trente-deux ans, ça m'inquiète. À cet âge, elles ne cherchent pas un partenaire, elles cherchent le père de leurs futurs enfants. Et si elles ne cherchent pas ça, c'est qu'elles sont tordues, et comme j'ai pour règle de ne jamais coucher avec quelqu'un qui a plus de problèmes que moi…

Il avait été si meurtri, si échaudé par son divorce, et la perte de sa fille l'avait tant affligé qu'il tenait souvent le discours d'un cynique désabusé, même si au fond de lui-même, sous les cicatrices nombreuses, il était resté un incurable romantique et ne souhaitait rien tant que de refaire sa vie.

Avec une nouvelle femme.

Et il était convaincu que cette nouvelle femme était Louise Eaton. Ils avaient tant d'affinités. Ils aimaient et détestaient les mêmes choses, les mêmes gens. Et c'étaient aussi les mêmes choses, les mêmes gens qui les faisaient rire. Ils aimaient la même musique, la même nourriture. Ils avaient toujours des choses à se raconter, ils se comprenaient à demi-mot. Ils étaient non seulement les amants parfaits, mais les amis parfaits. Ce qui facilite les rapprochements, mais rend difficiles les séparations.

– Diable ! tu as réfléchi à la question, on dirait, déclara Loria.

– Oui, et franchement, j'aurais mieux aimé que tu me dises qu'elle était mariée avec deux enfants : les femmes mariées, elles te foutent la paix, au moins.

– Sauf quand on est marié avec elles !

– Oui, admit David avec un rire bref.

Il regrettait ce qu'il venait de dire. Cela pouvait donner des indices de sa liaison avec Louise Eaton. Il pensa un instant que le barman avait lu dans ses pensées, car ce dernier eut un sourire un peu curieux. Mais il ne fit pas de commentaires, ne posa pas de questions embarrassantes.

À la place, il fit une petite grimace, porta la main droite à sa poitrine. C'était son cœur à nouveau qui faisait des siennes. Il souffrait d'arythmie, et depuis quelque temps, sans trop savoir pourquoi, ses crises se faisaient plus fréquentes. Pourtant, il ne buvait presque plus — un véritable supplice pour un barman alcoolique — et il avait pour ainsi dire cessé de fumer, à la suite des avertissements répétés de son cardiologue.

Il chercha dans la poche droite de son pantalon le flacon de comprimés prescrits par son médecin en cas d'attaque sérieuse. Il ne le trouva pas. David, qui connaissait ses antécédents médicaux, aperçut le flacon sur le bar, le prit et demanda :

– C'est ce que tu cherches ?

Le barman le lui arracha quasiment des mains, le décapsula avec nervosité, s'empressa de prendre un comprimé qu'il avala avec un grand verre d'eau. Puis il resta un instant sans rien dire comme s'il attendait que la douleur passe. Enfin, il eut un demi-sourire, jeta un regard circulaire pour s'assurer que personne n'avait été témoin de la scène. Il ne se faisait évidemment pas une gloire de souffrir ainsi du cœur. Sait-on jamais, on avait congédié des gens pour moins que cela...

– Un jour, je ne trouverai pas mes pilules et...

– Tu vas tous nous enterrer, protesta David. Tu vas vivre plus longtemps que ces vieux dinosaures.

Et en disant cela, il regardait en direction d'une table près du bar, où quatre vieux golfeurs jouaient au bridge. L'un d'eux choisit ce moment pour lever son verre vide en direction de Paul Loria. Son partenaire, un véritable pachyderme, s'était assoupi. Remarquez, il avait une bonne excuse, puisqu'il faisait le mort !

Le barman esquissa un sourire d'intelligence, David salua le membre, nota l'endormissement de son partenaire.

– Le bridge, c'est comme le mariage, murmura le pro entre ses dents, lorsque tu n'as pas un bon partenaire, tu as besoin d'une bonne main.

Paul laissa échapper un bref éclat de rire et porta à nouveau la main à son cœur comme si son hilarité l'avait fait souffrir.

– Tu es drôle, toi.

– Elle n'est pas de moi, mais de Woody Allen.

– Ah…

David prit une autre gorgée de bière et Loria revint à la charge.

– Écoute, pour ma nièce, si ça peut te rassurer, je la connais depuis assez longtemps pour savoir qu'elle ne veut rien savoir des enfants. Ce qu'elle veut, c'est devenir la prochaine Agatha Christie.

– Je pensais qu'elle était dentiste.

– Oui, mais elle en a marre d'arracher des dents. C'est pour cela qu'elle déménage de Detroit à New York. Alors, tu vois, tu ne peux pas perdre. C'est comme si tu étais au dix-huitième, à Augusta, à cinq pieds de la coupe et que tu pouvais faire trois roulés pour gagner le Masters. Et puis, personne ne te demande de te remarier. Sors simplement avec l'ex-dentiste. Ça t'aidera peut-être à oublier ton ex.

– Oh! pour ça, je n'ai pas besoin d'aide. Carole a bien fait le travail.

Une jolie serveuse dans la jeune vingtaine arriva au bar, avec une commande pour deux membres. David s'empressa de serrer la photo dans l'enveloppe.

– Ça va, monsieur Berger?

Elle l'appelait monsieur Berger, et non pas David, avec une déférence qui relevait sans doute plus de son trouble que du relatif respect qu'on doit témoigner au pro du club lorsqu'on est simple serveuse. Visiblement, elle le trouvait plutôt bien de sa personne: c'étaient ses yeux de velours, ses fines moustaches et ses mains… Et puis, il y avait quelque chose de mystérieux en lui.

N'était-il pas mystérieux en effet qu'un homme comme lui, un véritable play-boy s'il s'en trouvait, fût toujours seul, qu'il ne vînt jamais accompagné aux soirées données par le club? Était-il possible qu'il fût… Non, pas lui! Ç'aurait été un tel gaspillage. Et elle détestait le gaspillage. Comme femme et comme serveuse. Et elle en voyait beaucoup au club.

Remarquez, elle voyait aussi beaucoup de vieux messieurs près de leurs sous (malgré leurs millions) qui lui demandaient des *doggy bags* parce qu'ils avaient un appétit d'oiseau ! Non, David était un vrai homme. Après tout, il avait été marié (peu importe ce que cela voulait dire !) à une *bitch*, disait-on. Mais c'est connu, ça prend plus qu'une *bitch* pour transformer un homme qui aime les femmes en homme qui… Non, elle préférait ne pas y penser. Elle préférait espérer qu'un jour il se rendrait compte qu'elle n'était pas seulement une serveuse, que sous son tablier (qu'elle pouvait par ailleurs garder sur elle s'il le lui demandait) elle était aussi une femme et plutôt dégourdie.

— Oui, ça va bien, fit distraitement David sans même vraiment la regarder.

Le barman donna les verres commandés à la serveuse, qui repartit aussitôt avec un sourire triste. Le premier jour qu'elle avait vu David, elle s'était fait la remarque : « Je me le ferais bien, gratuitement même. » Mais, de toute évidence, il lui faudrait attendre une autre journée avant que le miracle ne se produisît et continuer d'accepter des cadeaux (ce pouvait être n'importe quoi pourvu que ce fût de l'argent !) des membres mariés qui appréciaient sa discrétion et lui demandaient de garder son tablier.

— Écoute, reprit Loria, pour être honnête avec toi, il faut que je te dise : il y a des rumeurs qui circulent au club… Il y en a qui racontent que tu aurais une liaison avec la femme d'un membre influent…

David eut de la peine à dissimuler sa réaction, avala une gorgée de bière, avec une lueur de terreur au fond des yeux, comme si on venait de lui annoncer la fin du monde.

Une relation avec la femme d'un membre influent…

Est-ce qu'on pouvait être plus précis ?

Il ne restait qu'à donner le nom du membre, en somme. Lui qui était persuadé que son aventure avec Louise Eaton était secrète ! Comment diable cette inquiétante rumeur avait-elle pu naître ? Louise avait-elle fini par craquer ou avait-elle commis un lapsus ? Ou encore s'était-elle imprudemment confiée à une amie qui s'était empressée de la trahir ?

— Mais c'est absurde, protesta David, comme si j'étais assez idiot pour faire une chose pareille !

Le barman ne répliqua pas tout de suite mais toisa David, comme s'il cherchait à le sonder. David, lui, buvait une longue gorgée de bière pour apaiser sa nervosité grandissante.

– C'est peut-être ridicule, et faux, poursuivit enfin le barman, mais ici, au club, tout n'est qu'impression, image. La vérité, ça ne veut rien dire, mon pauvre David. Si plusieurs membres sont convaincus que tu es une menace pour eux, eh bien, tu ES une menace. Et tu peux être sûr qu'ils voteront contre toi lorsque viendra le temps de renouveler ton contrat. Ce qui, sauf erreur, arrive en septembre, soit dans trois petits mois, n'est-ce pas ?

Diable, il avait l'air renseigné au sujet de son contrat ! David ne se souvenait pas de lui en avoir confié les détails, mais comme il lui racontait à peu près tout, sauf bien entendu ce qui relevait de Louise Eaton, il n'était pas impossible qu'il lui eût parlé des clauses de son entente avec le club.

– Je sais que c'est ennuyeux, que c'est injuste même, reprit le barman en écarquillant les yeux et en plissant les lèvres, mais c'est ainsi. Tout ce que je veux te dire, c'est que ce serait plus facile pour tout le monde si tu te trouvais quelqu'un.

– Quelqu'un comme ta nièce, évidemment ?

David hochait la tête, visiblement contrarié. Il jeta un second coup d'œil à la photo et fut à nouveau frappé par la ressemblance de la nièce du barman avec sa maîtresse.

Il ne paraissait guère emballé par ce rendez-vous-surprise. Il ne pouvait faire ça à Louise. Voir quelqu'un dans son dos. Bien sûr, c'était précisément ce qu'elle faisait à son mari. Mais King Kong avait le dos large, non ?

L'idée de devoir se séparer de Louise le déprimait encore plus. Comment pourrait-il vivre sans elle ? Elle était si vivante, si enjouée et si amoureuse. Il n'avait jamais rencontré une femme avec qui l'accord était aussi parfait, spécialement au lit. En fait, chaque fois qu'ils se voyaient en privé, ils ne pouvaient résister, ils se jetaient l'un sur l'autre. S'il n'y avait pas de lit, c'était aussi amusant de voir quelle idée aurait Louise, si imaginative à ce chapitre.

Pour montrer sa bonne foi et aussi étouffer les soupçons du barman, David fit mine de s'intéresser à sa nièce, ce qui était pour lui la dernière des comédies, car depuis qu'il était avec Louise Eaton, et malgré les conditions difficiles de leur liaison, il ne « voyait » plus aucune femme, même s'il y en avait plusieurs qui tournaient avec insistance autour de lui et n'attendaient qu'un signe de sa part ! Mais lui restait aisément fidèle à cette femme infidèle! Il regarda à nouveau la photo de la jeune femme.

— Est-ce que tu lui as dit que j'étais divorcé, que j'avais une fille de cinq ans?

— Écoute, tout ce que je lui ai dit, c'est que tu étais libre, que tu connaissais New York comme le fond de ta poche et que tu pourrais lui servir de guide.

— Est-ce qu'elle aime le golf?

— Si elle aime le golf? Tu me demandes si elle aime le golf?

— Oui, est-ce si extraordinaire?

— C'est une malade de golf! Elle dort avec son gant de golf et va travailler avec ses souliers à crampons! Alors, qu'est-ce que tu en penses? Est-ce que je lui dis que tu vas l'appeler?

David termina sa bière d'un seul trait, posa son verre avec décision sur le comptoir, se leva.

— Je vais y penser.

— Eh bien, ne prends pas trop de temps. Une fille comme elle, à New York, ça ne reste pas longtemps sur le marché. En tout cas, garde la photo si tu veux. Elle est descendue au Plaza pour la semaine, en attendant de se trouver un appartement. Si tu veux lui téléphoner, tu peux la joindre là, je n'ai pas le numéro de sa chambre mais demande simplement Louise Loria.

Louise…

Le même prénom que sa maîtresse…

Comme c'était curieux! Non seulement la nièce du barman ressemblait à sa maîtresse, mais en plus elle portait le même prénom! N'était-ce pas un signe que lui envoyait le destin pour le prévenir de ne pas aller de l'avant, parce que cette rencontre arrangée ne lui attirerait que des ennuis? Et de surcroît, ne serait-ce pas une trahison encore plus grande, encore plus basse, encore plus cruelle de quitter sa maîtresse pour cette femme qui lui ressemblait tant?

Pourtant, pour donner le change au barman, David prit l'enveloppe avant de lui fausser compagnie.

Il passa au vestiaire.

Il y avait quelque chose qu'il devait faire.

Qu'il devait absolument faire.

Derrière la porte de son casier, se trouvait, dans une pochette de plastique transparent, une très belle photo de

Lydia, sa petite fille. Comme elle était ravissante, avec sa robe de coton rouge et son sourire lumineux !

Il eut un sourire triste.

Ce qu'elle pouvait lui manquer !

Il se remémora la dernière fois qu'il l'avait vue. Ça faisait combien de temps ? Au moins un mois et demi, parce qu'un week-end, elle était grippée et sa mère avait refusé de la laisser partir. Et le week-end suivant, c'étaient les vacances estivales qui lui avaient volé le trésor de sa vie, des vacances passées à l'extérieur, que son ex n'avait pas voulu interrompre pour lui ramener sa fille. Et comme elle ne voulait pas déplacer les week-ends qui lui étaient déjà réservés, il perdait toujours au change. Oui, pas besoin d'être un génie pour comprendre que son ex faisait tout — avec une science démoniaque dont elle avait la clé ! — pour que Lydia finît par oublier qu'elle avait aussi un père !

La dernière fois...

Comme il avait aimé la retrouver après une si longue séparation ! En la voyant sauter dans ses bras, il n'avait pas pu retenir ses larmes.

— Tu n'es pas content de me voir ? avait-elle demandé, inquiète.

— Mais oui, au contraire.

— Alors, pourquoi tu pleures ?

— Mais je ne pleure pas, je... j'ai une poussière dans l'œil...

— Moi aussi, l'autre jour, j'ai eu une poussière dans l'œil.

— Ah bon...

— Oui, tu me manquais trop, mon petit papa d'amour.

Grosse émotion à nouveau.

— Mais tu aurais pu m'appeler...

— Maman ne veut pas parce qu'elle dit qu'il n'y a pas de téléphone sur un terrain de golf et, le soir, il faut que je me couche tôt si je veux faire de beaux rêves...

Quelle tristesse ! Des fois, il se disait que si sa femme était partie, c'est qu'il avait été non seulement un mauvais mari, mais aussi un mauvais père. Oui, un mauvais père. Parce que, pendant la haute saison, il lui fallait être au club sept jours sur sept. Et pour sa famille, pour sa fille, il ne restait que des miettes. Maintenant, par quelque cruel revirement du sort, comme châtiment de sa faute, c'était lui qui recevait les miettes : il était le mendiant de Lydia, de sa lumière, de sa joie ! Mais avait-il vraiment eu le choix ? L'administration, qui se souciait comme d'une guigne de sa situation familiale, l'aurait aussitôt congédié s'il ne s'était pas montré totalement disponible. La raison du plus riche est toujours la meilleure.

– Maintenant, est-ce qu'on se fait une danse ? avait demandé Lydia de sa voix claire comme la naissance du jour.

Ils avaient commencé à danser depuis quelque temps et c'était devenu un véritable rituel. Chaque fois, c'était sur l'air préféré de David, cette vieille mélodie sentimentale dont il ne se lassait pas, *Only the Lonely*, de Roy Orbison. D'abord, ils avaient dansé en appuyant leurs mains les unes contre les autres comme s'ils voulaient se repousser alors que c'était tout le contraire ! Et ils chantaient — faux, mais ils s'en foutaient ! — ces paroles que Lydia aimait tant parce qu'elles semblaient faites sur mesure pour elle. « *When the world is ready to fall, on your little shoulders…* »

« *Little shoulders…* »

Petites épaules… Si ça parlait de petites épaules, ça devait être une chanson pour enfants…

« *And when you feel lonely and small…* »

Seule et petite…

C'est comme ça qu'elle se sentait quand son père lui manquait, mais elle ne pouvait rien dire, puisque sa maman lui avait dit que son papa était parti de la maison parce qu'il avait rencontré une autre madame. Elle n'avait jamais compris. Son papa était toujours seul. Mais sa maman ne pouvait pas lui mentir, parce qu'elle était sa maman. Et ce sont seulement les papas qui mentent. Une autre vérité que lui avait commodément enseignée sa mère.

Oui, la dernière fois, comme Lydia, encore maladroite, lui marchait trop souvent sur les pieds, il lui avait proposé de monter carrément sur ses souliers, et ainsi de danser à coup sûr au même pas que lui, elle avait adoré cette nouvelle manière…

Et à la fin, pour que leurs visages soient à la même hauteur, il l'avait prise dans ses bras et l'avait fait tournoyer, provoquant chez elle des éclats de bonheur et de rire sans fin.

Derrière la photo de sa fille, David avait glissé celle de Louise Eaton : c'était son talisman, son refuge, son Prozac contre toutes les avanies qu'il devait subir quotidiennement au club. Ce n'étaient souvent que de petites piqûres, mais lorsque vingt insectes vous piquent au même endroit, le même jour, le sang pisse à la fin !

Oui, entre deux leçons prodiguées à de vieux riches sans talent (et dire que son rêve de jeunesse était de devenir le nouveau Jack Nicklaus : quel contraste désolant !), il s'offrait le petit remontant de regarder subrepticement la photo de sa Juliette, Loulou, l'*amorosa*, qui était prête à tout laisser pour lui, les maisons, les voyages, les voitures. Tout cela, c'était de la merde pour elle, parce que c'était lui, son David, le sans-le-sou qui était sa seule richesse, qui lui redonnait le goût de vivre la vraie vie. Sans compromis, sans sourires forcés, sans orgasmes feints.

Juste l'amour.

Tous les jours, toutes les nuits, chaque heure, chaque minute. Juste l'amour comme nourriture.

Juste l'amour comme armure contre la bêtise du monde et la dépression, ombre sournoise : « Partons ensemble ! Dis oui, je t'en supplie ! », voilà quelle était sa prière aux étoiles.

David ne pouvait plus garder là cette photo de Louise. C'était trop risqué, surtout après ce que le barman venait de lui dire. Si on fouillait son casier pour trouver une preuve de sa liaison, et qu'on y découvrait cette photo, il était mort. Pas autant que la plupart des membres, mais mort quand même. Il retira la photo avec un air nostalgique, comme si ce geste pourtant anodin était un mauvais présage, comme si cette petite séparation en augurait une autre, plus grande, dont il ne se relèverait peut-être pas.

Il s'attarda un instant à contempler le cliché malgré le danger d'être surpris, comme s'il y avait en lui quelque chose de suicidaire. Ce que Louise était belle ! Et quelle femme incroyable ! Il n'y avait jamais un moment ennuyeux avec elle, même lorsqu'il ne faisait que lui donner une leçon de golf (sous la haute surveillance de toutes ses amies jalouses !) et qu'il devait se contenter de respirer son parfum qui le troublait tant. Comme le troublait le simple effleurement de ses mains, même s'il devait se contenter de son regard, dans lequel il plongeait, ivre d'elle. Son regard qui proclamait silencieusement : « Je t'aime, je t'aime, je t'aime ! » Ou, véritable triple sec : « Je te veux, je te veux, je te veux ! »

Comme s'ils faisaient littéralement l'amour dans le champ d'exercice.

Comme ils l'avaient d'ailleurs fait un soir, très tard, et très rapidement, dans la maisonnette où des milliers de balles étaient remisées. Ce qui n'avait pas empêché Louise de trouver celles de David! Il posa un baiser sur la photo, puis la glissa dans l'enveloppe, par-dessus la photo de la nièce de Loria.

En posant le pied hors du chalet, il éprouva un soulagement: une autre journée qui l'avait vidé, peut-être encore plus que les autres. Il faut dire que l'inquiétante conversation qu'il avait eue avec Loria lui avait mis les nerfs à vif.

Dehors le soleil embrasait l'horizon. David contempla le ciel.

«Sublime, pensa-t-il avec dérision, exactement comme ma vie!»

Il monta dans sa Jeep. Il y avait une loi tacite au club: le pro ne devait pas porter ombrage aux membres en conduisant une voiture trop luxueuse, lire: plus dispendieuse que la leur, comme une Porsche ou une Ferrari! Ils abhorraient non pas la confusion des genres mais celle des classes! Chacun à sa place — et au volant d'une voiture de son rang! — pour assurer l'ordre du monde! David posa l'enveloppe que lui avait remise le barman sur le siège du passager et démarra.

Il mit la radio, ou plutôt un CD, «leur» CD, qu'il avait lui-même «brûlé», et qui brûlait sa mémoire chaque fois qu'il l'écoutait car il contenait «leur» chanson, *Too Much Heaven*, des Bee Gees.

Combien de fois avait-il fait l'amour avec Louise Eaton en écoutant cette chanson?

Il y avait l'amour de la danse certes, mais dans leur cas c'était plutôt l'amour en dansant.

L'amour debout.

Comme de véritables adolescents.

Mais aussi comme des adultes, indécents de ne pas se dévêtir, ou juste assez pour permettre entre leurs deux corps le jeu magique et maléfique des vases communicants.

En dansant sur cet air langoureux et triste.

Non, il ne se souvenait pas d'avoir jamais connu une autre femme avec qui il lui paraissait si naturel, si évident, si irrésistible de faire l'amour debout.

Après avoir dansé trente secondes : leur limite.

Parce que leur impatience était trop grande, et si impérieux le déferlement de leurs instincts les plus anciens, les plus nouveaux. « *Nobody gets much love anymore…* », chantaient les Bee Gees de leur voix de fausset.

Mais, lui, David, depuis qu'il avait rencontré Louise Eaton, il ne pouvait se plaindre de ne pas avoir beaucoup d'amour.

Seulement, il ne pouvait pas dire ce que disaient les Bee Gees : « *Love is just a beautiful game…* »

Non, c'était devenu un jeu dangereux, un jeu qui pouvait lui coûter fort cher.

Il y pensa un instant en tentant de chasser de sa mémoire les souvenirs de Louise et lui dansant à demi nus dans la salle de séjour.

Si sa liaison était découverte, il perdrait automatiquement son emploi : pas besoin d'être un neurochirurgien pour faire cette déduction. Et il ne pourrait rien retrouver dans les Hamptons où Eaton sévissait avec ses millions. D'ailleurs, le scandale s'étendrait probablement comme une traînée de feu aussi fulgurante que sa passion pour Louise et il lui faudrait se chercher un nouvel emploi dans un endroit reculé où personne ne lirait les journaux.

Comme en Alaska !

Seul ennui, il y avait plus de glaciers que de clubs de golf en Alaska !

Oui, plus de glaciers comme il y en aurait plus dans sa vie lorsqu'il ne pourrait plus voir Lydia.

Car s'il devait déménager dans une autre ville — forcément éloignée ! — pour se retrouver du travail, ce serait fini. Son ex triompherait : elle ne permettrait pas à Lydia d'aller visiter son père à trois mille kilomètres de sa résidence principale. Et de toute manière où trouverait-il l'argent pour faire venir sa fille par avion deux fois par mois ?

Oui, ce serait sa plus grande défaite, et le plus grand triomphe de son ex !

Étonnant ce que cette simple conversation avec le barman du club avait pu créer comme révolution dans son esprit !

Il n'avait pas fait un kilomètre qu'il rangea nerveusement dans la boîte à gants l'enveloppe contenant les deux photos, car il venait de remarquer, dans son rétroviseur, une voiture qui

31

semblait le suivre, une BMW 325 noire, dont il crut reconnaître le surprenant conducteur…

3

Oui, on aurait dit que les mains gantées qui tenaient le volant de la voiture allemande derrière lui n'appartenaient à nulle autre que... sa maîtresse, Louise Eaton !

Que pouvait-elle bien faire là ? se demanda David en fronçant les sourcils.

N'était-elle pas partie en voyage d'affaires avec son mari en fin d'après-midi, tout de suite après leur expéditive ronde de golf ?

Avait-elle préféré ne pas le suivre parce qu'elle soupçonnait David de lui jouer dans le dos, d'aller rencontrer une autre femme ?

Par exemple cette jeune golfeuse aux seins gainés de rose qui, le matin, avait sollicité une leçon d'une manière à tout le moins aguichante...

C'était étrange. Il éprouva un malaise. Un malaise qui aurait été encore plus considérable s'il s'était rendu compte qu'une camionnette noire suivait la BMW et qu'elle était conduite par le mystérieux photographe du matin. Il portait le même chapeau, les mêmes lunettes fumées, les mêmes gants, et fumait calmement en poursuivant sa filature.

David prit son cellulaire, composa le numéro de sa maîtresse, laissa sonner une bonne dizaine de coups. Elle ne répondit pas, ce qui l'irrita. Pourquoi ne voulait-elle pas lui parler ? À quel petit jeu jouait-elle ? Mais peut-être n'était-ce pas vraiment elle. Il ne pouvait distinguer le visage de la conductrice de la BMW car elle portait un grand chapeau et des lunettes fumées... Comme en portait souvent Louise Eaton pour ne pas être reconnue car, après tout, elle était mariée à un homme connu.

Peut-être, aussi, dans sa hâte avait-il composé le mauvais numéro. Il le recomposa, cette fois-ci avec application, une application qui aurait d'ailleurs pu lui être fatale, car il faillit emboutir la voiture devant lui, qui avait préféré s'arrêter au feu qui venait de passer au jaune ! Il lui fallut freiner de toutes ses forces pour éviter la collision. Il laissa échapper un grand soupir de soulagement cependant que son cœur bondissait dans sa poitrine. En un geste d'impatience — « exaspération » aurait été un meilleur mot —, il frappa son volant à deux mains. Ce n'était pas contre le conducteur trop prudent devant lui qu'il était furieux, mais contre lui-même.

Il faisait trop de choses, oui, trop de choses en même temps, et sa liaison dangereuse le rendait constamment nerveux, sans doute plus encore qu'il ne voulait bien l'admettre ! Il était peut-être au bord de la dépression nerveuse et ne surnageait péniblement que parce que son ex aurait été trop heureuse de le voir se noyer une fois pour toutes ! Il finirait bien, un jour ou l'autre, par payer le prix de cette étourderie ! Il mit la Jeep en position marche arrière, regarda derrière pour reculer.

La BMW n'était plus là.

Pas plus que la camionnette, qu'il n'avait du reste pas remarquée.

Quelques minutes plus tard, il arriva à destination. Il ne put trouver une place devant son immeuble et dut se garer cinq ou six cents mètres plus loin. Il habitait un fort modeste appartement de Brooklyn, qui n'était certes pas digne d'un pro d'un club comme le Hamptons, mais c'était seulement provisoire dans son esprit, et de toute manière c'était tout ce qu'il pouvait se permettre pour le moment…

Il ouvrit la boîte à gants et prit l'enveloppe brune.

Il marchait vers son appartement lorsqu'il aperçut, garée devant la porte de son immeuble, une BMW noire. Il ralentit le pas, souleva un sourcil inquiet. Des BMW noires, il n'y en avait pas des masses dans son quartier. À moins que ce ne fussent des visiteurs…

Il pensa qu'il n'avait pas rêvé un moment auparavant, lorsqu'il avait cru être suivi par sa maîtresse. D'ailleurs, Louise sortit bientôt de sa voiture. Il éprouva une sorte de contrariété, d'agacement. Et un sourd désir aussi, comme presque chaque fois qu'il la voyait. Il faut dire qu'elle était diablement élégante et désirable, avec son grand chapeau, ses verres fumés, son magnifique collier de perles, cette veste de daim brun pâle et ces leggings noirs qui la moulaient à ravir.

Après un instant d'hésitation, il s'approcha d'elle. Il hésitait toujours, lorsqu'il la voyait, entre le simple serrement de main et un baiser, même dans des lieux où ils ne risquaient guère d'être aperçus par les membres du club.

Comme à Brooklyn.

Il craignait de faire un faux pas et surtout de contracter une habitude qui pourrait lui jouer un mauvais tour dans un moment de distraction : imaginez la réaction des membres s'ils voyaient le pro embrasser la femme du président au club !

Il avait amorcé le geste de lui tendre la main mais, agacée par cette prudence excessive, elle s'abstint de la serrer. Il exagérait à la fin ! Il était paranoïaque : après tout, ils n'étaient pas des célébrités dont chaque geste était épié par des paparazzis ! David n'insista pas, baissa le bras, demanda :

— Tu… tu n'es pas partie en voyage ?

— J'ai dit à mon mari que ma mère était souffrante, que je devais rester à New York pour m'occuper d'elle.

— Ah ! je vois… Los Angeles, pourtant c'est amusant…

— Ce n'est pas à Los Angeles que je devais aller mais à Las Vegas, lui rappela-t-elle en tentant de contenir sa contrariété.

David venait de lui prouver que, à l'occasion tout au moins, il n'écoutait qu'à moitié ce qu'elle disait.

Et dire que c'était une des raisons pour lesquelles elle s'était éloignée de son mari et avait pris un amant !

— Las Vegas, c'est chouette, non ? avec les casinos et les golfs…

Décidément, il collectionnait les banalités !

— Tu devrais écrire un guide touristique, le nargua-t-elle. Ça fait rêver, la manière dont tu me parles. Je commence à regretter d'être restée ici, même si je suis déjà allée dix fois à Las Vegas…

— Je… je ne m'attendais tout simplement pas à te voir aujourd'hui.

— Je vois.

Elle préféra ne pas insister, de crainte que la conversation, qui avait si mal démarré, ne se détériore encore. Leurs disputes étaient trop fréquentes depuis quelque temps. C'était quasiment devenu une habitude, la pire de toutes. Elle ne voulait pas risquer de voir un David irrité lui donner son congé. Elle avait follement envie de lui, ce soir-là. Plus que jamais peut-être.

De l'autre côté de la rue, dans sa camionnette, l'homme au chapeau noir prenait sans se presser des clichés, tout en grillant sa sempiternelle cigarette. Enfin, il semblait se passer quelque chose d'intéressant, une dispute qui se profilait à l'horizon comme les nuages précurseurs d'un orage.

– Est-ce qu'on monte ? demanda Louise.

– À cette heure ?

– Tu dis ça comme s'il était trois heures du matin ! Qu'est-ce qu'il y a ? Tu attends quelqu'un ? Comme cette petite dinde qui te demandait une leçon ce matin ?

– Mais non, qu'est-ce que tu vas inventer là !

Et disant cela, il pressa involontairement contre lui, d'un geste de défense instinctif, l'enveloppe brune. La jalousie ayant donné à Louise Eaton le don de lire dans les pensées de son amant, ce petit geste ne passa pas inaperçu.

– Qu'est-ce que c'est ?

– Rien, un document…

– Est-ce que je peux le voir ?

– Puisque je te dis que ce n'est rien.

– Alors, si ce n'est rien, pourquoi ne pourrais-je pas le voir ?

– Ah ! Louise, ça suffit, ces enfantillages, à la fin ! Est-ce que tu m'as suivi jusqu'ici pour me faire une scène aussi ridicule ?

– Tu as quelque chose à me cacher ?

– Tu ne me fais plus confiance ?

Pour toute réponse, elle lui arracha l'enveloppe et s'éloigna de lui d'un pas vif, les mains secouées d'un tremblement prémonitoire, un geste que ne manqua pas de capter le photographe. David tenta de la rattraper, en protestant :

– Louise, c'est ridicule, qu'est-ce que tu fais ?

Elle s'immobilisa enfin, lui tournant le dos, ouvrit l'enveloppe, prit la photo du dessus, la photo d'elle, ne comprit pas mais aperçut ensuite celle de la nièce du barman. Et son cœur s'agita violemment. Cette femme aurait pu être sa sœur ou sa cousine ! Mais surtout, sa JEUNE sœur ; et ça, c'était horrible. C'était quoi, le gag ? Il voulait la remplacer par une copie conforme d'elle-même, en plus jeune ! Quel salaud !

– Je le savais, je le savais ! dit-elle d'une voix étranglée, tu vois quelqu'un d'autre ! Et en plus quelqu'un qui me ressemble !

Dégueulasse! C'est vraiment dégueulasse! Et moi qui pensais que tu étais différent des autres hommes! Quelle pauvre conne j'ai été!

— Louise, calme-toi, je te prie, ce n'est pas ce que tu imagines!

— Écoute, tu me prends pour une conne?

Il fallait qu'il pense vite maintenant, s'il voulait sortir indemne de ce bourbier innommable.

— C'est le barman qui m'a remis ça…

C'était toujours bien, pensait-il, d'assaisonner un mensonge d'un ingrédient de vérité, cela lui donnait une sorte de fondement, de base. Elle ne le croirait pas s'il lui disait la vérité, s'il lui disait qu'il avait accepté de prendre cette photo seulement pour endormir les soupçons du barman et des membres du club.

— C'est le C.V. de sa nièce qui est serveuse…, poursuivit-il, encouragé par le silence de sa maîtresse. Elle se cherche un emploi… Et il a pensé qu'elle pourrait travailler au club…

— Tu es devenu directeur du personnel, maintenant?

— Non, mais il pensait que je pourrais dire un mot au directeur, question de mousser sa candidature… J'ai juste voulu lui rendre service…

Elle vérifia dans l'enveloppe s'il y avait effectivement un C.V. Il n'y en avait pas. Elle fulmina.

— Il n'y a pas plus de C.V. dans cette enveloppe que de papyrus.

— Ah bon, je… Paul a dû oublier de le mettre, je vais lui en parler demain.

— Eh bien, tu lui diras que ta directrice du personnel a le regret de lui annoncer que…

Elle jeta la photo de la nièce de Loria par terre et se mit à la piétiner tout en terminant sa phrase:

— … malgré des qualités évidentes, son profil ne correspond pas à ce que nous recherchons!

Et elle foula de plus belle la photo, puis s'arrêta, se pencha, regarda le travail et conclut, amusée:

— Non, désolée, son profil ne correspond vraiment pas! Mais nous sommes certains qu'elle pourra trouver quelque chose d'autre ailleurs.

Elle s'alluma nerveusement une cigarette pour se donner une contenance. Elle était vraiment bouleversée par l'étonnante ressemblance entre cette femme et elle. Le coup lui paraissait par trop classique. Elle se l'était déjà fait faire dans le passé, par le vaurien marié qui avait fini par quitter sa femme, comme il le lui avait promis pendant trois ans, mais non pas pour partir avec elle, non, pour aller se mettre en ménage avec une femme quasi identique à sa femme, seulement dix ans plus jeune. Et pourtant, les hommes prétendent vous quitter pour le changement. Essaie donc de comprendre, si tu as cent ans de ta vie à perdre, ma chère !

— Et comment se fait-il que tu aies ma photo à côté de celle de cette petite dinde ? Tu veux faire des comparaisons ?

— Viens, montons, je vais t'expliquer.

Il n'en avait pas vraiment envie, il se sentait en danger depuis sa conversation avec le barman, mais rester sur le trottoir avec sa maîtresse, au vu et au su de tout le monde, lui paraissait encore plus périlleux. Sait-on jamais, un membre du club pouvait s'égarer et passer par ce quartier. Ou quelqu'un, qui connaissait Eaton, les verrait et lui rapporterait — ou lui vendrait (les gens sont si mercantiles !) — sa surprenante découverte.

David jeta un dernier coup d'œil à la photo et se demanda s'il n'était pas imprudent de laisser là, devant son immeuble, la photo d'une femme qui ressemblait tant à sa maîtresse. Une confusion n'était-elle pas possible ? Il fit un pas en direction de la photo, mais sa maîtresse surprit son geste ou lut dans ses pensées et lui décocha un regard assassin. David esquissa un sourire coupable et poursuivit son chemin. Il marcha — sans tenir la main de sa maîtresse — vers l'immeuble où il habitait, tandis que le photographe faisait crépiter son appareil. Il sourit, prit une longue bouffée de cigarette. L'attente s'annonçait longue.

Dans l'ascenseur, Louise et David étaient seuls.

Il pouvait lui parler maintenant. Il DEVAIT lui parler.

— Je… je t'ai menti pour la serveuse…

— Je le savais !

Elle triomphait. Il allait tout lui avouer.

— Mais ce n'est pas ce que tu penses. Je ne sors pas avec elle et je n'ai pas l'intention de le faire. Je viens d'avoir une conversation avec le barman. Il m'a dit qu'il y avait des rumeurs au club, à mon sujet. On raconte que j'aurais une liaison avec la femme d'un membre influent.

– La femme d'un membre influent?

– Oui! Ce sont ses mots exacts. C'est pour ça que la première chose que j'ai faite, c'est ôter ta photo de mon casier…

– Tu gardais ma photo dans ton casier? demanda-t-elle, visiblement flattée.

– Oui, admit-il, embarrassé.

Une pause, et il demanda :

– Est-ce que tu t'es confiée à une amie?

– Une amie? Mais non, je ne suis pas assez stupide, voyons! De toute manière, au club, personne n'a d'amis.

– Enfin, le barman me conseille de faire taire les rumeurs en sortant avec quelqu'un. Il m'a donc donné la photo de sa nièce, une dentiste de Detroit qui vient de débarquer à New York, et m'a demandé de l'appeler. Qu'est-ce que tu voulais que je fasse? Que je lui dise que ça ne m'intéressait pas parce que je couche depuis un an avec la femme du président du club? Je n'ai rien à foutre de cette femme, mais je n'avais pas le choix.

Il fit une pause puis ajouta :

– Je ne sais pas ce qui a pu arriver, mais j'ai le sentiment que le barman en sait encore plus qu'il ne veut bien le dire…

Il se tut, regarda de côté. Il avait l'air troublé, rongé par une inquiétude mortelle.

Louise le regarda silencieusement. Il ne lui mentait pas. Elle le savait. Toute sa colère passée, elle se pressa langoureusement contre lui, l'embrassa. Son premier mouvement aurait été de la repousser. Il n'avait vraiment pas la tête à de pareilles effusions après ce que lui avait dit Loria.

Il se laissa pourtant embrasser, sans grande conviction. Elle glissa furtivement une main audacieuse le long de sa cuisse. Il ne réagit pas. Elle ne put s'empêcher de se rappeler la fois où ils avaient fait l'amour, à peine un an plus tôt, dans ce même ascenseur.

« C'est mauvais signe, pensa-t-elle, je revois le film de notre vie à deux, nous devons être en train de nous noyer, si ce n'est déjà fait! »

Comme les choses avaient changé en un an à peine…

– Oups, on est arrivés, dit David, au lieu d'immobiliser l'ascenseur en un geste irrésistible en appuyant sur « Arrêt », pour pouvoir prendre sa maîtresse tout de suite, là, debout.

« Oui, on est arrivés au terminus du désir… », pensa-t-elle.

4

David n'avait jamais vraiment aimé que son appartement fût le refuge de leurs ébats clandestins. Il était si modeste, si minable à la vérité, si du moins on le comparait au véritable palace dans lequel sa maîtresse habitait… Bien entendu, il ne lui appartenait pas en mains propres, mais tout de même… Cela lui rappelait chaque fois toute l'étendue du fossé qui les séparait socialement et il en prenait ombrage, s'en sentait humilié, d'autant qu'il ne voyait pas vraiment comment il pourrait un jour changer les choses… Elle serait toujours infiniment plus riche que lui…

Mais les hôtels borgnes, les motels de second ordre qui avaient abrité leurs ébats pendant un temps, ce n'était guère mieux. Lorsque la passion est un peu moins aveuglante, on commence à noter que les draps ne sont pas de satin, loin de là, que les toilettes ont été récurées un peu trop rapidement, qu'il y traîne parfois un cheveu oublié par la femme de chambre quand il n'y reste pas les relents des amants précédents…

Quant aux hôtels plus luxueux, c'était exclu, pour deux raisons. Ils risquaient d'y faire des rencontres embarrassantes, parce qu'ils étaient fréquentés par des gens du même monde que Louise et son mari et leurs prix étaient exorbitants. David, dans sa fierté d'homme, refusait farouchement de laisser sa maîtresse régler la note, même si ce n'était rien pour elle, puisqu'elle avait comme argent de poche hebdomadaire plus qu'il ne gagnait en un mois…

Dans l'appartement, David ne se montra pas plus empressé de séduire sa maîtresse.

Il y avait neuf jours, neuf longs jours qu'ils n'avaient pas fait l'amour (selon, bien entendu, la rigoureuse comptabilité de Louise) et c'était une des raisons pour lesquelles elle avait trouvé une excuse pour ne pas suivre son mari en voyage.

Aussi, lorsque, après lui avoir offert un martini et pris pour lui son habituel Glenfiddich, il ne tenta pas de la prendre dans ses bras ou de l'entraîner dans sa chambre à coucher, elle mit «leur» chanson, *Too Much Heaven*, des Bee Gees, se pressa contre lui et commença à danser. Il se laissa entraîner un instant, se surprit à sentir le désir monter rapidement en lui, mais, son verre en main, il la repoussa et expliqua:

– Louise, c'est rendu trop dangereux, notre histoire. Je pense qu'il va falloir prendre ça mollo pendant un certain temps.

– Ça ne sera pas nécessaire. Je vais quitter mon mari, je vais venir vivre avec toi, ici… J'en ai assez de me cacher comme une criminelle. Je t'aime.

Ce n'était pas la première fois qu'elle évoquait cette possibilité, mais, cette fois-ci, elle paraissait plus sérieuse, plus déterminée que jamais.

À ces mots, elle siffla son martini, posa son verre, comme si elle savait ou espérait qu'elle aurait besoin de ses deux mains dans un avenir rapproché. David jeta un regard circulaire sur cet appartement sinistre dont les meubles sans âme, achetés d'un seul coup, provenaient de la salle de montre poussiéreuse d'un magasin en faillite. Et il se demandait parfois pourquoi sa fille n'était pas toujours très enthousiaste à l'idée de passer deux week-ends par mois chez son père même si elle l'adorait. La mère de la petite avait conservé la maison familiale qui, si elle n'était pas cossue, était tout de même coquette et chaleureuse, et surtout décorée avec le goût un peu plus sûr d'une femme!

Comment lui dire qu'il ne pouvait accepter sa proposition, même si au fond il n'aurait rien aimé mieux que cela, sa grande tristesse étant de devoir vivre séparé d'elle?

Tout comme il vivait séparé de sa fille.

Il prit une gorgée de scotch, comme pour y puiser le courage ou l'inspiration qui lui faisaient défaut.

– Je…

Il avait envie de lui dire qu'il l'aimait lui aussi, mais, à la place, il dit:

– Je ne peux pas… je…

– Tu as peur de perdre ton emploi ?

Comme il ne répondait rien, elle ajouta :

– Il n'y a pas que le foutu club Hamptons sur la terre, tu trouveras quelque chose ailleurs. Peut-être pas sur un terrain aussi prestigieux mais je m'en fous, moi, que tu sois pro au Hamptons ou ailleurs. D'ailleurs, est-ce si amusant de montrer à de vieux crocodiles à frapper des *slices* de cent cinquante verges ?

C'était dit cruellement, mais elle n'avait pas tout à fait tort. Donner des leçons, vendre des balles n'était certainement pas aussi excitant que de jouer sur le circuit de la PGA. Remarquez, certains avaient une réelle vocation de professeur. Mais David était tout sauf un jeune Harvey Pennick. Il aurait probablement eu le talent pour aller loin, pour gagner sa vie à la PGA. Lorsqu'il était jeune, il avait gagné le championnat junior de l'État de New York. Il avait même réussi les qualifications de la PGA. Mais au moment de faire le grand saut, il avait changé d'idée et, à la place, avait accepté un poste de pro dans un club de second ordre. Il faut dire, à sa décharge, que sa femme venait de lui annoncer qu'elle était enceinte. Il avait raconté tout cela à sa maîtresse un jour qu'il se sentait en veine de confidence, une confidence qu'il n'avait pas osé faire à bien des gens parce que c'était en somme l'échec de sa vie, et qui aime se vanter de ses échecs ?

– Dans six mois, dans un an tout au plus, protesta-t-il, tu vas me reprocher de t'avoir écoutée. Plus de belles voitures, de serviteurs. Plus de voyages et de bijoux. Finie la belle vie !

– Mais je me fous de la belle vie ! La belle vie, c'est toi !

– Je…

Il souffrait. Il voulait lui dire que, pour lui aussi, la belle vie serait d'être avec elle. Tout le temps. Sentir son corps, la douceur de ses seins, son parfum. Voir la lumière de ses yeux, la blondeur de ses cheveux, la noblesse de ses hautes pommettes. Entendre l'éclat de son rire. Sentir la douceur de sa peau plus seulement dans leurs étreintes furtives, mais toute la nuit. Ne plus devoir cacher son amour. Mais au contraire pouvoir s'afficher fièrement avec elle. L'avoir tout le temps à ses côtés. Voyager avec elle. Aller au bout du monde. Ou rester simplement blotti contre elle au creux de leur sofa favori, à regarder de vieux films en mangeant des mets chinois et en sirotant du vin blanc.

Il y alla d'une objection dérisoire :

— Mais tu ne te rends pas compte, Louise, tu es mariée. Tu vas détruire un mariage.

— Tu as bien détruit le tien !

— C'est ma femme qui l'a détruit.

— Veux-tu dire que tu serais encore avec elle si elle ne t'avait pas quitté ?

— Non… je… nous n'avions rien en commun, finalement. Mais… as-tu pensé à ton mari ? Il ne te laissera pas partir comme ça.

— Oui, il va me laisser partir. Il ne m'a jamais aimée, de toute manière. Mes fesses l'ont amusé la première année, mais maintenant il en a marre. Pas autant que moi, mais il en a marre. Il pense que je suis stupide parce que je ne fais pas des millions. Eh bien je vais lui donner une petite leçon de finances : je vais lui montrer comment je peux faire des millions, moi aussi !

Et après un silence, elle ajouta :

— La seule chose qui compte, pour moi, c'est d'être avec toi.

David était étonné, touché, torturé. Louise avait les larmes aux yeux maintenant et elle attendait, silencieuse, qu'il lui dise les simples mots qu'elle voulait entendre : qu'il était prêt comme elle à tout laisser tomber, tout simplement parce qu'il l'aimait et que passer sa vie sans elle lui était insupportable.

— Pour l'argent, reprit Louise, il ne faut pas que tu t'inquiètes, il y a quelque chose que je ne t'ai pas dit.

Il y avait une petite hésitation dans sa voix, comme si elle se demandait si elle devait ou non faire la révélation qui brûlait ses lèvres.

— Tu ne seras plus obligé de travailler pour le restant de tes jours, reprit-elle, d'un ton fort sérieux. En me mariant, j'ai signé une entente matrimoniale. Si nous restons mariés sept ans, mon mari doit me donner cinq millions, peu importe les raisons de notre divorce, que ce soit lui ou moi qui parte, et même si nous ne sommes restés ensemble que sept ans et un jour. Dimanche prochain, dans six jours, oui, six petits jours, j'ai de la difficulté à y croire, ça fera sept ans bien comptés que je suis mariée avec King Kong.

– Six jours…

– Oui, dans six jours, si je me sépare de mon mari, qu'il le veuille ou non, j'ai les papiers signés devant un avocat, il devra me verser cinq millions. Alors, tu comprends, que tu perdes ton emploi ou non, est-ce qu'on s'en fout ?

Il avait envie de lui dire que, les fabuleux cinq millions, ce n'était pas lui qui les toucherait, mais elle, et que l'idée de vivre aux crochets d'une femme riche, qui aurait pu sourire à d'autres hommes, l'horripilait. Il avait été si dévasté par son divorce que la pensée de se retrouver à nouveau à la merci d'une femme, même d'une femme aussi exceptionnelle qu'elle, lui était intolérable. Non, vraiment, il ne pouvait pas.

Parce que si ça échouait, si elle se lassait dans six mois, dans un an, si elle changeait d'idée et regrettait sa vie avec son mari avec qui elle était tout de même restée sept ans…

Il se retrouverait avec rien. Plus d'emploi. Plus de vie. Rien. Seulement le sentiment d'avoir été stupide une fois de plus. Un sentiment qu'il avait éprouvé trop souvent.

– Je… Il se passe trop de choses en même temps, Louise. J'ai besoin d'un peu de temps pour réfléchir. La conversation que j'ai eue avec le barman m'a jeté à terre… Il vaut mieux qu'on prenne une petite pause, pour laisser la poussière retomber.

Elle n'en croyait pas ses oreilles. Après tout ce qu'elle venait de lui dire, c'est tout ce qu'il trouvait à lui proposer ! Comment pouvait-il se montrer si froid, si distant ?

Elle arracha son joli collier de perles et le jeta avec violence sur le plancher.

– Tiens, dit-elle, tu peux te le mettre où je pense, ton foutu collier ! Il ne veut plus rien dire pour moi !

Il voulait tout dire pour elle ou, en tout cas, il avait une grande importance car c'était le premier cadeau qu'il lui avait donné et qui avait pour ainsi dire officialisé leur liaison à ses yeux. Un très joli bijou acheté chez Tiffany, sur *Fifth Avenue* et qui lui avait coûté les yeux de la tête !

– Adieu ! dit Louise. C'est fini, je ne veux plus jamais entendre parler de toi.

Elle tourna les talons et sortit en claquant la porte. David serra si fort le verre de scotch dans sa main qu'il se brisa.

– Merde ! dit-il, cependant qu'il ressentait une vive douleur dans son index.

Puis aussitôt il pensa, un peu égoïstement, qu'il n'avait blessé que sa main droite : au golf, c'était la main gauche qui comptait !

Il porta son doigt à sa bouche pour le nettoyer de son sang, puis l'examina : la coupure était assez profonde, mais elle saignait déjà moins, ce qui le rassura. Il n'aurait pas besoin de points de suture.

Il prit un mouchoir en papier dans une boîte près de lui et en fit un pansement de fortune autour de son doigt blessé.

Il était simplement éberlué, comme si tout ce qui venait d'arriver n'avait été qu'un mauvais rêve. Dans cinq minutes, dans une heure, il se réveillerait et constaterait sa méprise.

Il se pencha, ramassa le collier de sa main gauche. Il le regarda. Il se rappela l'époque où il l'avait acheté, à leurs débuts, alors que tout était si excitant. Ça faisait deux ou trois semaines seulement que leur idylle avait débuté et il avait voulu l'impressionner, lui montrer que, même s'il n'était qu'un professionnel de golf, et pas un magnat des affaires comme son auguste mari, il pouvait lui aussi lui faire des cadeaux luxueux. Il avait longtemps hésité avant de débourser les mille cinq cents dollars qu'il lui en avait coûté pour lui offrir ce joli collier de perles. Mais il tenait à ce que ce soit un cadeau de chez Tiffany, alors...

Il pensa : « C'est curieux, la vie : notre amour a commencé et finit pour ainsi dire avec ce collier... »

Il se souvint de la première fois qu'il l'avait vue dans le champ d'exercice.

Comme il la trouvait belle, avec ses yeux clairs, son nez droit et fin, ses pommettes hautes qui lui donnaient un air racé, ses beaux cheveux blonds, même teints ! N'était-il pas déjà sous son charme lorsqu'elle lui avait demandé une première leçon : « Je ne suis pas trop satisfaite de mon jeu depuis quelque temps. Croyez-vous que vous pourriez faire quelque chose pour m'aider ? »

Alors, même si quelques minutes plus tôt, il n'avait pas eu envie de faire l'amour, il éprouvait un soudain désir. Il se remémora leur première fois, lorsqu'elle avait audacieusement soulevé sa jupe devant lui, et avait décrété, coquine : « Je pense qu'on a trouvé ce qu'on cherchait ! » Quelle expérience incroyable, dans laquelle, le danger, le danger et le danger — et son corps incroyable — avaient produit le plus explosif des cocktails !

Puis le lendemain, dans un motel de second ordre — mais les premières fois, c'est encore plus excitant! —, sa tête blonde sur l'oreiller, ses seins émus, sa toison frémissante…

Il revoyait ces innombrables instants d'intimité lorsque sa maîtresse rentra en trombe.

Elle le vit avec le collier dans la main gauche, le lui arracha en expliquant :

– C'est à moi, je le garde! Tu es tellement radin que tu serais capable d'aller le revendre chez Tiffany pour te faire de l'argent sur mon dos!

C'est vrai qu'il avait souvent dû lui paraître radin, mais il n'avait pas les moyens de se permettre à son endroit les généreuses extravagances auxquelles son mari l'avait habituée. Elle savait pourtant que David était loin d'avoir les mêmes moyens que lui, mais elle ignorait l'étendue de ses dettes et croyait sans doute que le professionnel de golf d'un club ultra-chic gagnait un salaire qui lui aurait permis des largesses plus fréquentes. C'est l'éternelle illusion des unions, même clandestines!

La remarque était mesquine, sans doute, mais il ne la releva pas, ne protesta même pas. D'ailleurs il n'en aurait guère eu le temps, car elle était ressortie aussi rapidement qu'elle était entrée. Il eut une moue de dépit : c'était dommage que les choses se terminent ainsi, par une engueulade, mais pouvait-on vraiment se séparer de manière civilisée, en se serrant gentiment la main, en s'offrant une carte de souhaits, quand il y avait eu, pendant des mois, tant d'émotions, tant de souvenirs communs, d'intimité partagée?

Il resta un instant immobile, dans le salon, à contempler la porte ouverte de son appartement. Il pensa que toute sa vie il avait perdu ceux qu'il aimait. C'était une sorte de fatalité.

D'abord, à six ans, il avait perdu sa mère qu'il adorait, et son père s'était presque immédiatement remarié avec une autre femme, qui avait déjà deux garçons, «ses» garçons, qu'elle avait toujours fait passer avant lui d'une manière révoltante, contre laquelle son père ne s'était jamais insurgé. Il avait pris le parti de sa nouvelle femme plutôt que celui de son véritable fils!

Puis David avait perdu sa femme, et sa fille…

Et maintenant, il perdait Louise…

«Quelle magnifique série gagnante!» pensa-t-il cynique.

47

« Rien d'autre à m'envoyer, en haut ? dit-il en levant les yeux vers le plafond. Parce que je suis prêt. J'ai l'entraînement, maintenant ! »

Jamais de sa vie il ne s'était senti aussi seul.

Il éprouvait une sorte de vide, de vertige.

Il alla refermer la porte de l'appartement et eut le sentiment que c'était sur son ancienne vie qu'il la refermait.

Il regarda sa main droite : la tache de sang sur le mouchoir en papier s'était élargie. Mieux valait la nettoyer et mettre un diachylon. Il passa à la salle de bains, ouvrit le robinet et, curieusement, il eut l'impression d'entendre le téléphone sonner. Il ferma l'eau, tendit l'oreille, mais non, personne ne l'appelait. Ce n'était qu'une hallucination.

Il fit à nouveau couler de l'eau froide sur son doigt.

Il tendit l'oreille. Cette fois-ci, il en était certain, le téléphone avait sonné. Il referma le robinet, se précipita, répondit.

C'était Louise qui l'appelait de sa voiture.

— Je... je suis désolée, chéri, je ne sais pas ce qui m'a pris...

— Ce n'est pas grave, je...

Il ne termina pas sa phrase, il ne savait même pas ce qu'il voulait vraiment dire. En fait, il aurait aimé lui demander de revenir à toute vitesse, parce qu'il avait furieusement envie de son corps, de ses bras autour de son dos, de ses jambes autour de ses reins.

Sa maîtresse reprit :

— L'argent, je m'en fous. Si tu veux, je te donne la moitié des cinq millions, comme ça, personne ne sera plus riche que l'autre, est-ce que ça te suffirait ?

Et comme, pris au dépourvu, il ne répondait pas, elle ajouta :

— Te rends-tu compte de la vie que nous pourrions avoir ?

Il ne dit rien et, pourtant, un curieux train de pensées défila dans son esprit. Des pensées qu'il n'avait jamais eues avant, comme si toutes les barrières s'abaissaient tout à coup, comme si tous les obstacles qui lui avaient toujours paru une montagne s'évanouissaient : c'est vrai qu'il aurait peut-être alors une vie facile, la vie en somme dont il avait toujours rêvé. Il s'en foutait au fond, de ce poste de pro, même si c'était dans un golf prestigieux. Il n'aurait plus à subir ce que Louise avait si bien identifié, l'espèce de mépris sourd mais toujours présent, dans les moindres gestes, dans les moindres inflexions de voix, dans les moindres regards des membres du club, pour qui il n'était qu'un petit employé comme tant d'autres. Une chose était certaine : jamais aucune femme n'avait été aussi follement amoureuse de lui et, pourtant, il avait eu sa large part de conquêtes féminines. Dans une vie, combien rencontrons-nous d'êtres qui nous aiment vraiment ? Peut-être était-il encore trop jeune pour penser à cela, ou simplement était-il incapable de penser clairement, parce que la proposition de sa maîtresse semblait trop belle pour être vraie.

– Je t'aime, Louise.

– Tu m'aimes ? Alors, c'est oui ?

– Non, je… j'ai encore besoin de temps pour réfléchir.

– Bien sûr, tu as besoin de temps. Mais je pense que je commence à comprendre, dit-elle, visiblement contrariée. *Don't call me, I'll call you. Your check is in the mail* ! Bla-bla-bla. Écoute, je vais te donner vingt-quatre heures. Vingt-quatre heures. Pas une minute de plus. Si demain, avant huit heures, je n'ai pas de nouvelles de toi, c'est fini entre nous deux.

– Je comprends.

– Je ne suis pas sûre que tu comprennes vraiment, mais c'est notre dernière chance, David, notre dernière chance.

5

Le lendemain, David ne vit pas Louise au golf et il fut trop occupé pour lui téléphoner. Il pensa que, de toute manière, elle lui téléphonerait probablement pour lui dire que son ultimatum ne tenait plus.

Mais le soir, à son retour chez lui, il n'y avait pas de message d'elle sur son répondeur.

Lorsque sonnèrent huit heures, il ne l'appela pas. Il en brûlait d'envie, mais il en était incapable. Il était pour ainsi dire paralysé. Tout se passait trop vite, et cette histoire de cinq millions lui paraissait trop invraisemblable, trop facile.

«Tu m'épouses, tu restes mariée avec moi sept ans, et même si tu t'envoies en l'air depuis un an avec quelqu'un d'autre, ça ne me dérange pas. Tiens, voilà tes cinq millions ! Un chausson aux pommes avec ça ? »

Bien sûr, il n'était pas spécialiste en droit matrimonial, surtout en ce qui concernait les gens riches, mais le fait que son mari eût accepté de lui verser cinq millions lui paraissait invraisemblable.

Et si elle n'avait pas compris ce que son mari lui avait fait signer parce que l'entente avait été préparée par un avocat véreux (y en a-t-il d'autres sortes?)... Comment Eaton, homme d'affaires roué s'il en était, avait-il pu se laisser rouler dans la farine par sa femme alors qu'il avait la réputation de tout contrôler ? Plutôt invraisemblable, non ? Mais par ailleurs, qu'étaient cinq millions pour un homme comme lui ? De l'argent de poche ! Alors, peut-être considérait-il avoir déjà floué sa femme en la faisant signer pareille entente...

De toute manière, David se méprisa d'avoir accordé tant d'importance à la proposition de sa maîtresse. Il ne voulait pas de l'argent qu'elle lui offrait. Bien sûr, comme tout le monde, il aimait l'argent. De plus, il en avait vraiment besoin, car il était criblé de dettes. Et il ne voyait pas le jour où il pourrait s'en débarrasser. Pas avec son salaire de pro. Pas avec toutes ses obligations. Mais simplement, il ne voulait pas accepter l'argent de Louise.

Le soir, avant de s'endormir, il pensa que la vie était bizarre. Et cruelle. Pourquoi lui imposait-elle ce choix douloureux, ce choix impossible à faire : perdre sa maîtresse, ou perdre sa fille ?

Mais peut-être s'imaginait-il des choses, peut-être noircissait-il la situation ?

Eaton le congédierait sur-le-champ (et peut-être sur le champ d'exercice !) s'il s'enfuyait avec sa femme.

Mais cela ne voulait pas nécessairement dire qu'il perdrait Lydia.

Peut-être qu'il ne lui serait pas si difficile de trouver un autre emploi.

La vie est si pleine de surprises.

Pas de belles surprises, en général, mais sait-on jamais…

Ce soir-là, même s'il était vanné, il lui fallut boire considérablement avant de s'endormir.

Le lendemain, il ne la vit pas au club. Il pensa qu'elle avait peut-être décidé d'aller retrouver son mari à Los Angeles, ou à Las Vegas, il ne savait plus.

Ce ne fut qu'à ce moment qu'il commença à réaliser que Louise ne bluffait pas, que son ultimatum était sérieux.

Le vendredi, seul chez lui, il craqua et tenta de la joindre sur son téléphone cellulaire.

– Louise, c'est moi, je… je voudrais qu'on se parle…

– C'est mardi que tu devais me parler. Tu as soixante-douze heures de retard. Écoute-moi bien. Si jamais tu me rappelles une autre fois, une seule autre fois, je dis à mon mari que tu me harcèles sexuellement, et alors tu iras te trouver un boulot dans un *driving range* de bas étage, si jamais ils veulent de toi.

Et elle raccrocha.

Maintenant il savait qu'il l'avait perdue définitivement et c'était pour cette raison qu'elle avait coupé tous les ponts, qu'elle ne s'était pas montrée au club de toute la semaine. Elle était forte quand même. Elle lui avait donné vingt-quatre heures pour prendre sa décision, et comme il ne s'était pas manifesté, elle avait mis à exécution sa menace.

C'était FINI !

OVER.

TERMINADO.

KAPUTT.

Il ne pensait pas que ce serait si douloureux. C'était comme la répétition de toutes ses douleurs anciennes, la perte de sa mère, de sa femme, de sa fille…

Pourquoi diable avait-il été aussi stupide ?

Tomber amoureux de la femme de son patron !

Mais comment résister à pareil mouvement de passion, à pareil ébranlement de tout son être ? Mais surtout, comment résister à la certitude que Louise était la femme de sa vie, qu'avec elle était enfin possible, après tant d'années de vaines recherches, l'accord parfait, après tant d'années de solitude (et c'est encore pire à deux !) la communion subtile et troublante des corps et des esprits ? Oui, comment résister à cette femme peu banale qui était la pièce manquante donnant un sens à l'absurde puzzle de sa vie, le seul antidépresseur qui lui convînt, et qu'il pouvait obtenir avec la prescription la plus simple et la plus exigeante du monde : l'aimer, elle, Loulou, l'*amorosa*, l'exaltée d'amour qui soudain était devenue son insupportable miroir : raisonnable.

Et maintenant il payait le prix de sa lâcheté. Il se versa un scotch.

Un autre scotch.

Puis il décida de boire à même la bouteille.

Qui a besoin d'un verre lorsque la seule chose qu'on veut faire est de se soûler le plus vite possible ?

« Au moins, je suis bon à quelque chose, pensa-t-il, car je commence déjà à être ivre. » Bouteille en main, il alla à la fenêtre de la salle de séjour, qu'il ouvrit.

Il habitait au quatrième étage, ce qui l'avait toujours ennuyé. Car l'été, les odeurs étaient insupportables et, la chaleur, on n'en parlait pas…

Mais là, il voyait le bon côté des choses…

N'était-ce pas ce qu'on était toujours censé faire, voir le bon côté des choses ?

Oui, pour une fois, il le voyait, le bon, le merveilleux, le providentiel côté des choses ! Ça lui sautait même au visage. Ce serait si simple.

Il n'avait qu'un pas à faire.

Deux en fait.

Un pour monter sur le rebord de la fenêtre.

Qu'il fit.

Et un pour plonger dans le vide.

From Here to Eternity…

Pourquoi pensait-il au titre de ce vieux film ?

Peut-être parce qu'il l'avait écouté avec une Louise irrésistible, en slip et soutien-gorge, en mangeant une pizza arrosée de Chardonnay blond comme ses cheveux, un plaisir qu'il ne pourrait s'offrir dans un avenir prévisible…

Pourquoi l'avait-il laissée partir ?

From Here to Eternity…

Et une éternité fort accessible…

La seule chose qu'il aurait à faire était un petit pas…

Oui, un petit pas, comme le premier Américain sur la Lune dans les années soixante.

La seule différence, bien entendu, serait qu'il frapperait la Terre, pas la Lune…

Mais quelle délivrance !

Évidemment, cela signifierait qu'il mourrait…

Mais qui se plaindrait de sa mort ?

Louise peut-être…

Et Lydia, bien sûr…

Oui, Lydia, qui ne pourrait plus danser avec son petit papa.

Il avait bu si rapidement la moitié de la bouteille que l'alcool avait mis un certain temps à agir. Mais tout à coup l'ivresse le gagna, il eut un vertige, faillit perdre pied et dut se retenir au rebord de la fenêtre. Ce faisant, il laissa échapper la précieuse bouteille de Glenfiddich. Il la regarda se briser en éclats sur le ciment de l'allée qui menait à l'entrée de son immeuble. Quelle perte ! Mais il pensa tout de même que c'était lui qui aurait pu tomber, que c'était sa tête qui aurait pu s'écraser au sol. Une flamme de frayeur brilla dans ses yeux.

Était-ce vraiment ce qu'il voulait ?

À ce moment précis, le téléphone sonna.

– C'est Louise, j'en suis sûr !

Il sauta dans la pièce, courut vers le téléphone, mais avant de répondre, il prit quelques secondes pour reprendre son souffle : il ne voulait pas que Louise pensât qu'il mourait d'envie d'avoir de ses nouvelles. Bêtement, il plaça aussi ses cheveux, comme s'il se rendait à un rendez-vous amoureux.

Oui, c'était Louise, il en était certain ! Elle l'appelait pour se réconcilier avec lui, pour passer une dernière nuit dans ses bras avant le retour de son mari. Quel soulagement !

Il s'était trompé : ce n'était pas Louise mais sa fille qui, comme reliée à lui par quelque fil invisible, avait ressenti à distance son désarroi et voulait lui rappeler qu'elle existait et qu'il devait continuer à vivre pour elle, malgré son désespoir.

– Papa, c'est toi ?

– Oui, c'est moi, ma chérie.

– Est-ce que tu vas bien ?

– Mais oui…

– Tu es sûr ?

– Mais oui, pourquoi me demandes-tu ça ?

– Pour rien, mon ventre me faisait mal tout à coup…

– Ah bon, peut-être que tu as mangé trop vite…

– Peut-être… Mais dis-moi, papa, je voulais savoir, quand est-ce qu'on va au cirque ?

– Vendredi prochain.

– C'est quand, vendredi prochain ?

– Hum, dans sept dodos.

– Sept… c'est beaucoup ? Et à quelle heure tu vas venir me chercher ?

– À quatre heures.

– Est-ce que c'est assez tôt pour le cirque ?

– Mais oui…

– Papa, cette fois-ci, est-ce que tu vas oublier ton portefeuille ? demanda prudemment la fillette.

– Bien non.

– Tu le promets ?

– Je le promets.

– Sinon ils ne nous laisseront pas entrer, je le sais. Mais si on n'a plus d'argent, il y a un truc, c'est Brandino qui me l'a dit, à l'école : on a seulement à aller à la banque pour en chercher.

– Ça, c'est vrai, admit David.

Comme Lydia le touchait, comme elle le charmait! Non seulement avec sa voix, mais avec toutes ses trouvailles langagières, ses drôleries involontaires!

Lydia, avec sa petite voix à la fois fragile et pleine d'assurance, avec ses yeux bleus, ses cheveux noirs et son teint de poupée de porcelaine…

Comme il lui était difficile de vivre sans elle…

C'est vrai que le temps finit par tout guérir.

La preuve?

Au début, les premiers mois de la séparation, il pensait à sa fille toutes les minutes. Maintenant, il y pensait seulement… toutes les cinq minutes!

Alors, il fallait être optimiste, non? Dans dix ans, il y penserait seulement toutes les heures, ce serait une sinécure!

– Lydia, viens, c'est l'heure de ton bain! entendit-il en arrière-plan: c'était sa mère qui l'appelait.

Sa mère…

Pourquoi s'était-il marié avec elle?

Pourquoi avait-il eu un enfant avec elle?

S'il avait su…

Mais il ne le regrettait pas, au fond. Il ne le regrettait pas parce que, sans ces deux erreurs, il n'y aurait pas eu cette merveille, la lumière de sa vie: la petite Lydia.

Lydia, officiellement, mais le plus souvent Lidou, pour la taquiner, ou encore Lidounette… Quel surnom ne lui avait-il pas donné pendant le bref temps où il avait été avec elle tous les jours, époque bénie dont les bribes remontaient constamment en lui sans qu'il y pût rien…

– Oups! il faut que je te laisse, papa, je vais prendre mon bain. À vendredi!

– Oui, à vendredi, Lidounette.

Il raccrocha et sentit les larmes lui monter aux yeux. Chaque fois que sa fille l'appelait, il était content. Mais en même temps ça lui rappelait que, plus de trois cents jours par année, s'il voulait lui parler, c'était au téléphone qu'il devait le faire.

Ce coup de téléphone l'avait doublement chagriné ce soir-là. Il croyait que c'était Louise qui l'appelait. Comme il était naïf! Maintenant, il avait VRAIMENT besoin de prendre un verre.

N'était-ce pas son père qui avait coutume de dire que lorsqu'on commençait quelque chose, il fallait le finir?

Alors, il serait un bon garçon, il ouvrirait une autre bouteille de Glenfiddich et terminerait le travail.

Il se rendit à la cuisine et ouvrit l'armoire où il entreposait ses bouteilles. Merde! Il n'y avait plus de Glenfiddich. Il se frappa le front, se rappela qu'il avait coutume de n'acheter qu'une bouteille à la fois parce que c'était trop dispendieux. Il aurait pu acheter du scotch moins cher, ou même du brandy, bien sûr. Mais le Glenfiddich était sa seule faiblesse. Avec Louise. Alors, quand il n'aurait plus les moyens de s'en acheter, il... il ne savait même pas ce qu'il ferait...

Il avisa la bouteille de gin qu'il gardait pour Louise, car elle avait besoin de son martini à l'instant même où elle mettait les pieds dans son appartement. Peut-être pour s'engourdir et mieux oublier à quel point il était déprimant. David détestait le gin. Il trouvait que ça sentait le parfum. Et pas le parfum de Louise. Il en but une grande gorgée mais ne put réprimer une grimace, renonça à boire davantage. Il posa la bouteille sur la table de la cuisine, regagna la salle de séjour. Il venait d'avoir une drôle d'idée.

Il pensa qu'il devrait faire quelques coups roulés. Ça lui changerait les idées. Il gardait toujours un putter à la maison, dans le hall d'entrée. Il prit cinq ou six balles, fit jouer «leur» disque compact, la chanson des Bee Gees, et se mit à faire des coups roulés sur le tapis du salon. Mais sa petite séance se transforma bientôt en quelque chose de bizarre. Il était passablement ivre maintenant, et passablement triste, il avait besoin de rire, alors (quoi de plus pratique?) il se mit à rire de lui-même en feignant de donner une leçon à un vieux membre du club.

– Magnifique, monsieur White, absolument magnifique! Je vous le dis, c'est droit comme une flèche, à quelque cinquante verges près, bien entendu. Non, non, je vous dis, personne ne peut appeler votre coup une *slice*, c'est un *power fade*, monsieur White, un *power fade*. En fait, si vous étiez cinquante ans plus jeune, et deux cents verges plus long, on pourrait vous appeler le nouveau Tiger Woods!

Bientôt, se laissant entraîner par sa détresse, il se mit à frapper des balles de plus en plus dévastatrices, comme s'il avait en main un driver et non un putter. Il fracassa quelques objets, des bibelots, une lampe et sembla y prendre un malin plaisir.

Mais tout à coup, il s'arrêta. Malgré la musique, il lui sembla entendre le téléphone. Il s'immobilisa. Le téléphone sonna à nouveau. Impossible d'en douter cette fois-ci. Et puis, il savait qui appelait. C'était son ex qui voulait lui dire que Lydia ne pourrait aller au cirque la semaine suivante. Typique d'elle. Eh bien, il avait des petites nouvelles pour elle ! Cette fois-ci, il ne se laisserait pas emberlificoter par ses mensonges habituels. Il en avait assez de ses cruelles manigances.

— Je vais mettre les choses au clair une fois pour toutes !

Il laissa tomber son putter et se dirigea vers le téléphone mais heurta le coin de la table à café, faillit perdre pied, rétablit *in extremis* son équilibre et répondit.

— Oui ! hurla-t-il.

Et ce « oui » avait plus l'air d'un « qu'est-ce que tu veux encore ? » que d'un simple « oui ».

Silence au bout du fil comme s'il s'agissait d'un mauvais numéro et que l'interlocuteur s'apprêtait à raccrocher.

Puis une voix de femme agréable — et par conséquent pas la voix de sa femme ! Ni celle de Louise, malheureusement. C'était une étrangère.

— Je… je ne sais pas si j'appelle au bon numéro… Je veux parler à monsieur David Berger.

— Oui, lui-même…

— Est-ce que j'appelle à un mauvais moment ?

— Non, mais si je puis me permettre de vous le demander, qui êtes-vous ?

— Mais oui, où avais-je les idées ? Je suis Louise Loria.

— Louise Loria ?

— Oui, c'est mon oncle, Paul Loria, qui m'a donné votre numéro…

— Oui, je vous replace maintenant, vous êtes la dentiste, enfin Agatha Christie…

— Oui, c'est ce qu'on dit quand on lit ce que j'écris même si je ne le montre à personne encore… Enfin, je me comprends…

David trouva le raisonnement curieux mais c'était peut-être parce qu'il était ivre.

— Écoutez, j'ai pris la liberté existentielle de me permettre de vous appeler…

« Drôle de manière de parler », pensa à nouveau David.

Mais peut-être toutes les romancières — même en herbe — parlaient-elles ainsi, d'une manière difficile à comprendre.

– Écoutez, je ne connais pour ainsi dire pas une âme errante à New York, je suis arrivée seulement lundi, et comme j'ai peur de mon ombre... Enfin, c'est vendredi soir et vous avez probablement quelque chose d'autre de prévu, mais si vous n'aviez rien, enfin vous me feriez un plaisir gigantesque si vous acceptiez de me faire découvrir des choses et des endroits branchés sur le 220 que je ne connais pas, les autres, je m'en fous évidemment... Et peut-être aussi, je ne veux pas abuser, un quartier où je pourrais me trouver un appart. C'est super, le Plaza, mais c'est un peu cher la nuit, surtout quand on pense qu'on ne fait que dormir pendant ce temps-là... Ça fait cher l'heure si vous me suivez.... Alors, qu'est-ce que vous en dites ?

David n'avait pas envie de sortir, d'avoir un rendez-vous galant, même si ce n'en était pas vraiment un, mais plutôt un service qu'il rendait à son bon ami Paul. Il était ivre. Et très fatigué. Mais il jeta un regard dans son appartement, vit les dégâts qu'il avait faits avec son putter. Il jeta aussi un regard à la fenêtre de la salle de séjour, encore ouverte. Peut-être, s'il ne voulait pas sauter par la fenêtre, valait-il mieux qu'il ne reste pas seul.

Il s'entendit dire :

– Mais oui, pourquoi pas ?

– Si on disait 20 h, au Plaza, à l'entrée du Palm Café, ça vous irait ?

– Euh... quelle heure est-il ?

– Dix-neuf heures cinq.

– Alors oui, ça va, 20 h au Plaza.

– J'ai les cheveux blonds, les yeux verts...

Il faillit lui dire que ce n'était pas la peine de lui donner de détails, qu'il savait fort bien de quoi elle avait l'air, puisqu'il l'avait vue en photo, mais il la laissa préciser :

– Je vais porter une jupe noire et un pull rouge.

Elle avait dit cela avec un air nonchalant, mais dès qu'elle eut raccroché, une expression fort grave flotta sur son visage, qui semblait avoir bien peu à faire avec un triomphe féminin et elle s'empressa de donner un autre coup de fil.

6

C'était vrai qu'elle portait une jupe noire et un pull rouge, comme elle le lui avait dit. Mais ce qu'elle ne lui avait pas dit et ce n'était même pas par coquetterie, c'est qu'elle les portait pour ainsi dire avec génie. Oui, la jupe de cuir n'était pas trop courte, mais elle mettait merveilleusement en évidence les longues jambes de Louise Loria.

Quant au pull de coton, à la taille assez haute, comme la mode le dictait depuis quelques années, il moulait sans exagération une jolie poitrine, plutôt menue.

Elle ne portait pas de bas de nylon — la canicule s'apesantissait sur New York depuis trois jours — et ses pieds étaient simplement chaussés d'espadrilles, mais pas n'importe lesquelles, un modèle noir et blanc, avec, sur le côté, le célèbre double C de Coco Chanel. C'était la bohème luxueuse, en somme !

« Pour une dentiste, elle n'est pas mal ! » ne put s'empêcher de se dire David. À la vérité, elle avait plutôt la tête d'une actrice.

Mais ce qui étonnait encore plus David, bien entendu, c'est qu'elle avait la tête de… son ancienne maîtresse !

C'était encore plus frappant en personne qu'en photo. Certes, elle avait l'air un peu plus jeune, mais pas tellement à la vérité et était, selon toute apparence, une véritable blonde, si l'on en jugeait par son teint laiteux, sa quasi-absence de sourcils que, par conséquent, elle n'avait pas besoin d'épiler. Mais tout de même, elle possédait la même taille, le même style, une sorte d'élégance princière. Quant à ses yeux, David ne put pas tout de suite les comparer à ceux de sa maîtresse, car l'ex-dentiste portait des verres fumés très foncés. Après une hésitation — il

61

était passablement ivre et il n'était pas totalement convaincu qu'il faisait la bonne chose —, il s'avança vers la jeune femme avec un demi-sourire, puis d'une voix hésitante, même s'il était sûr de son fait :

— Mademoiselle Loria, je crois…

Elle sourit largement, découvrant de grosses dents blanches dont l'irrégularité ajoutait à son charme, fit quelques pas en sa direction, retira ses verres fumés de la main gauche et lui tendit la droite avec une assurance considérable.

— Oui, c'est moi, mais vous pouvez m'appeler Louise si vous voulez…, dit-elle en remettant ses lunettes, si bien qu'il n'eut pas vraiment le temps d'apercevoir ses yeux.

Il lui serra la main un assez long moment car, éméché, il avait une notion du temps un peu floue et n'estimait plus très bien la simple durée de ce banal geste du quotidien.

— C'est… c'est vraiment gentil d'avoir accepté mon invitation. Je… Est-ce que je peux vous offrir un verre pour vous remercier ?

— Euh… oui, bien sûr…

Ils s'avancèrent vers le Palm Café, le charmant petit café que l'on trouve juste passé le vestibule du Plaza.

Ils demandèrent une table. Il n'y avait pas de problème car le café, surtout populaire en début de journée, comptait plusieurs tables libres. Ils s'assirent, elle commanda une Heineken et il l'imita — il estimait avoir eu sa dose de scotch et, du reste, le Glenfiddich n'était pas donné au Plaza. Le serveur, un jeune homme de vingt ans qui portait un anneau au lobe de l'oreille gauche, ne tarda pas à revenir avec la bière. Il s'apprêtait à en verser un peu dans un verre, mais la jeune femme lui déclara :

— Non, pas de verre pour moi.

Elle lui arracha quasiment la bouteille de la main, et la but d'un seul trait, à la garçonne, essuyant ensuite avec une satisfaction amusée le collet de mousse qui s'était formé sur ses belles lèvres.

— Vous m'en apporterez une autre tout de suite, dit-elle.

— Pas de problème ! acquiesça le serveur, amusé et étonné, tout comme David, par la gaillardise de la jeune femme.

Le serveur s'empara de l'autre Heineken et faisait le geste de remplir le verre de David mais, auparavant, il préféra demander :

– Est-ce que je…?

– Non, non, répondit David, ce ne sera pas nécessaire.

Il n'était tout de même pas pour exiger un verre, pas après la démonstration «virile» de la jeune femme, et ce même s'il préférait boire ainsi sa bière!

– Pas de problème, fit le serveur.

Il revint quelques secondes après avec une nouvelle bouteille de bière à laquelle la jeune femme réserva le même sort.

Autour d'eux, la clientèle, élégante, était visiblement fortunée et assez internationale, composée surtout d'Asiatiques, d'Allemands, d'Italiens, qui avaient des conversations feutrées. Il y avait aussi, bien entendu, des Américains venus passer quelques jours de vacances dans la Big Apple.

– J'avais soif.

– En effet, dit David en écarquillant les yeux, non sans un certain amusement.

Et tout de suite, il la trouva sympathique. Sa présence le réconfortait, lui faisait un peu oublier le terrible chagrin de sa récente séparation. En posant sa bouteille vide, Louise déclara :

– Vous devez penser que je suis alcoolique. Eh bien, vous avez raison! Remarquez, pour travailler huit heures par jour dans un endroit qui est petit, qui sent mauvais et qui saigne, je veux dire: une bouche humaine, il faut vraiment la vocation, mais, moi, je ne l'avais pas, visiblement, alors au lieu de me suicider comme quatre dentistes sur cent, je me suis mise à jouer au golf et à boire. Mais maintenant, c'est fini, je ne bois plus. Vous allez croire que je dis n'importe quoi parce que je vous annonce ça une bouteille à la main, mais non, je sais ce que je fais, simplement, je ne veux pas faire la même erreur que la plupart des gens. Ils arrêtent d'un coup sec, et puis, au bout de six mois, crac, ils s'effondrent, et ils se remettent à boire de plus belle. Moi, je suis plus psychologue que ça avec mes faiblesses humaines, c'est ma force. Je préfère y aller lentement, ne pas brûler les étapes…

Elle avait dit cela à une vitesse phénoménale, comme si, à la limite, elle parlait toute seule.

– Oh! pour ne pas brûler les étapes, vous ne les brûlez pas, c'est certain.

– On n'a qu'une vie à vivre, alors je me dis: *Carpe diem…*

– *Carpe diem*?

– Vous n'avez pas vu le film ?

– Il y a un film qui s'appelle *Carpe Diem* ?

– Non, *Dead Poets Society*, avec Robin Williams.

– Ah oui !, je me souviens maintenant, *carpe diem*, profite du jour…

– Oui, eh bien, c'est ce que j'essaie de faire ! Garçon, deux autres bières, dit-elle en levant la main dans sa direction.

Le jeune homme apporta prestement deux autres bouteilles, si bien que David, pour ne pas passer pour un retardataire, s'empressa de vider la sienne. Il voulut reprendre son souffle avant de s'attaquer à sa deuxième bière…

– Mais buvez, buvez ! lui ordonna-t-elle Vous me faites mal paraître.

Il y consentit, pendant qu'elle vidait sans effort sa troisième bouteille. Elle la posa un peu bruyamment sur la table et décréta, le plus sérieusement du monde :

– Bon, maintenant, c'est fini pour la journée, surtout que j'ai commencé avant que vous n'arriviez ! De la discipline, il faut de la discipline dans la vie, sinon on n'arrive à rien.

Deux vieilles dames, à la table voisine, parurent choquées par la rapidité avec laquelle elle avait expédié ses consommations. La jeune femme remarqua leur indignation, ne se gêna pas pour se tourner vers elles et les dévisager, retira ses lunettes, qu'elle ne remit pas, et, écarquillant les yeux, elle demanda :

– Vous voulez ma photo ou quoi ?

Les deux septuagénaires se détournèrent, embarrassées, et l'une d'elles renversa sa tasse de thé, du thé très chaud, ce qui leur fit jeter les hauts cris.

– Bien fait pour elles, dit un peu cruellement Louise Loria.

Il n'en fallut pas plus pour que David, devant le culot de sa compagne, fût pris d'un fou rire soudain. C'était une chose qui lui arrivait rarement — il ne se souvenait pas de la dernière fois où ça lui était arrivé en fait.

– Je… je m'excuse, dit-il enfin à voix basse, ce n'est pas poli de rire comme ça des vieilles personnes, mais dites-moi est-ce que…

Et il n'eut pas le temps de terminer sa phrase, car à nouveau il se mettait à rire cependant que le garçon accourait à la table voisine et s'empressait de réparer les dégâts causés par la tasse de thé renversée, épongeait la table, remplaçait la nappe.

Il fallut encore quelques secondes avant que David pût contrôler son fou rire. Ça faisait du bien d'ailleurs, cette hilarité imprévue, ça lui faisait un peu oublier sa maîtresse.

Sa maîtresse…

Pourquoi s'obstinait-il à appeler Louise Eaton sa maîtresse ? Par habitude sans doute. Parce que la rupture était encore trop récente ?

Pour la première fois, David remarqua les yeux de Louise Loria.

Ils n'étaient pas de la même couleur que ceux de Louise Eaton mais plutôt bleus, et possédaient une sorte de profondeur, de tristesse, comme si elle n'était pas heureuse. Pourtant, elle ne le montrait pas car elle était vraiment drôle, avec ses paradoxes et ses théories biscornues. Peut-être justement parce qu'elle était malheureuse. « Ce n'est pas le métier de romancière qu'elle aurait dû embrasser, pensa David, mais celui de comédienne ! »

– Mon oncle m'a dit que vous étiez pro de golf au terrain où il travaille. Est-ce que c'est amusant ?

– Non.

Elle rit de la simplicité, de la brièveté de la réponse.

– Non, je plaisante, j'aime mon travail.

Elle avait dit qu'elle ne boirait plus, par discipline, mais c'était peut-être une promesse d'ivrogne, car le garçon lui rapporta mécaniquement une autre bière que non seulement elle ne refusa pas, mais qu'elle se mit à boire… tout aussi mécaniquement.

– Pro de golf, plutôt… Enfin… je ne serai sûrement pas la première femme à vous dire que lorsque vous vous regardez dans le miroir, ce n'est pas exactement Quasimodo que vous apercevez… Vous devez probablement collectionner les aventures comme d'autres les timbres…

– Non, je…

– Ne me dites pas que vous êtes…

– Non, non…, dit-il en souriant.

– Ouf ! parce que moi, le gaspillage, je déteste.

– Après mon divorce, il y a deux ans… je voulais prendre mon temps… J'attends de rencontrer la bonne personne.

– J'ai essayé ça, moi aussi, pendant quelques mois, c'est vraiment dur pour la vie sexuelle.

Éclat de rire de David à nouveau.

– Ça veut dire, reprit un peu naïvement la jeune femme, que vous n'avez aucune vie sexuelle depuis deux ans?

– Depuis sept ans.

– Depuis sept ans, je…?

– Oui, vous oubliez mes cinq années de mariage!

Elle rit encore et c'était peut-être dû autant à l'alcool qu'à la plaisanterie elle-même.

– Pourquoi avez-vous divorcé? demanda-t-elle lorsqu'elle eut retrouvé son sérieux.

– Je donnais trop de leçons de golf, ma femme prenait trop de leçons de piano.

– Elle est partie avec le professeur?

– Oui, et avec la maison et ma fille de trois ans.

– Ah…

– Mais, vous, vous n'avez personne?

– J'avais quelqu'un, du moins je le croyais, jusqu'à ce que je me rende compte que mon conjoint aussi avait quelqu'un: sa secrétaire avec qui il couchait! Et, moi, la tarte, je ne me rendais compte de rien. Pas trop valorisant pour l'ego!

Mais sur ces mots, elle se leva comme d'un bond et dit avec un naturel qui aurait été étonnant chez toute autre femme qu'elle:

– Oh! vous allez m'excuser, je dois aller *ipso facto* au petit coin: quand je bois une bière, il faut que j'en rende deux à César et comme j'en suis à ma quatrième, alors faites le calcul!

S'était-elle levée un peu vite ou était-elle beaucoup plus ivre qu'elle ne le croyait? Toujours est-il qu'elle fut prise d'un étourdissement, si vif à la vérité qu'elle en perdit l'équilibre. Dans sa chute, elle voulut se retenir, et c'est la nappe toute propre des deux vieilles voisines qui écopa, et qu'elle entraîna avec elle en même temps que les tasses de thé, la théière, les gâteaux, et tout le tralala.

C'était un accident, et l'exubérante Louise aurait pu se blesser, et pourtant elle parut prendre la chose à la légère, se releva tant bien que mal. Son joli pull rouge était tout maculé de crème à gâteau, et comme c'était du forêt-noire, ce n'était pas beau, il y en avait partout. Cela la préoccupa bien plus que le sort des deux pauvres vieilles, qui étaient atterrées et s'étaient levées brusquement pour éviter d'être salies à leur tour.

David lui aussi s'était levé et interrogeait sa compagne avec une inquiétude toute naturelle :

– Ça va ? Vous ne vous êtes pas fait mal ?

– Oui, oui, ça va. C'est juste mon pull qui est foutu. Un Chanel que j'ai payé les yeux de la tête !

Et elle en paraissait vraiment contrariée.

– Il va falloir que je monte me changer dans ma chambre…

– Vous voulez que je vous accompagne ?

7

Ça lui avait échappé, cette phrase en apparence simplement polie, mais qui avait toutes sortes de ramifications, de conséquences : « Vous voulez que je vous accompagne ? »

Pourquoi lui avait-il demandé cela ?

– Ça ne vous dérange pas ?

– Non, non…

David jeta quelques billets sur la table de manière à couvrir largement le montant de l'addition. Le garçon à la boucle d'oreille s'empressa de venir nettoyer les dégâts tandis que David s'éloignait vers l'ascenseur tout en soutenant la jeune femme par le bras.

Il pouvait pour la première fois respirer son parfum, discret mais puissant : c'était le même que celui de Louise Eaton. Quelle troublante coïncidence ! À moins qu'il n'eût des hallucinations ? À moins que ce ne fût son immense chagrin qui lui faisait voir partout des choses qui lui rappelaient son ex-maîtresse ?

Dans l'ascenseur, ils se retrouvèrent seuls et David, malgré lui, éprouva un trouble : il se rappelait ses ébats passionnés avec Louise Eaton. Ça faisait drôle de se retrouver, à peine quelques heures après sa rupture, seul dans un ascenseur avec une femme qui ressemblait autant à son ex, comme si la vie voulait le narguer ou le torturer.

– Quel étage ? lança-t-il en tentant de dissimuler sa fébrilité.

– Septième.

Et elle précisa :

– Chambre 747. Comme le Boeing.

Il esquissa un sourire, appuya sur le bouton du septième, mais lorsque l'ascenseur se mit en branle, non sans un certain bruit car c'était loin d'être une mécanique moderne, Louise Loria parut avoir un vertige, et s'empressa de demander :

– Vous permettez ?...

Et elle posa sa belle tête blonde étourdie par l'alcool sur l'épaule de David sans même attendre sa réponse comme si elle la connaissait à l'avance. Elle avait fort commodément fermé les yeux comme pour juguler les effets du vertige. Son pull bâillait un peu, car elle s'était penchée, et David vit qu'elle ne portait pas de soutien-gorge. Trouble à nouveau, car les seins de la jeune femme ressemblaient à ceux de sa maîtresse, de petits seins bien galbés, à la pointe rose.

Le ralentissement de l'ascenseur qui arrivait au septième étage provoqua un haut-le-cœur chez la jeune femme. Elle soupira, puis avoua, un peu découragée :

– Oh ! je ne me sens vraiment pas bien, je pense que je vais être malade...

La porte de l'ascenseur s'ouvrit, ils en sortirent, marchèrent vers la chambre.

– Vous avez la clé ? demanda David.

– Oh ! c'est une bonne question... Attendez, elle est dans mon sac...

C'était un petit sac noir, en cuir, avec de fausses pierres précieuses, des diamants à cinq sous, qu'elle portait en bandoulière. Elle chercha la clé quelques secondes, mais elle n'avait vraiment pas la tête à cela et elle demanda à David de lui prêter main-forte. Il accepta avec un trouble nouveau, comme si ce petit geste révélait toute la confiance qu'elle avait pour lui. Ne s'ouvrait-elle pas à lui, en le laissant fouiller dans son sac, résumé de tant d'intimité féminine ?

Il repéra la clé sans grande difficulté et pensa que la jeune femme devait être bien ivre pour ne l'avoir pas trouvée elle-même.

Ils arrivèrent à la chambre, qui en fait était une suite, plutôt luxueuse, la première pièce étant un petit salon, la seconde la chambre à coucher à proprement parler. « Eh bien ! pensa David, elle ne se fait pas chier pour une apprentie romancière ! » Et en même temps il se rappela qu'elle était après tout une ex-dentiste et que les dentistes ne sont pas réputés pour crever de faim, loin de là.

Lorsque David referma la porte derrière lui et se retrouva seul avec Louise Loria, il eut un mouvement de recul. Une petite voix intérieure lui disait qu'il avait fait une erreur, qu'il ne devait pas s'attarder dans cette chambre trop longtemps, que c'était jouer avec le feu... La meilleure chose à faire était de laisser là sa compagne et de lui souhaiter sagement bonne nuit.

Louise avisa un fauteuil de la suite (il y en avait deux, avec un sofa et une table à café) et dit aussitôt:

– Je pense que je vais m'asseoir quelques secondes. Est-ce que vous seriez assez gentil pour aller me chercher un verre d'eau et une serviette bien froide? On dirait que ma tête va exploser.

– Oui, bien sûr... Voulez-vous que je vous aide à vous asseoir?

– Non, non, j'en suis capable...

Elle marcha d'un pas incertain, sous le regard circonspect de David, perdit l'équilibre au dernier moment, mais tomba juste sur le fauteuil et elle eut un sourire triomphal, comme si elle devait à son adresse plutôt qu'à la chance cet atterrissage miraculeux!

David parut soulagé. Il se dirigea vers la salle de bains, mais, curieusement, la porte en était barrée. Bizarre, pensa-t-il. Mais tout de suite il comprit sa méprise: la porte qu'il avait tenté d'ouvrir n'était pas celle de la salle de bains, mais communiquait avec la chambre voisine, ce qui permettait à des couples amis ou à de larges familles de pouvoir passer d'une chambre à l'autre en toute intimité.

Il se tourna vers la jeune femme, qui avait été le témoin amusé de sa méprise, eut un sourire niais, puis avisa l'autre porte, la bonne celle-là, et entra dans la salle de bains. Il fut impressionné par son luxe et sa vastitude. Diable, c'était presque aussi grand que sa propre chambre à coucher appelée prétentieusement «chambre des maîtres»! Non seulement il y avait deux lavabos dorés qui éclairaient un comptoir immaculé de granit noir, mais il y avait une douche et une baignoire séparées, des toilettes, un bidet, tout le confort nécessaire, en somme.

Il prit une belle serviette blanche, sur laquelle étaient brodés en délicates lettres d'or les mots «Plaza Hotel», fit couler l'eau, pour qu'elle fût bien froide. Il se regarda dans le miroir. Était-ce l'éclairage, ou l'alcool? Toujours est-il qu'il ne se trouva pas bonne mine. Il avait le teint pâle, les yeux un peu rouges, et un peu cernés, le regard vitreux. Qu'est-ce qu'il faisait là, dans cette chambre d'hôtel avec cette jeune femme à demi morte d'ivresse ?

De toute manière, sa résolution était prise, il n'en démordrait pas. Il tirerait sa révérence dès qu'il aurait apporté à Louise ce qu'elle lui avait demandé. Il remplit un verre d'eau, mais, au lieu de le porter à Louise, il le but d'un seul trait, en se regardant dans la glace comme un assassin qui s'apprête à commettre un crime et qui, au dernier moment, hésite... Il le rinça, l'emplit à nouveau, et maintenant il était prêt à retourner dans la chambre, pour faire face à... son destin !

Mais une surprise l'attendait.

8

Il ne trouva pas la jeune femme dans le fauteuil où il l'avait laissée. Il marcha jusqu'à la chambre à coucher où il la découvrit allongée sur le lit, endormie après avoir sagement posé son sac à main sur la table de nuit…

Une de ses jambes était repliée, si bien que sa jupe s'était relevée et que David put voir qu'elle ne portait pas de slip! On aurait dit que son histoire avec Louise Eaton se répétait.

Le regard de David se porta irrésistiblement vers la lumineuse pâleur du duvet entre ses jambes: contrairement à sa maîtresse, la jeune femme était une véritable blonde!

Il ravala sa salive mais bomba le torse, se raidit, et, mentalement, se traça une ligne de conduite dont il ne s'écarterait sous aucun prétexte. Il ne réveillerait pas la jeune femme, se contenterait de poser le verre d'eau et la serviette sur la table de chevet, puis prendrait littéralement la fuite comme un voleur. Ou un homme sage qui voulait éviter de se jeter tout de suite dans une autre aventure.

Il marcha à pas de loup vers le lit.

Alors qu'il posait la serviette sur la table de chevet, la jeune femme prit son poignet.

Il se tourna vers elle, leurs regards se croisèrent et David comprit qu'il ne ressortirait pas de cette chambre avant le lendemain matin. Même si ce n'était pas la bonne chose à faire. Même si c'était trop tôt, beaucoup trop tôt pour commencer une nouvelle histoire. À peine quelques heures après avoir rompu avec la femme qu'il aimait encore. Mais en ce moment, Louise Loria ressemblait tant à son ancienne maîtresse… Et il était si ivre et si triste: ce serait une sorte de prix de

73

consolation, comme s'il pouvait faire l'amour une dernière fois à Louise Eaton.

La jeune femme le tira alors vers elle et, après une brève résistance, il se laissa entraîner. Au fond, ne valait-il pas mieux céder à cette jeune inconnue plutôt qu'à ses démons qui, se nourrissant de son désespoir, le pousseraient peut-être à commettre ce soir-là un geste fatal ?

Quelques minutes plus tard, il allait se perdre en elle, mais elle le freina et, avec une lucidité étonnante pour une femme à demi-ivre, elle tira un préservatif de son sac à main posé sur la table de chevet et expliqua, d'une voix coquine :

– Pas d'amour sans parapluie, mon petit chéri !

9

Le matin, les yeux encore clos, David, qui avait un terrible mal de tête et se sentait affreusement coupable, allongea paresseusement le bras en direction de sa compagne.

Mais il trouva la place vide.

Il consulta sa montre, constata, ahuri, qu'il était déjà 7 h 30. Diable! Ce qu'il avait pu dormir! Lui qui avait l'habitude de se lever systématiquement à 5 h 30, sans même avoir besoin d'un réveil le matin.

Il tendit l'oreille. Louise devait être à la salle de bains, occupée à faire sa toilette matinale. Mais nul bruit. Ou s'il y avait du bruit, c'était seulement celui, diffus, qu'on entend inévitablement le matin dans un hôtel, même le meilleur du monde.

Il bâilla, se frotta les yeux, puis appela enfin:
– Louise…

Pas de réponse!

Il sauta du lit, passa au salon et, alors, il aperçut la jeune femme assoupie, complètement nue, dans un des fauteuils de la suite. Un détail pourtant lui parut curieux: ses poils pubiens étaient noirs et non pas blonds… Et pourtant, la veille, il lui avait bien semblé que c'était une véritable blonde…

Il s'avança et écarquilla les yeux, horrifié.

Inexplicablement, c'était son ancienne maîtresse, Louise Eaton, qui était assise dans ce fauteuil, et non pas la jeune femme avec qui il avait passé cette nuit étourdissante.

Et puis, autre détail étrange: les vêtements qui jonchaient le sol, à côté du fauteuil, n'étaient pas ceux de Louise Eaton, mais ceux que portait Louise Loria la veille: pas d'espadrilles

Coco Chanel, certes, mais la jupette de cuir noir et le pull rouge. Autre détail différent : il y avait un soutien-gorge en dentelle noire alors que la jeune romancière en herbe n'en portait pas... Il en était bien certain : il revécut d'ailleurs le moment où la jeune femme, dans l'ascenseur, avait tendrement appuyé sa tête contre son épaule et où il avait eu la révélation ravie de ses seins nus...

Mais que faisait là son ancienne maîtresse ?

Une affreuse intuition s'empara de lui.

Elle était...

Il s'approcha, poussa un cri d'effroi.

Louise Eaton, les yeux agrandis par la terreur, regardait fixement un oreiller abandonné sur le tapis, près d'elle.

Elle était morte !

10

Comment son ancienne maîtresse avait-elle pu se retrouver dans sa chambre alors qu'il avait passé la nuit avec une autre femme?

Qui avait transporté le cadavre de Louise Eaton dans la suite du Plaza pendant son sommeil?

« Cadavre » : quel mot horrible! David ne se faisait pas à l'idée qu'elle était morte, alors qu'à peine quelques jours plus tôt, il la serrait dans ses bras, bavardait avec elle…

On avait voulu le compromettre, à n'en point douter, et de belle manière en…

Mais qui avait bien pu…?

Il se frappa la tête.

Il venait de réaliser la perfection du coup dont il avait été l'objet.

Et comment on l'avait piégé.

C'était Paul Loria!

Ce n'était pas par hasard qu'il lui avait suggéré de rencontrer une femme qui ressemblait comme deux gouttes d'eau à Louise Eaton…

Et ce n'était pas par hasard que cette dentiste en mal de gloire littéraire s'était efforcée de se faire remarquer au Palm Café en se montrant bruyante à souhait, pour être bien certaine qu'on la vît avec lui…

Mais pourquoi vouloir le compromettre?

Pourquoi ce meurtre?

La première personne qui vint à l'esprit de David, c'était évidemment le mari…

Oui, le mari…

Joseph Eaton savait, oui, c'était sûr, il savait depuis long-temps que sa femme lui était infidèle et il avait voulu faire d'une pierre deux coups : venger son honneur tout en se débarrassant de sa femme !

Tandis qu'il tenait à toute vitesse ces divers raisonnements, David s'approcha du cadavre.

Car — et c'était une curiosité bien naturelle — il voulait savoir comment était morte sa maîtresse.

Près d'elle, il nota, mêlée à l'odeur de son parfum habi-tuel, une odeur d'alcool, comme si son ex-maîtresse avait bu, ce qui n'aurait pas été nouveau chez elle, car il ne lui suffisait pas d'avoir un amant pour oublier les vicissitudes de son mariage : encore lui fallait-il sa ration quotidienne de martinis !

Il se rendit alors compte que l'oreiller abandonné à côté du fauteuil était taché de rouge. Il l'examina. C'était du rouge à lèvres. Pas besoin de chercher une explication ailleurs : Louise Eaton avait été tout simplement étouffée avec un oreiller, et c'était pour cela que son corps ne portait aucune trace de coup, aucune blessure...

Que faire ?

Jamais de sa vie il n'avait été aussi angoissé.

Comment se tirerait-il de ce bourbier innommable ?

Devait-il appeler tout de suite la réception, pour rapporter la présence d'un cadavre dans sa chambre ?

C'était sans doute la chose la plus naturelle, la plus logi-que à faire, mais cela revenait à avouer qu'il était l'amant de Louise Eaton...

Il perdrait son emploi automatiquement, et puis, il faudrait qu'il se démerde auprès de la police. Il serait le suspect principal bien entendu... Avec des chances bien minces de s'en tirer.

En effet, qui croirait qu'il ne l'avait pas tuée ?

Non, mieux valait filer à l'anglaise.

Au fond, qui pourrait l'accuser ?

Il ne s'était pas enregistré à l'hôtel, ne s'était vanté à personne de sa visite au Plaza...

Et qui avait noté sa présence au petit Palm Café ? Le serveur peut-être, mais Dieu merci ! il avait réglé la note comptant, sans carte de crédit...

Quant aux vieilles dames que Louise Loria avait scanda-lisées, ce n'est pas de lui qu'elles se souviendraient sans doute, mais bien de son exubérante maîtresse d'un soir.

Sa maîtresse d'un soir…

Où était-elle passée, celle-là ? Elle s'était volatilisée sans laisser de traces, comme si elle n'avait jamais mis les pieds dans cette chambre…

Sans laisser de traces…

Justement, il fallait qu'il efface la principale trace de son passage, c'est-à-dire ses empreintes laissées sur le verre d'eau apporté la veille à Louise Loria.

Sinon…

11

Il ne trouva pas le verre d'eau sur la table de chevet! Il passa en vitesse à la salle de bains. Pas de trace du verre près du lavabo où on le pose habituellement. Il avait disparu! Bizarre! Pourtant David n'était pas fou, il n'avait pas rêvé! Il prit une débarbouillette, frotta prestement les robinets et le comptoir pour effacer toute trace de ses empreintes. Bon, ça irait. Quoi d'autre? La poignée de la porte d'entrée, bien sûr. Il expédia cette tâche le plus vite possible, revint porter la débarbouillette à la salle de bains, l'essora, la posa sur le comptoir puis pensa que ce n'était pas la meilleure idée et, malgré son humidité, la glissa dans la poche gauche de son pantalon. Il tenta de réunir ses esprits tout en s'examinant un instant dans la glace. Il avait une drôle de mine. Ses cheveux étaient en désordre comme s'il s'était battu toute la nuit.

Il nota alors que son épaule gauche était éraflée, presque lacérée, de toute évidence par des ongles de femme. De femme déchaînée dans les élans de la volupté. Il se tourna, de manière à voir son dos, dont le haut avait lui aussi subi un sort similaire. Des éraflures le sillonnaient.

– Merde! pesta-t-il.

Comme s'il avait besoin de cela, ces marques le compro-mettraient encore plus!

Bon, il ne fallait pas qu'il traîne dans cette chambre. Chaque minute comptait. Il devait déguerpir au plus vite. Il se rhabilla en vitesse, s'approcha du lit et avisa les draps, qu'il secoua. Peut-être y trouverait-il un cheveu, ou un poil compro-mettant, ou pire encore (il écarquilla les yeux à cette pensée!) le préservatif utilisé la veille. Mais son examen fut de courte durée car il entendit bientôt frapper à la porte. Il s'immobilisa, interdit, et son cœur bondit dans sa poitrine.

– Service…

Service ! Il n'avait rien demandé. On devait se tromper de chambre. Mais peut-être Louise Loria faisait-elle monter à heure fixe son petit-déjeuner.

De toute manière, il n'avait pas le temps de soupeser la question. Il fallait qu'il prenne une décision. Et il n'y en avait qu'une seule possible : fuir.

Mais comment ?

Il y avait cette autre porte que, la veille, il avait confondue avec celle de la salle de bains. Peut-être parviendrait-il à la forcer. Mais il n'en eut pas besoin. Il la poussa sans difficulté, entra dans la chambre voisine, où heureusement il n'y avait personne. « Curieux, pensa-t-il, il me semblait pourtant qu'hier soir, elle était fermée à clé. » Mais il y avait tellement de choses qu'il ne comprenait pas depuis qu'il s'était levé, il ne s'attarderait certes pas à ce détail. Il la referma derrière lui juste au moment où on entrait dans sa chambre. Il entendit un cri étouffé par la porte. C'était le garçon et, de toute évidence, il venait de découvrir le cadavre.

David vit, près du lit, des souliers de femme. Il pensa immédiatement qu'il y avait peut-être une cliente dans la chambre, une femme qui faisait sa toilette matinale avant de s'habiller. Ce n'était pas impossible parce que le lit justement était défait.

Il entrouvrit la porte de la chambre, jeta un coup d'œil dans le corridor. Il était libre. David sortit en hâte, marcha d'un pas rapide vers l'ascenseur, mais sans courir pour ne pas se faire remarquer. Il dut patienter quelques secondes, qui lui parurent interminables. Puis, enfin, la porte de l'ascenseur s'ouvrit. David y aperçut un couple âgé. Il détourna la tête pour éviter leur regard. Juste au moment où la porte de l'ascenseur allait se refermer sur lui, il entendit derrière lui une voix d'homme :

– S'il vous plaît, monsieur…

Que lui voulait-on ? Il se tourna, embarrassé, un vague sourire sur les lèvres.

C'était Joseph Mackay, le garçon, un rouquin fort maigre d'origine irlandaise, qui venait de découvrir le cadavre dans la chambre et qui, catastrophé, descendait à la réception pour prévenir la direction.

Un peu malgré lui, David retint la porte de l'ascenseur. Le garçon arriva et le remercia. Ses yeux d'un bleu vif semblaient affolés. Il avait vu bien des choses au Plaza, depuis qu'il était entré au service du célèbre hôtel, mais des cadavres de femmes nues, jamais!

Mais comme, par un professionnalisme qui l'honorait à un si jeune âge, il ne voulait pas effrayer la clientèle, il tentait de garder son sang-froid, jusqu'à ce qu'il puisse se libérer de son terrible secret auprès de son supérieur immédiat.

David regardait ses pieds, trouvait interminable le temps que mettait l'ascenseur à atteindre le rez-de-chaussée. Il nota alors que la dame âgée qui avait pris l'ascenseur avec son mari semblait s'intéresser à sa braguette ou, en tout cas, à son pantalon. Il remarqua alors que non seulement la serviette dépassait de sa poche gauche, mais qu'elle formait, en outre, un cerne sur la toile beige de son pantalon, comme s'il souffrait d'incontinence, chose surprenante pour un homme de son âge. Il plissa les lèvres avec embarras, poussa la serviette au fond de sa poche, puis regarda en direction du garçon pour vérifier s'il avait noté cette bizarrerie ou ce larcin. Mais non: ses yeux semblaient encore hallucinés par la vision qu'il avait eue dans la chambre 747.

Enfin, à son grand soulagement, la porte s'ouvrit. Le garçon sortit le premier d'un pas rapide, se hâta vers le comptoir de la réception, pendant que David se dirigeait vers la sortie.

Le portier lui souhaita le bonjour et lui demanda s'il désirait un taxi ou sa voiture. David évita de croiser son regard, comme s'il était pressé, et se contenta de grommeler qu'il marcherait. Il fit une centaine de pas en direction de la 5e Avenue où il jeta la serviette dans une poubelle et s'arrêta un instant pour souffler. Il fallait qu'il se calme, qu'il reprenne ses esprits. Il s'était passé trop de choses en trop peu de temps, et des choses absolument incompréhensibles.

Mais d'abord, quelle heure était-il?

Pas tout à fait 7 h 45.

Normalement, il devait être à la boutique vers 8 h 30. Mais ce matin-là, il serait forcément en retard. D'habitude, il partait de Brooklyn, qui était beaucoup plus proche des Hamptons et, en outre, il se mettait en route fort tôt alors que de Manhattan, avec la circulation matinale...

Mais de toute manière, il n'avait pas le choix. Il fallait qu'il rentre sinon il attirerait trop de soupçons sur lui. Oui, malgré le terrible drame qui venait de se produire, il fallait qu'il rentre au travail et qu'il fasse comme si de rien n'était, une journée normale, en somme.

D'abord, où avait-il garé sa voiture? Il était si nerveux, et aussi tellement ivre, la veille, à son arrivée à l'hôtel, qu'il ne se souvenait plus très bien.

Mais finalement, ça lui revint.

Il retrouva rapidement sa voiture: il avait écopé d'une contravention qu'il arracha de son pare-brise en pestant. Il la jeta par terre sans même vérifier ce qu'il lui en coûterait.

Il monta dans sa Jeep, se regarda dans le rétroviseur. À la lumière du jour, il se trouva encore plus mauvaise mine que dans la salle de bains de l'hôtel. Il était échevelé, ses yeux étaient brillants et cernés, et il avait la barbe longue, une barbe d'un jour seulement mais comme il l'avait forte... Ce détail sans doute le trahirait. On se douterait qu'il n'avait pas passé la nuit à la maison...

Ne valait-il pas mieux faire un arrêt chez lui pour se doucher en vitesse, se raser? Mais non, cela le retarderait trop et comme il était d'une ponctualité d'horloge suisse, s'il arrivait avec une heure de retard, on se questionnerait. Et la chose qu'il voulait éviter le plus au monde en ce matin pas comme les autres, c'était justement les questions...

Il avait dans la boîte à gants de sa voiture un paquet de rasoirs jetables Bic. Il en prit un, se rasa non sans s'écorcher car sa peau avait l'habitude du rasoir électrique.

Il eut de la chance, tomba sur des feux verts, atteignit bientôt Franklin Roosevelt Drive, espéra que le tunnel qui le conduirait vers les Hamptons ne serait pas trop encombré...

Il respirait mieux maintenant.

Au fond, il s'était inquiété pour rien. Personne ne le connaissait au Plaza. Ce n'était pas lui qui avait réservé la chambre, et il n'avait dit à personne qu'il allait y rencontrer Louise Loria...

Louise Loria...

Au fond il n'y avait qu'elle qui pouvait le compromettre, qui pouvait le trahir...

Et il n'y avait peut-être qu'elle qui savait ce qui s'était vraiment passé...

Mais comment la retrouver?

Il avait son numéro de téléphone, mais c'était au Plaza, et il se voyait mal y téléphoner pour demander si... D'ailleurs il était probable que, si elle avait été témoin du meurtre, elle n'y remettrait pas les pieds de sitôt!

Il y avait Paul Loria, qui savait probablement le numéro de téléphone personnel de la jeune femme, mais la chose était délicate... S'il lui parlait, ne se trahirait-il pas de manière irrémédiable?

Cela faisait trop de spéculations, trop de questions en même temps et, avec la fatigue de la nuit et les émotions du matin, il n'en pouvait plus!

Il se rendrait tout simplement au club, prendrait une douche rapide et, à partir de là, il aviserait...

12

Une petite demi-heure plus tard, la chambre 747 du Plaza était envahie par une escouade de la police criminelle de New York, à la tête de laquelle se trouvait Michael More. Le crâne presque complètement chauve même s'il avait à peine trente-cinq ans, il avait, douteuse consolation de la nature, une pilosité abondante sur le reste du corps, sur les mains, les avant-bras, sur lesquels il roulait en général les manches de sa chemise. Des sourcils très fournis surmontaient ses grands yeux bruns. Tout en muscles, sans une once de gras, il dégageait une impression d'autorité naturelle et de féroce intelligence.

Quant à son assistant, Samuel Seagram, il était dans la jeune vingtaine et paraissait un peu moins brutal. Maigre, les cheveux blonds coupés court, de timides yeux bleu pâle derrière de petites lunettes rondes, c'était un fanatique de l'informatique et des nouvelles technologies.

Les deux hommes étaient gantés de caoutchouc, comme les deux autres techniciens chargés de faire les divers prélèvements sur la scène du crime et le photographe de la police.

– Faites gaffe, ordonna More à ses hommes. C'est la femme d'un milliardaire. Il ne faut pas qu'il y ait de bavures !

Tout le monde comprit le bien-fondé de son avertissement. Ce n'était pas un meurtre comme les autres. Et Eaton, qui avait des entrées partout, ne tolérerait pas une enquête bâclée et s'empresserait de passer des coups de fil à des gens haut placés si les choses piétinaient ou n'allaient pas aussi vite qu'il le souhaitait. Et comme il avait la terrifiante réputation de vouloir tout, tout de suite, si ce n'était pour la veille, et de ne pas tolérer la médiocrité…

Ses conseils donnés et reçus dix sur dix, More s'approcha lentement du cadavre. Il en avait vu des centaines depuis qu'il était dans le métier et, pourtant, il ne s'était jamais complètement habitué. Ça lui inspirait toujours une sorte de respect, et de crainte, ce qui cependant ne les dispensait pas, lui et ses hommes, de faire souvent des plaisanteries déplacées, peut-être justement pour tromper ce sourd malaise d'être en présence de la mort, qui un jour ou l'autre viendrait les chercher eux aussi.

– C'est une belle femme, ne put s'empêcher de dire Seagram.

– Mais si froide, plaisanta More.

Seagram sourit alors que son patron se penchait vers le corps et faisait une première observation :

– Le tueur ne doit pas être un pro.

– Pourquoi dites-vous ça, patron ?

– Il a laissé sa petite signature. Regarde.

L'assistant se pencha à son tour et vit, comme son patron venait de le faire, des traces de sperme séché sur le haut des cuisses de la victime. Il remarqua aussi, sur le sol, la présence de l'oreiller taché de rouge à lèvres.

– Et voici probablement l'arme du crime, dit More. Alors, on y va mollo.

Dès que le photographe de la police eut pris les clichés nécessaires, Seagram, ganté, souleva l'oreiller maculé de rouge et le glissa dans un sac de plastique à glissière qu'il s'empressa de refermer.

More s'était dirigé vers le lit, dont le couvre-pieds était défait, tandis que son assistant poursuivait ses recherches dans la salle de bains, souvent fertile en indices.

Une belle moisson attendait More car les ébats de la veille avaient laissé des traces nombreuses : cheveux, poils pubiens, autant de signatures éventuelles de l'assassin, qui de toute évidence était blond, si l'on en jugeait par la couleur des cheveux prélevés.

Une fois les photos prises, il faudrait tout emporter au laboratoire, car les draps contenaient peut-être d'autres traces de sperme, de salive ou de rouge à lèvres…

Quelques secondes plus tard, le jeune assistant revint de la salle de bains en exhibant fièrement un sac de plastique.

– Regardez ce que j'ai trouvé sur le rebord de la baignoire : tout plein de jolies empreintes !

C'était le verre que, la veille, David avait apporté à Louise Loria…

13

Lorsque, un peu plus d'une heure et quinze minutes après avoir quitté le Plaza, David aperçut son image dans le grand miroir qui ornait le hall du club, il s'agita tout à coup : il venait seulement de réaliser qu'il portait les mêmes vêtements que la veille.

Et puis, il arborait l'air traqué d'un criminel ou en tout cas de quelqu'un qui a quelque chose à cacher. Il devait se donner une contenance. Il afficha son sourire des meilleurs jours, le sourire avec lequel il accueillait tous les membres, même ceux dont la tête ne lui revenait pas.

Quant à ses vêtements, qui remarquerait ce détail ? D'autant qu'il les troquerait pour des nouveaux dès sa douche prise.

Il avait raisonné correctement, car personne ne nota son retard ni ne remarqua ses vêtements un peu fripés.

C'était bien normal, car tout le monde au club était bouleversé ou, tout au moins, distrait par la mort de la femme du président et surtout par les circonstances peu banales qui l'avaient entourée.

David passa en vitesse se doucher, pour effacer toute trace des ébats de la nuit. Au vestiaire, sur l'immense téléviseur où les membres surveillaient en général le cours de la Bourse ou la position de Tiger Woods dans les tournois auxquels il daignait participer, c'était exceptionnellement CNN qui était en ondes et abreuvait les spectateurs des derniers détails de cette ténébreuse affaire.

David resta plus longtemps qu'à l'accoutumée sous la douche. Il avait besoin de ce massage, de cette eau chaude sur son visage, sur son corps.

Une fois douché, il se peigna devant la glace du vestiaire. Il avait meilleure mine et il n'était désormais plus visible qu'il n'avait pas dormi chez lui. Il tenta de se convaincre que ce qui était arrivé était juste un mauvais rêve, que personne ne pourrait faire le lien entre la mort de Louise Eaton et lui.

Il se promit pourtant de se montrer prudent, de ne rien laisser transpirer. Mais il fit une petite gaffe, le jour même. À la boutique, alors qu'il servait quelques clients, l'un d'eux demanda :

— Qu'est-ce que vous pensez de la mort de madame Eaton ?

Il eut la bêtise de répliquer :

— J'ai été surpris et chagriné comme tout le monde, d'autant que je la croyais en voyage avec son mari.

Un golfeur sourcilla. Comment David Berger pouvait-il connaître les allées et venues de la victime ? Toute la journée, David fut rongé par cette bévue dont les conséquences pouvaient être considérables. Le golfeur ne rapporterait-il pas ses propos à la direction, pire encore à la police ?

Mais ce jour-là, tellement de choses furent dites que David se persuada que sa remarque stupide se perdrait sûrement dans le flot…

Il y eut de nombreuses manifestations de sympathie, de révolte (devant la violence grandissante de la société moderne) et de tristesse, mais aussi des pointes féroces, des commentaires à tout le moins désobligeants.

Les mauvaises langues, les rivales s'en donnaient à cœur joie. C'était notoire que les choses n'allaient pas entre Louise Eaton et son richissime mari, qu'elle lui jouait honteusement dans le dos, alors qu'il l'avait pour ainsi dire ramassée dans la rue, une moins que rien, je vous dis, qui n'avait même pas une onzième année ! Et dire qu'il l'avait couverte de bijoux, habillée comme une princesse, introduite dans le grand monde et, elle, pour le remercier de l'avoir tirée du ruisseau, elle le traînait dans la boue en le trompant avec on ne sait qui ! Pauvre homme ! Pauvre, on s'entend, il valait plus d'un milliard !

Oui, au lieu de lui baiser les mains de reconnaissance, elle baisait dans un hôtel de New York. Scénario classique ! L'arriviste sans scrupules voulait tout, le mari âgé, qui signait les chèques, mais aussi, le jeune amant vigoureux, qui lui donnait le choc : très chic ! Comme la nature, elle avait horreur du vide… dans son lit! Et dès que le mari prenait l'avion pour affaires, elle s'envoyait en l'air!

Eh bien, elle n'avait eu que ce qu'elle méritait! Et maintenant, les seuls avec qui elle pourrait s'éclater la tulipe, ils seraient bien plus froids que son mari dont elle se plaignait toujours à ses amies, puisqu'ils seraient morts et allongés à ses côtés. Bien sûr, ils auraient la rigidité cadavérique, mais trop peu trop tard! À vrai dire, plusieurs de ses prétendues amies, sans oser l'avouer, se sentaient soulagées… et débarrassées! À quelque chose malheur est bon: elle ne pourrait plus faire de l'œil à leur mari, comme la petite traînée qu'elle était restée même après son mariage triomphal. Putain un jour, putain toujours!

Il y eut aussi des rumeurs de kidnapping qui circulèrent. Oui, Louise Eaton aurait été enlevée, amenée de force au Plaza et, de là, les ravisseurs auraient exigé par téléphone une rançon à son mari, qui les aurait envoyés promener, ce qui avait conduit à l'exécution de sa femme.

Comme on peut voir, la machine à rumeurs s'emballait et ce n'était pas de nature à déplaire à David. Plus on brouillait les pistes, plus il avait de chances de s'en tirer.

Alors, petit à petit, il se disait qu'il pouvait dormir tranquille.

Ce qui ne l'empêchait pas de vouloir tirer une chose au clair, une chose à laquelle il n'arrêta pas de penser toute la journée.

Aussi, le soir, vers 6 h, fidèle à ses habitudes pour ne pas mettre la puce à l'oreille de personne, il passa au bar avant de quitter le club.

– Je pense que nous devons avoir une petite conversation, Paul.

14

Il avait prononcé ces mots en regardant le barman du club droit dans les yeux, d'un air grave, pour le sonder. Mais Paul Loria n'en parut pas impressionné outre mesure, car, au lieu de se hérisser, il répliqua d'un ton nonchalant, tout en rinçant un verre :

— Justement, je voulais te parler, ma nièce m'a téléphoné, ce matin.

— Ta nièce t'a téléphoné ? fit David en blêmissant.

— Oui, elle t'a attendu pendant une heure, hier, au Plaza.

— Elle m'a attendu ?

David n'en revenait pas.

Quelqu'un mentait.

Le barman ou sa nièce.

Parce que la nuit qu'il avait passée avec Louise Loria, il ne l'avait pas inventée, après tout !

Mais s'il s'était trompé au sujet de Loria…

Si le barman n'avait rien à voir avec le piège qu'on lui avait tendu…

Si c'était en fait sa nièce qui l'avait manipulé, qui avait intrigué pour pouvoir rencontrer David et remplir la partie du mandat qu'on lui avait confié ?

— Oui, poursuivit le barman qui paraissait l'homme le plus sincère du monde, elle m'a dit qu'elle t'avait téléphoné, que tu avais l'air déprimé et que tu avais accepté de la rejoindre à son hôtel pour prendre un verre et faire connaissance…

— Elle a dit ça ?

C'était la manière qu'il avait trouvée spontanément de répondre sans répondre. Parce que dire la vérité, c'était trop dangereux. Ne se compromettrait-il pas, en effet, s'il avouait ce qui s'était vraiment passé, la veille, avec la jeune femme ?

Mais pourquoi avait-elle prétendu qu'il ne s'était jamais rendu à leur rendez-vous ?

Non, c'était un cauchemar, le pire cauchemar de toute sa vie sauf peut-être celui de son divorce qui, lui, avait atteint un sommet vertigineux… David avait vraiment l'impression qu'il était en train de devenir fou. Il manquait un morceau du puzzle dans cette histoire, une pièce essentielle, et, à cause de cela, plus rien n'avait de sens…

Paul Loria n'eut pas le temps de reprocher à David sa dérobade, car une serveuse était arrivée providentiellement avec son plateau et sa commande.

Pendant que le barman préparait les consommations, la serveuse ne put s'empêcher de confier à David ses vues sur le sujet du jour.

— Je ne peux pas croire ce qui est arrivé à madame Eaton.

— Moi non plus.

Il n'avait jamais si bien dit !

— Et son pauvre mari qui l'adorait, il ne s'en remettra pas.

— Ça doit être horrible en effet, admit le pro.

— Il y en a qui disent qu'elle avait un amant mais, moi, je ne le crois pas. Pas elle. Son mari lui donnait tout.

— Oui, c'est vraiment difficile à croire, dit David avec embarras.

Le barman revint enfin avec les consommations, une vodka *on the rocks* et une bière allemande, qu'il posa sur le plateau. Juste avant de repartir, la serveuse fit un dernier commentaire, à l'intention de David :

— Des fois, je me dis que je suis mieux avec ma petite vie bien ordinaire.

— Moi aussi.

Dès que la serveuse se fut éloignée, Paul Loria reprit, avec un sourire fin, comme s'il avait deviné la vérité :

— À moins que tu ne sois effectivement allé au Plaza et que tu aies couché par erreur avec la mauvaise femme !

— Ne fais pas de plaisanteries pareilles, Paul ! le rabroua David avec conviction.

Et pourtant, le barman ne parut pas dupe de son esquive.

— Écoute, David, conclut-il d'un ton grave, en le regardant droit dans les yeux, je ne sais pas ce qui a pu se passer au juste, hier soir, au Plaza, je ne sais pas ce qu'il y avait entre madame Eaton et toi, et, honnêtement, je préfère ne pas le savoir. Je peux juste te faire une promesse : cette histoire de nièce et de rendez-vous au Plaza, je n'en parlerai jamais à personne. À personne, tu m'entends ? Ça va rester un secret entre nous deux.

– Je… je l'apprécie, Paul, je l'apprécie vraiment.

15

David passa toute sa soirée à penser avec nostalgie à sa maîtresse morte. Il regrettait de ne pas avoir accepté sa proposition…

Ce n'était pas tellement parce qu'elle lui avait offert ses millions sur un plateau d'argent, mais en raison de l'amour, de tout l'amour, de l'extraordinaire amour qu'il y avait derrière cette extravagante « invitation au voyage ». Et nous arrive-t-il souvent, dans l'espace d'une vie, de rencontrer quelqu'un qui nous aime vraiment et qui est prêt à tous les sacrifices pour nous ? Cette pensée l'obsédait, car il sentait qu'en repoussant Louise Eaton, il avait peut-être perdu la chance de sa vie…

Et puis, une pensée le rongeait encore plus profondément que la simple perte d'un amour si grand : s'il avait dit oui à sa maîtresse, s'il ne l'avait pas repoussée, avec son sens pratique et ses excuses toutes faites, tout le drame n'aurait-il pas été évité, ne serait-elle pas encore vivante ? En un mot comme en mille, n'était-il pas responsable de sa mort ? Ne l'avait-il pas tuée ?

Toute la soirée, il but du scotch en regardant les reportages que toutes les chaînes diffusaient au sujet du meurtre de l'heure.

La police, disait-on, avait passé au peigne fin les lieux du crime et possédait des indices. David arrondit les yeux et pensa tout de suite au verre qu'il avait apporté, la veille, à Louise Loria et qu'il n'avait pas pu retrouver le matin. Si la police avait mis la main dessus, elle possédait ses empreintes. Mais encore fallait-il remonter jusqu'à lui ! Ce qui n'était pas évident.

Non, sauf coup d'extrême malchance ou trahison de Paul Loria, qui l'avait assuré de son silence, il n'avait qu'à laisser le temps passer et les choses se tasseraient. Faute de coupable, on classerait l'affaire, et on mettrait fin à l'enquête. D'ailleurs, les statistiques ne révélaient-elles pas qu'un meurtre sur trois demeurait impuni ?

Le lendemain — et cela lui donnait raison ! —, la vie était déjà redevenue quasi normale au club. Bien sûr, le meurtre de Louise Eaton était encore sur toutes les lèvres, ou en tout cas dans presque tous les esprits, mais déjà le démon du golf reprenait ses droits, et David s'étonna même — la nouveauté d'un scandale s'étiole vite de nos jours ! — de devoir donner nombre de leçons.

Mais alors qu'il dispensait distraitement ses conseils à un octogénaire qui tentait en vain de corriger un *slice* incurable, deux détectives traversaient le stationnement du club. C'était More et son assistant, le jeune Seagram, qui ne pouvait s'empêcher de s'étonner à haute voix de la succession spectaculaire de voitures de luxe. Les Mercedes rivalisaient de beauté insolente avec les BMW, les Ferrari, les Porsche, sans compter les Rolls, les Jaguar, les quelques rutilantes Bentley, des Austin Martin et même, rareté en Amérique, une Maserati décapotable, qui devait probablement appartenir — elle était turquoise ! — à la femme d'un membre…

— Diable ! laissa échapper Seagram, où prennent-ils l'argent pour acheter de pareilles voitures ?

— Nous avons un job, eux ont une compagnie, expliqua stoïquement More, mais il y en a un qui n'aura plus de job bientôt.

Il parlait bien entendu de David. Un assistant de la boutique escorta prestement les deux policiers jusqu'à David, dans le champ d'exercice, ce qui créa un émoi, en effet, car tous soupçonnèrent ce qui était en train de se passer.

— Monsieur Berger ? demanda l'inspecteur More qui s'était immobilisé devant lui et le vrillait de son regard d'acier.

— Oui ? dit David en interrompant sa leçon devant le regard ahuri de son vénérable élève.

— Je vous demanderais de nous suivre.

— C'est à quel sujet ?

— Le meurtre de madame Eaton. Nous avons quelques questions à vous poser.

David fut le premier à s'étonner du stoïcisme dont il était capable, comme s'il était sûr de son fait et pas du tout inquiet de se faire épingler, même si la police était tout de même remontée jusqu'à lui.

Il tenta d'afficher un sourire serein et suivit les deux policiers sous les yeux étonnés ou scandalisés des membres. Malgré sa confiance, une pensée effleura son esprit tandis qu'il jetait un dernier regard sur le vert magnifiquement manucuré du dix-huitième trou : conserverait-il encore longtemps son poste au prestigieux club de golf ?

16

– Monsieur Berger, où vous trouviez-vous le soir du 14 juin?
– Le soir du 14 juin?
– Oui, avant-hier soir?
– Chez moi.
– À quelle heure êtes-vous rentré à la maison?
– Je ne sais pas, au juste…
– Approximativement?
– Euh… normalement, je quitte le club vers 18 h, 18 h 30, alors 19 h 30…
– Dix-neuf heures trente. Et vous ne vous êtes arrêté nulle part avant?
– Non…

Ces questions, c'est Michael More qui les posait à un David de plus en plus nerveux, dans une des salles du poste de police principal de New York.

Samuel Seagram était présent lui aussi et prenait des notes tout en s'émerveillant de la virtuosité dialectique de son supérieur, qu'il rêvait d'égaler un jour. Il aimait ce sadisme cérébral chez son patron, qui ne se délectait jamais autant que lorsqu'il jouait au chat et à la souris avec un suspect, qu'il s'amusait à mettre en boîte, à l'amener à se contredire, à se compromettre. Il lui avait avoué une fois que c'était pour lui presque aussi jouissif que de faire l'amour sauf qu'à la fin, votre partenaire était… mort!

Il y avait, sur la table une chemise et une enveloppe de plastique noir vers lesquelles David jetait des regards furtifs, inquiet de leur contenu.

– Monsieur Berger, quelle marque de voiture conduisez-vous? poursuivit un More qui semblait au sommet de sa forme et dont le sourire s'épanouissait en une sorte de plaisir anticipé.

Pourquoi l'inspecteur lui posait-il pareille question? Il lui tendait un piège, évidemment. Mais, et c'était exaspérant — le pro de golf ne pouvait mettre le doigt dessus. Il fallait pourtant, sous peine de passer pour quelqu'un qui cachait quelque chose, répondre le plus naturellement du monde à cette simple question. Avec un haussement de sourcils agacé, comme si on lui faisait perdre son temps, David répliqua:

— Une Jeep.

— Et est-ce que vous avez passé votre voiture à quelqu'un le soir du 14 juin?

— Non.

En prononçant ce petit mot, tout à coup, David comprit où l'inspecteur voulait en venir. Ça venait de lui apparaître, il se rappelait ce détail qui avait pu le trahir, qui l'avait trahi.

Aussi ne fut-il pas étonné outre mesure lorsque, à la requête muette de More, Seagram tira de la chemise la copie policière d'une contravention qu'il jeta sur la table, devant lui.

— Le 14 juin, à 20 h 30, sur la 5e, près du Plaza, une Jeep noire à votre nom, immatriculée WPT 897, a reçu une contravention pour avoir stationné devant un parcomètre vide.

David ne se donna même pas la peine de regarder la contravention.

— Ça me revient, maintenant, je ne sais pas où j'avais la tête, je suis effectivement allé faire du shopping sur la 5e, ce soir-là.

— Sur la 5e, dit More. Vous ne faites pas du shopping n'importe où! Vous cherchiez quelque chose de spécial?

— Un jouet pour ma fille.

— Et vous l'avez acheté?

— Non. Je n'ai pas trouvé ce que je cherchais.

— Est-ce qu'on le trouve jamais? ironisa philosophiquement More.

— En tout cas, je ne l'ai pas trouvé ce soir-là.

— Donc pas de coupon de caisse pour prouver que vous étiez allé faire des achats et non rejoindre madame Eaton à son hôtel?

— Pas de coupon.

Seagram prit une note tout en s'efforçant de réprimer un sourire: son patron tissait son piège avec l'habileté d'une araignée!

– Monsieur Berger, quel genre de relation aviez-vous avec madame Eaton ?

– Professionnelle.

– Professionnelle ? Que voulez-vous dire, au juste ?

– Je lui donnais des leçons de golf.

– Des leçons privées ?

– Il ne se donne pas de leçons de groupe au club Hamptons. Les membres ont les moyens de s'en offrir des privées.

– Grand bien leur fasse, rétorqua More. Moi, je n'ai même pas les moyens de jouer au golf…

– Peut-être un jour, si vous trouvez un travail décent.

More ne la trouva pas drôle. Et il trouva encore moins drôle le sourire vite réprimé de son assistant, qui n'avait pu s'empêcher de goûter la boutade. L'inspecteur esquissa pourtant un sourire, pour ne pas montrer que David avait marqué un point. Mais il détestait qu'un suspect lui tînt tête, encore pire le narguât, d'autant plus que David lui avait tout de suite été antipathique, peut-être parce qu'il était trop beau ; il s'était toujours méfié de cette catégorie d'hommes à qui tout souriait, simplement parce que la nature les avait privilégiés à ce chapitre…

– Comment décririez-vous madame Eaton ?

– C'était une classe C.

– Une classe C. Comme une Mercedes, plaisanta Seagram, qui restait tout étourdi de sa traversée du prestigieux stationnement du club.

More ne rit pas. Ni David. C'était comme si l'assistant n'avait rien dit. Ce dernier eut un sourire niais.

– À votre avis, monsieur Berger, quels étaient les sentiments de madame Eaton à votre endroit ? poursuivit More.

– Ses sentiments ? Mais je n'en ai aucune idée !

– Monsieur Berger, le soir du 14 juin, êtes-vous allé rencontrer madame Eaton à l'hôtel Plaza ?

– Non, de toute manière…

Il faillit dire : « Nous avions rompu quelques heures plus tôt », mais cela bien entendu l'aurait mis dans un pétrin encore plus profond.

– Vous alliez dire ? fit More.

– Rien. Je ne suis pas allé la rencontrer au Plaza parce que, de toute manière, je la croyais en voyage avec son mari…

– Diable! Vous semblez être au fait de ses moindres déplacements.

– C'est la raison qu'elle m'avait donnée pour annuler ses leçons de golf, expliqua avec sang-froid David.

– Monsieur Berger, à votre avis, qui aurait eu intérêt à ce que madame Eaton meure?

– Écoutez, je ne sais pas, je suis professionnel de golf, pas détective.

– Mais vous avez un avantage sur nous dans cette situation, vous êtes pro au club où elle jouait, et vous lui donniez des leçons privées. Une élève se confie souvent à son professeur, c'est normal, non?

– Pas dans un club comme le Hamptons. Les membres gardent toujours une distance avec le personnel. Nous n'appartenons malheureusement pas au même monde.

– Si on en juge par les bagnoles qu'ils conduisent, c'est vrai, renchérit Seagram, que son patron s'empressa de rabrouer du regard.

– Je comprends, mais juste par curiosité, monsieur Berger, j'aimerais connaître votre opinion. À votre avis, qui avait intérêt à ce que madame Eaton meure?

– Probablement une personne proche d'elle.

– Comme qui?

– Son mari.

– Pour quelle raison?

– Parce qu'il était marié avec elle.

Seagram ne put s'empêcher de rire de la plaisanterie. More aussi, d'ailleurs, ne résista pas à l'hilarité qui montait en lui. Décidément, ce professionnel de golf avait du sang-froid. Et aussi le sens de la répartie.

– Non, sérieusement, poursuivit More.

– Écoutez, je ne connais pas tous les détails de leur vie privée, mais comme je travaille au club depuis un certain temps, j'entends forcément des choses entre les branches, surtout qu'Eaton est président du club. La rumeur circule depuis longtemps au club que c'était un couple au bord du divorce.

– Je vois, c'est intéressant, très intéressant. Mais je ne suis pas sûr de voir le lien entre les problèmes de couple de madame Eaton et son assassinat. Éclairez ma lanterne…

David décida de jouer d'audace, de défier More, et, le regardant droit dans les yeux, il dit :

— Écoutez, ce ne serait pas la première fois qu'une jeune femme mariée à un homme âgé prend un amant pour se désennuyer. Le mari les a surpris et a tué sa femme dans un moment de colère. Des histoires comme ça, on en lit tous les jours dans le *New York Post*.

— C'est vrai, approuva More avec un demi-sourire, comme s'il ne croyait pas un traître mot de ce que David disait et s'amusait à jouer avec lui.

Il laissa s'écouler quelques secondes puis demanda :

— Monsieur Berger, est-ce que vous êtes marié ?

— Non. Divorcé.

— Vous avez une petite amie ?

— Non.

— Pas de petite amie ? Personne ?

— Non.

— Vous êtes divorcé depuis longtemps ?

— Deux ans.

— Deux ans. Sans personne. Vous avez pourtant l'air d'un homme en bonne santé, et puis, vous êtes bel homme…

— Mon ex m'a lavé. Alors, j'ai décidé de me refaire financièrement avant de choisir celle qui me lavera à son tour. Sinon ce ne serait pas juste pour elle, n'est-ce pas ?

— Écoutez, reprit More, je vais faire un marché avec vous, monsieur Berger. Si vous acceptez de faire des aveux complets, je m'engage à vous obtenir une sentence allégée. Vous pourrez plaider le meurtre passionnel ou, mieux encore, l'homicide involontaire. Vous aviez bu, vous vous êtes disputé avec votre maîtresse et vous avez appuyé un oreiller sur sa tête, oh, pas du tout dans l'intention de la tuer, mais juste pour lui faire peur, pour qu'elle se taise, parce qu'elle parlait trop : tout homme peut comprendre ça, n'est-ce pas, monsieur Berger ? Et puis, sans vous en rendre compte, vous avez perdu la notion du temps parce que vous aviez bu, parce que vous étiez très fatigué : vous avez maintenu trop longtemps l'oreiller sur sa jolie bouche. Lorsque vous l'avez retiré, il était trop tard, elle avait cessé de respirer… Est-ce que vous trouvez que cette histoire se tient ? Moi, je crois qu'un juge pourrait la croire et le procureur aussi. Et au lieu d'une sentence à vie ou de la chaise électrique, avec un peu de chance, vous serez libre dans cinq ans avec bonne conduite. Qu'est-ce que vous en pensez, monsieur Berger ?

— Je pense que vous feriez un bon romancier.

More regarda silencieusement David, puis il tira du grand sac noir un verre rangé dans une pochette de plastique transparent.

— Est-ce que vous reconnaissez ce verre ? demanda-t-il.

— C'est un verre comme on en voit tous les jours.

— Peut-être. Sauf que nous l'avons trouvé dans la chambre numéro 747 du Plaza. Et qu'il porte des empreintes. Si elles coïncident avec les vôtres…

— Ce verre d'eau ne prouve rien.

— Peut-être, mais il y a un fait qui prouve quelque chose.

Qu'est-ce que More allait bien lui sortir, maintenant ?

— Le médecin légiste a trouvé du sperme sur le corps de la victime.

— Enfin une bonne nouvelle ! Comparez nos ADN, vous verrez que je dis vrai, proclama David avec un grand soulagement.

Il se réjouissait. Il y avait au moins une dizaine de jours qu'il n'avait pas fait l'amour avec sa maîtresse, alors comme elle n'avait pas l'habitude d'embouteiller son sperme, celui trouvé sur son cadavre n'était de toute évidence pas le sien : c'était celui de l'assassin.

Mais en pensant cela, il se rembrunit. Un détail de sa nuit avec Louise Loria lui était brusquement revenu à l'esprit. Lorsqu'elle avait insisté, dans son langage amusant, pour lui enfiler un parapluie, un parapluie que, il s'en souvenait maintenant, il n'avait pas retrouvé le matin, était-ce une simple précaution prophylactique ? À la place, n'était-ce pas une manière diabolique de… prélever un échantillon de son sperme ? Et maintenant, il se rappelait que juste après l'amour Louise Loria avait sauté du lit pour aller aux toilettes. N'était-ce pas pour y dissimuler sa précieuse récolte ? Était-il possible qu'elle eût poussé aussi loin la précision de son coup monté ?

— Monsieur Berger, si vous voulez, nous allons prélever vos empreintes et un échantillon de votre sang et prendre quelques clichés de routine.

Ces petites actions, ce rituel, tout cela lui confirmait la gravité de sa situation, donnait une réalité à son cauchemar : il semblait de plus en plus être le principal suspect du meurtre de la femme qu'il avait aimée passionnément et qu'il avait refusé de suivre…

Oui, Loulou, la grande amoureuse, mais aussi la femme du président du club où il travaillait, qui, d'ailleurs, le ferait immédiatement congédier, qu'il fût ou non reconnu coupable.

Quelle ironie! Et dire qu'une des raisons pour lesquelles il avait refusé l'offre généreuse de sa maîtresse était qu'il craignait de perdre son emploi. Et maintenant, il perdait les deux: maîtresse et emploi!

Parce qu'Eaton, c'était sûr, serait impitoyable. Oui, le grand Eaton, si fier de sa réputation, de son image de vainqueur, humilié par un petit professionnel de golf, un sans-le-sou, un moins que rien qui s'était farci sa femme pendant un an …

Quant à son ex-femme, elle ne manquerait pas d'applaudir à la nouvelle de son infortune. Quelle chance exceptionnelle, inattendue, en effet! Certes, elle perdrait la pension qu'il lui versait mensuellement, mais elle ne serait plus obligée de partager avec lui leur fille Lydia…

Suprêmement angoissé, David dut se soumettre à une prise de sang, conscient que si le sperme retrouvé sur le corps de Louise Eaton était effectivement le même que celui dont il avait glorieusement gonflé le préservatif que lui avait enfilé sa maîtresse d'un soir, il était cuit, archicuit.

Puis ce furent les empreintes digitales. En les prenant, le technicien remarqua que David avait une petite coupure à la main droite. Il sourcilla. More serait peut-être intéressé par sa découverte. Il l'appela.

– Où vous êtes-vous fait cette blessure? fit More qui l'avait brièvement examiné avec un intérêt amusé.

Comme David ne répliquait pas, l'inspecteur insista:

– Je viens de vous poser une question.

– Je me suis coupé avec un verre.

– Je vais vous demander de retirer votre chemise, lança-t-il à David, pour vérifier si vous ne vous êtes pas coupé ailleurs.

David n'eut d'autre choix que de s'exécuter.

– Tiens, tiens, susurra More.

17

L'inspecteur venait de découvrir, avec un intérêt évident, les éraflures dans le dos de David.

– Vous avez poussé un coup de départ dans le bois? demanda-t-il avec ironie à un David qui avait peine à dissimuler son embarras.

– Comment avez-vous deviné?

– Non, sérieusement, quel est le nom de la tigresse?

– Je ne sais pas. Je ne pose jamais de questions aussi personnelles à une femme.

– Je vois, je vois, dit More, qui sentit qu'il ne tirerait rien de David dont le calme le surprenait.

Il demanda au photographe de prendre des clichés des éraflures. Puis, pendant que David remettait sa chemise, il lui déclara:

– Vous êtes libre. Pour le moment. Mais je vous demanderai de ne pas quitter la ville. Et je vous recommanderai de vous trouver un bon avocat. Parce que si les empreintes sur le verre correspondent aux vôtres, et que le test d'ADN est concluant, vous allez en avoir diablement besoin.

David ne connaissait pas de criminaliste, mais il se souvenait du numéro de téléphone de maître Bernard Campbell. C'est lui qui l'avait défendu, sans grand succès, pour son divorce. En sortant du poste de police, il s'empressa de lui passer un coup de fil. Campbell, qui avait eu de la difficulté à se faire régler ses honoraires, lui recommanda les services de maître Charles Rubin, un jeune avocat frais émoulu de l'université, aux tarifs fort abordables. David l'appela, n'eut pas à lui expliquer longtemps sa situation:

– Je suis accusé du meurtre de la femme de Joseph Eaton.

– Je vous attends, se contenta de dire le jeune juriste.

Et il lui donna son adresse. Une petite heure plus tard, David entrait dans l'antre de Charles Rubin. Son bureau ne payait pas de mine. Il n'y avait même pas de secrétaire dans la salle de réception.

Par la porte ouverte de son cabinet, David aperçut un jeune homme de vingt-six ans, aux abondants cheveux noirs et aux yeux verts à l'éclat rieur.

David l'aima tout de suite, non seulement en raison de son aura joyeuse, mais parce que, lorsqu'il lui posa une question au sujet de ses honoraires, le jeune homme se contenta de répondre :

– On s'arrangera.

Généreux, Rubin n'était pas totalement altruiste. Il savait la publicité que lui vaudrait ce procès : pas tous les jours qu'il avait la chance de représenter le supposé assassin d'une femme mariée à un homme aussi riche et influent que Joseph Eaton. S'il défendait David avec succès, sa carrière serait lancée du jour au lendemain ! Et il ne serait plus obligé, comme il le faisait depuis sa sortie de l'université, de défendre de petits criminels sans envergure ou des chauffeurs ivres menacés de perdre leur permis de conduire !

Il était conscient, bien sûr, qu'en revanche, s'il perdait, sa gloire serait douteuse. Mais le jeu en valait la chandelle, lui semblait-il. Et il se félicita de son pari après avoir passé deux heures dans son bureau en compagnie d'un David dont il avait exigé la franchise la plus absolue, condition essentielle d'une défense efficace...

Épuisé par le feu roulant de questions dont il avait été bombardé et par la chaleur qui régnait dans un bureau à l'air conditionné défectueux, David finit par implorer :

– J'ai besoin de prendre un peu d'air.

– D'accord, dit l'avocat, même s'il était déçu de devoir interrompre la discussion : il entrevoyait déjà sa défense, qui se construisait par elle-même dans son esprit, aussi surchauffé que l'atmosphère du bureau en ce mois de juin torride à New York.

Les deux hommes sautèrent dans la vieille BMW de Rubin, une 323 rouge qui l'emplissait de fierté même si c'était une 1988 dont le compteur avouait plus de trois cent mille kilomètres !

Mais au lieu de l'entraîner dans un bar, David le dirigea vers le terrain d'exercice de golf le plus proche. Il avait désespérément envie de frapper des balles pour tenter de tromper l'angoisse insupportable dans laquelle la perspective imminente du procès l'avait jeté.

En arrivant devant le terrain d'exercice, Charles Rubin parut surpris.

– Je pensais que nous allions prendre un verre !

– Pas trop déçu ? demanda David.

– Déçu ? Mais je suis un maniaque de golf ! Enfin, je ne joue que depuis un an, mais j'adore ça. J'ai toujours mon sac dans mon coffre.

Et en effet, il s'y trouvait. L'avocat prit quelques bâtons, acheta un gros panier de balles.

– À toi l'honneur, fit David.

La petite séance prit rapidement l'allure d'une leçon de golf improvisée même si David voulait surtout se défouler en « dévissant » quelques balles.

Charles ne manquait pas de puissance et il pouvait parfois franchir la marque des deux cent cinquante verges, ce qui était loin d'être déshonorant pour un débutant. Mais la plupart du temps, il « poussait » la balle, pire encore il la *sliçait* déplorablement. Et rien ne paraissait autant irriter ce jeune homme perfectionniste qui avait en horreur la médiocrité.

– C'est bien, c'est bien, fit David après avoir évalué sept ou huit coups, je pense qu'on peut arriver à quelque chose.

– Mais je les *slice* presque toutes, déplora l'avocat avec ce dépit que connaissent tant de golfeurs insatisfaits de leur jeu.

– Trop de main droite, décréta David.

– Trop de main droite ?

– Oui, c'est la main gauche qui doit conduire l'élan, pas la main droite.

Il se pencha vers lui, corrigea légèrement sa prise, puis lui lança :

– Fais un nouvel essai, en frappant de l'intérieur vers l'extérieur, comme si tu ne disposais que de ta main gauche.

Rubin avait déjà entendu ce jargon et n'était pas certain de le comprendre parfaitement, mais il s'élança à nouveau et, comme par merveille, sa balle partit comme une flèche et franchit allègrement la marque des deux cent cinquante verges. Il jubilait.

Il s'empressa d'en frapper une autre et elle fendit en deux le terrain d'exercice. Il était ébahi.

– Je ne pensais pas que ce pouvait être si facile !

Mais, comme si les vieilles habitudes (d'un an seulement mais tout de même !) ne mouraient que difficilement, il *sliça* la balle suivante de manière très prononcée.

– Merde !

C'était trop beau pour être vrai ! Il s'était emballé hâtivement, comme l'amateur qu'il était !

– Avec un petit peu d'application, tu y arriveras, le rassura David. Regarde, c'est simple.

Il lui demanda son bâton, le soupesa, en agita la tige pour en éprouver la flexibilité.

– Un peu mou pour moi, conclut-il, car, comme la plupart des pros, il jouait avec des tiges extrarigides, mais on va voir ce qu'on peut faire.

Il prit sa position, expliqua :

– La main droite n'est là que pour tenir le bâton en place, il ne faut pas que tu serres ton bâton plus qu'une plume Mont Blanc.

Avec sa facilité naturelle, comme s'il n'effectuait qu'un élan de pratique et même si ce n'était pas son bois 1, David frappa la balle loin, passé la marque des deux cent soixante-quinze verges.

Son avocat siffla avec admiration.

Sans rien dire, comme pour prouver qu'il ne s'agissait pas d'un coup de chance, David en frappa une dizaine d'autres, surtout heureux, à la vérité, de se livrer à ce qui était pour lui une véritable thérapie.

Les balles, avec la précision d'un pendule, tombaient presque toutes exactement au même endroit, à deux ou trois verges de distance, à moins que David n'eût annoncé, comme pour faire étalage de sa virtuosité, un *draw* ou un *fade*, qu'il effectuait avec une facilité déconcertante.

– Je n'en reviens pas, avoua Rubin lorsque les deux hommes se retrouvèrent dans la voiture, une fois la démonstration terminée. Tu fais ce que tu veux avec la balle.

– Seulement sur un terrain d'exercice, quand ça ne compte pas, avoua David avec une certaine tristesse dans les yeux. En tournoi, ça se gâte et c'est pour ça que je dois gagner ma vie à donner des leçons.

Rubin ne dit rien, ému. Ce n'étaient pas tous les gens qui avaient la lucidité et surtout le courage d'avouer à un parfait inconnu l'échec de leur vie.

– J'espère vraiment que nous allons gagner ce procès, fit Rubin.

– Pour avoir d'autres leçons de golf gratuites? le rabroua gentiment David. Il n'en est pas question!

18

Une semaine plus tard, fort tôt le matin, More et son assistant se présentaient chez David pour procéder à son arrestation, pour le meurtre présumé de Louise Eaton. Les empreintes sur le verre trouvé dans la chambre 747 du Plaza correspondaient exactement à celles de David. Et l'ADN du sperme prélevé sur le corps de la victime avait une coïncidence parfaite avec celui du professionnel.

David était dans de beaux draps!

Humilié, tentant d'éviter les regards de ses voisins ahuris et, se protégeant des objectifs avec ses mains menottées — les médias avaient été prévenus de l'arrestation! —, il prit le chemin de la prison avec, pour tout effet personnel, une très belle photo de sa fille Lydia qu'il plaça bien en vue dans sa cellule.

Maintenant, il le savait, il ne pourrait plus la voir pendant longtemps, parce que jamais son ex-femme ne voudrait la laisser entrer dans une prison. Dans le fond, elle avait peut-être raison, ce n'était pas une place pour une enfant de cinq ans. Que pense-rait-elle de son père lorsqu'elle le verrait derrière les barreaux?

À la vérité, les seules visites qu'il reçut furent celles de son avocat qui préparait fébrilement le procès, avec tout l'opti-misme de sa jeunesse.

Beaucoup d'observateurs inclinaient à penser que Rubin allait droit à la catastrophe: les bancs de l'école et le palais de justice sont deux choses bien différentes, il ne tarderait pas à le découvrir. Et de toute manière, ce n'était même pas une question d'expérience. Le fait est qu'il avait une mauvaise cause entre les mains... Les empreintes digitales, le sperme sur la victime, en fallait-il davantage pour établir hors de tout doute la culpabilité de David ?

Mais cela stimulait le jeune juriste au lieu de le décourager.

Il avait un atout secret, une certitude : son client lui avait juré, en le regardant droit dans les yeux, que, même s'il avait entretenu une relation d'un an avec la victime et effectivement passé la nuit dans la chambre 747 du Plaza, il ne l'avait pas tuée.

Alors, il ferait tout en son pouvoir pour le défendre parce que, à tort ou à raison, il croyait en son innocence. Et un innocent ne devait pas être condamné à mort ou à la prison à perpétuité.

Un innocent devait vivre.

En homme libre.

Le premier jour du procès donna lieu à une véritable cohue médiatique. Il y avait plus de cent journalistes assignés à sa couverture. Ce n'était pas tous les jours en effet que le professionnel d'un club huppé des Hamptons était accusé du meurtre d'une femme mariée à un milliardaire !

Des centaines de curieux avaient fait la queue dès sept heures pour s'assurer d'avoir une place pour le procès. Qui, bien entendu, afficha « complet » pendant toute sa durée et dut chaque jour refuser des spectateurs.

Assis au premier rang, on trouvait le *district attorney*, maître Henry Blake, un homme corpulent de soixante ans, qui avait une belle tête, avec des cheveux blancs, un teint bien rose et des yeux bleus qui brillaient d'une intelligence redoutable.

Il y avait aussi, bien entendu, le mari de la victime dont le visage alternait entre la colère, la honte et la douleur.

Maître Henry Blake commença par interroger Jim Larue, l'homme en noir, le mystérieux photographe qui, pendant plusieurs jours, avait épié les faits et gestes du couple clandestin et immortalisé leur liaison par le biais d'innombrables clichés.

Jim Larue était un grand gaillard de quarante ans, qui faisait osciller la balance autour des deux cent cinquante livres. Il avait des cheveux poivre et sel fort clairsemés, si bien qu'on pouvait aisément voir son crâne luire à travers son imparfait bouclier. Il ne paraissait pas particulièrement intimidé par la cour, car son métier lui en avait donné l'habitude. Son front était constamment humide et il devait régulièrement l'éponger avec un mouchoir qui ne le quittait jamais et qu'il devait renouveler chaque jour. La seule chose qui l'ennuyait vraiment à la cour, c'était l'interdiction de fumer.

— Monsieur Larue, quel métier exercez-vous? lui demanda maître Blake.

— Je suis détective privé.

— Monsieur Larue, à quel moment monsieur Eaton a-t-il retenu vos services?

— Le 25 mai, il m'a convoqué à son bureau pour me demander si je pouvais suivre sa femme.

— Vous a-t-il dit pourquoi?

— Il la soupçonnait d'avoir une relation extraconjugale.

— Vous a-t-il dit avec qui?

— Non.

— Monsieur Larue, dans le cadre de votre enquête, vous avez pris de nombreuses photos de madame Eaton?

— Oui, c'est exact.

— Combien en avez-vous pris environ?

— Oh! Environ dix rouleaux de trente-six poses.

— Dix rouleaux de trente-six poses, donc trois cent soixante clichés. Monsieur Larue, ces photos ont-elles été déposées à la cour en totalité?

— Oui.

— Monsieur Larue, si vous le voulez bien, je vais maintenant montrer à la cour certaines de ces photos.

— Oui, d'accord.

Blake fit un signe en direction de son assistant, qui était assis à la même table que lui, juste à côté d'Eaton, dont la présence imposante semblait l'intimider: pas tous les jours en effet qu'il avait la chance d'être assis à côté d'un véritable milliardaire! Paulo Costello était un jeune avocat de vingt-six ans, d'une grande maigreur, dont les yeux timides étaient agrandis par des lunettes épaisses comme des fonds de bouteille. Il avait des cheveux coupés court, en brosse, une coiffure qui lui aurait donné des allures de soldat s'il n'avait pas été aussi chétif.

Dans le coin inférieur droit de chaque photo apparaissaient la date et l'heure à laquelle elle avait été prise, ce qui facilitait bien entendu la compréhension du fil des événements.

Apparurent d'abord au grand écran des photos prises au club Hamptons, avec une Louise Eaton visiblement amoureuse et incapable de cacher les sentiments qu'elle vouait à son pro de golf. Il n'y avait pas de gestes véritablement compromettants, mais des regards, des sourires avaient été immortalisés grâce à l'habile téléobjectif du détective privé : ils en disaient long sur la nature des sentiments qui unissaient les deux amants.

Puis des photos de Louise Eaton et de David Berger, attablés dans un restaurant devant un verre de vin, échangeant des sourires tendres.

Enfin, plusieurs photos du couple discutant au coin d'une rue, l'air embarrassé, comme si un danger les guettait.

David était ébranlé par cette série de diapositives. Ce n'était pas qu'elles fussent particulièrement compromettantes, et à la vérité son avocat l'avait convaincu qu'il serait plus sage de ne pas nier avoir eu une liaison avec Louise Eaton, car il y avait trop de preuves qui l'établissaient hors de tout doute ! Mais simplement il lui semblait revivre toute sa liaison par l'intermédiaire de ces clichés. Il se sentait comme un homme qui se noie et revoit le film de sa vie.

Un film auquel il manquerait pour toujours un acteur, une actrice en fait, Loulou, sa grande amie, sa grande folie. L'avocat de David n'appréciait guère le spectacle non plus. Mais pour d'autres raisons. Les photos semblaient avoir un effet dévastateur sur la foule et le jury, dont il surveillait fréquemment les réactions, comme pour pouvoir subtilement ajuster le tir lors de son contre-interrogatoire.

On vit ensuite, et c'était peut-être la plus accablante, la photo de Louise Eaton garée devant l'immeuble où habitait David.

Le jeune assistant était passé à la photo suivante, mais Blake lui demanda d'y revenir et Costello obtempéra avec une nervosité visible, comme s'il avait gaffé alors qu'il ne faisait que son travail.

– Monsieur Larue, au bénéfice de la cour, je vous demanderai d'identifier l'immeuble devant lequel madame Louise Eaton s'était garée.

– Il s'agit du 3433, rue Dublin.

– À l'intention de la cour, pouvez-vous être plus précis ?

– Oui, il s'agit de l'immeuble où habite monsieur David Berger.

– Je vous remercie. Monsieur Costello, vous pouvez continuer.

Et le jeune assistant poursuivait le spectacle de diapositives cependant que David s'enfonçait de plus en plus dans ses souvenirs et que les larmes lui montaient aux yeux.

Photos des deux amants devant l'immeuble, puis y entrant.

L'avocat de David pestait. Il pestait parce que la démonstration photographique de Blake lui paraissait particulièrement réussie. Il avait fait un choix heureux de photos, si l'on peut employer le mot « heureux » dans cette circonstance. L'épithète « catastrophique » aurait sans doute été préférable. Heureux, ou plutôt catastrophique, parce que Blake, sans avoir à prononcer un seul mot, par la seule force des images, reconstituait, devant les yeux à la fois scandalisés et excités des jurés et de l'assistance, toute l'histoire d'amour des deux amants et les étapes progressives qui les avaient inéluctablement conduits au lit : les leçons de golf, chargées de désirs et de sous-entendus, puis les rencontres au restaurant et, aboutissement inévitable, l'appartement, pour enfin se jeter passionnément dans les bras l'un de l'autre.

Oui, Blake, par son petit montage, condamnait David sans même avoir à prononcer un seul mot, exploit méritoire surtout pour un avocat aussi bavard que lui !

On ne voyait certes pas David en train de presser l'oreiller fatal sur le beau visage de sa maîtresse, mais ces images préparaient le terrain, entendez : elles préparaient les membres du jury à accepter, à croire inévitablement ce qui suivrait.

Que David était coupable.

Qu'il était un assassin, malgré sa tête angélique qui faisait partout des ravages, et la cour n'y faisait pas exception.

Oui, une impression indélébile que tous les mots, tous les arguments du monde auraient de la difficulté à défaire.

Blake en eut bientôt fini avec son premier témoin et le remit entre les mains de son jeune rival qui, avant de se lever pour se jeter dans la fosse aux lions, compulsa rapidement ses notes, prit un dossier puis fit un clin d'œil à David comme pour lui remonter le moral. Il ne fallait pas baisser tout de suite les bras : le combat venait à peine de s'engager !

– Bonne chance ! murmura David, qui esquissa un sourire imperceptible.

Enfin, Rubin, dont l'habit était un peu usé — il avait dû payer lui-même ses études en faisant toutes sortes de petits travaux — et la cravate rouge, loin d'être du dernier cri, s'immobilisa devant le témoin, qui montrait déjà des signes d'impatience, non pas parce que l'interrogatoire de Blake avait été long, mais parce que, déjà, il avait désespérément envie de fumer une cigarette !

– Monsieur Larue, dans toutes les photos que vous avez prises, si du moins on en juge par celles dont la cour a été saisie, il n'y en a aucune qui prouve hors de tout doute que David Berger était l'amant de Louise Eaton. Et vous ne mentionnez rien de tel dans votre rapport dont j'ai ici un exemplaire.

– Euh… non, en effet. Il faut dire que je n'avais entrepris ma filature que depuis quelques semaines.

David se félicitait intérieurement d'avoir, dès le départ, édicté avec sa maîtresse des règles de conduite fort strictes : jamais ils ne devaient montrer en public le moindre signe d'affection. Pas de baisers, même sur les joues, pas de serrements de main. Rien. Agir non pas comme de parfaits étrangers, ce qui eût été excessif et pratiquement impossible, mais comme de simples relations d'affaires, surtout au restaurant, que du reste David préférait éviter car il jugeait ce lieu public trop compromettant. Les rares fois où il y avait rencontré sa maîtresse, il avait toujours choisi des restaurants peu fréquentés, du moins par la clientèle du club. Mais sait-on jamais, il y avait aussi le personnel des membres fortunés, leurs enfants, leur garagiste, leur coiffeur, qui pouvaient les y surprendre. Et aussi, bien entendu, un détective privé !

Oui, David se félicitait d'avoir fait preuve d'une prudence que sa maîtresse jugeait maniaque et excessive, mais en revanche il se demandait où diable son avocat voulait en venir. On aurait dit qu'il cherchait à prouver que son client n'avait jamais eu de relations avec Louise Eaton alors qu'il avait d'ores et déjà établi qu'il ne devait pas le nier. Avait-il changé de stratégie à la dernière minute, sans l'en aviser ? Sait-on jamais avec cette race bizarre que sont les avocats criminalistes…

Mais David haussa les épaules et se contenta de redoubler d'attention, intrigué ; après tout, Charles était l'avocat, lui n'était que le client !

– Monsieur Larue, selon les photos que vous avez prises, pourriez-vous conclure de manière indubitable que Louise Berger (petits rires étouffés causés dans la salle par ce lapsus et grognement bien compréhensible du mari cocu!), je m'excuse, que Louise Eaton et David Berger avaient des rapports sexuels?

– Euh… non, je… C'était évident qu'ils se voyaient à l'extérieur du club de golf, ce qui en soi était un indice, mais non, je n'ai pas pu prendre de photos d'eux entrant dans un motel ou dans un lit, mais ils se sont tout de même rencontrés à l'appartement de monsieur Berger.

– Assez longtemps pour avoir une relation sexuelle, à votre avis?

– Euh… oui…

Rubin se rendit jusqu'au projecteur qu'avait laissé libre l'assistant de Blake, fit un petit travail de préparation, puis projeta la photo qu'il cherchait et qu'on avait déjà vue: celle qui montrait Louise et David entrant dans l'appartement.

– Monsieur Larue, votre appareil-photo est fiable en ce qui concerne la date et l'heure que l'on voit sur les photos?

– Oui, évidemment.

L'avocat prit une baguette sur la table, montra la date et l'heure inscrites dans le coin inférieur droit de la photo. Et il dit à voix haute pour ceux qui auraient eu de la difficulté à lire malgré le grossissement de la photo: 10 juin, 19 h 34.

Il fit apparaître une autre photo.

– Monsieur Larue, voici la photo suivante dans la série que vous avez présentée à la cour. Elle porte d'ailleurs le numéro suivant dans votre film, ce qui nous conduit à une certitude absolue quant à la séquence. C'est la même date et, comme on peut le noter, madame Eaton est vêtue rigoureusement de la même manière. Et vous l'avez noté dans votre rapport.

Il montra la date avec la baguette puis ajouta:

– Heure du départ de chez David Berger, 19 h 44. Donc, en tout dix minutes. Je me suis permis de faire une petite expérience. Je me suis rendu à l'appartement de l'accusé et, chronomètre et clés en main, je suis entré chez lui, comme sur la photo précédente, j'ai ouvert la porte d'entrée, je me suis dirigé vers l'ascenseur. Comme il n'était pas là, j'ai arrêté mon chronomètre. Que je n'ai remis en marche que lorsque l'ascenseur est arrivé, pour être bien certain de chronométrer le temps minimal qu'il me faudrait pour me rendre à l'appartement de monsieur Berger qui habite au quatrième. Je suis sorti de l'ascenseur, j'ai marché d'un bon pas jusqu'à la porte de son appartement, je l'ai ouverte. Temps : deux minutes trente-quatre secondes. J'ai multiplié ce temps tout simplement par deux en supposant, ce qui n'est pas évident, que l'ascenseur attendait les amants et que, par conséquent, ils n'avaient pas été obligés d'attendre, ne serait-ce qu'une seconde. Et j'arrive donc à cinq minutes huit secondes. Il restait donc quatre minutes et cinquante-deux secondes, pour être précis, à madame Eaton pour se déshabiller, faire l'amour, se rhabiller, et repartir. Si mon collègue le souhaite, ajouta-t-il en faisant référence à Blake, je peux demander à la cour un ajournement pour que nous refassions ensemble la même démonstration.

— Non, non, dit sèchement Blake, l'estimation de notre collègue me paraît acceptable, et comme il a déjà fait perdre assez de temps à la cour...

Pour toute réponse, Rubin sourit à Blake. Il avait marqué des points.

— Monsieur Larue, reprit Rubin, d'après votre longue expérience de détective privé, est-ce que ce délai vous paraît raisonnable ?

— Objection, Votre Honneur, tonitrua Blake qui était excédé par cette démonstration et qui ne savait toujours pas où le jeune freluquet voulait en venir. Mon témoin n'est pas sexologue. Et puis, tout le monde sait qu'on n'est pas obligé de se déshabiller pour faire l'amour !

— Objection retenue.

— Monsieur Larue, reprit Rubin, si j'en juge par votre rapport, vous prenez des notes tous les soirs.

— Oui.

— À la fin de cette journée-là, soit la journée du lundi 10 juin, je ne vois en aucun endroit dans votre rapport que vous en concluez que Louise Eaton et David Berger ont eu des rapports sexuels.

— Je ne l'ai pas noté, en effet, n'ayant pas été témoin direct de semblables activités.

— Monsieur Larue, comme c'était votre mandat initial de le prouver, comment se fait-il que vous n'ayez pas pris de photos de David Berger et de Louise Eaton au Plaza ? Cela aurait été des photos intéressantes, non? Cela aurait pu en somme clore votre dossier. Un client a-t-il besoin d'autres preuves que sa femme le trompe, quand une photo la montre en train de monter dans une chambre d'hôtel avec un autre homme?

– Écoutez, ce sont les clients qui décident. Je suis détective privé, pas psychiatre.

– C'est vrai, admit Rubin. Monsieur Larue, si vous n'avez pas pris de photos de l'accusé et de la victime, au Plaza, le soir du meurtre, n'est-ce pas parce que la chose était impossible? Parce que Louise Eaton n'est jamais allée rencontrer l'accusé à l'hôtel Plaza, n'a jamais pris de verre avec lui, parce qu'en vérité, elle avait rompu avec mon client et se trouvait ailleurs?

Larue paraissait embarrassé. Il n'était pas le seul d'ailleurs, parce qu'Eaton aussi semblait mal à l'aise: à la vérité, l'interrogatoire du jeune avocat montrait une logique déconcertante.

– Monsieur Larue, intervint le juge, pouvez-vous répondre à la question?

– Écoutez, c'est un peu flou dans mon esprit. Ces événements se sont passés il y a plusieurs mois. Je ne tiens pas un compte maniaque de tous mes faits et gestes.

– Si on se fie à vos rapports, au contraire, vous semblez plutôt méticuleux.

– Je… Ça me revient, maintenant. Le vendredi soir…

– Vous voulez dire le soir du meurtre?

– Oui, le soir du meurtre, j'ai reçu un appel de monsieur Eaton, qui m'a donné instruction de mettre fin à ma filature.

– Si j'en juge par votre facture de cellulaire du mois de juin dernier, l'appel est arrivé à 19 h 22 en provenance de Las Vegas et le numéro de téléphone, je l'ai vérifié, est celui de l'hôtel Bellagio…

– Euh… oui, ça correspond à mon souvenir…

Cette partie de l'interrogatoire ne semblait pas plaire à Eaton, dont le regard s'était durci, comme s'il craignait que le détective privé ne le mette dans l'embarras…

– Monsieur Larue, où vous trouviez-vous à ce moment?

– Au Juke Box…

– Le Juke Box?

– Oui, un bar de Long Island.

Le Juke Box ! David sursauta et tira de sa poche un carnet, qui était en fait le calepin qu'utilisent les joueurs professionnels — et aussi leur cadet — pour noter les différentes difficultés et caractéristiques d'un parcours. Fébrile, il y griffonna une note, comme s'il venait d'avoir une intuition fulgurante.

— Est-ce que vous étiez en train de suivre madame Eaton ?

— Euh… non…

Il y avait une hésitation inhabituelle dans cette réponse.

— Vous étiez simplement allé prendre un verre ?

— Euh… oui.

Sur sa chaise, Eaton se raidissait et il porta même la main à son collet, comme s'il le trouvait trop serré tout à coup. L'avocat de la défense touchait-il pour la première fois un point épineux dans toute cette affaire ?

— Monsieur Larue, reprit Rubin, entre le moment de son départ et son appel en provenance de Las Vegas le vendredi soir vers 19 h 30, Joseph Eaton a-t-il communiqué avec vous ?

— Non.

— Et vous, de votre côté, poursuivit le jeune homme sur les lèvres duquel flottait maintenant un sourire imperceptible, comme s'il se réjouissait secrètement de voir son piège se refermer petit à petit sur sa proie, est-ce que vous lui avez fait parvenir des photos ou des informations nouvelles concernant votre filature ?

— Non.

— Dans ces conditions, monsieur Larue, est-ce que vous n'avez pas trouvé bizarre que monsieur Eaton vous appelle à brûle-pourpoint un vendredi soir, depuis Las Vegas où il se trouvait sans sa femme, ce qui aurait dû l'inquiéter, il me semble, et vous demande de mettre un point final à cette enquête ?

— Objection ! tonna Blake, on demande à mon témoin de spéculer.

— Objection retenue.

— J'ai terminé avec le témoin, conclut Rubin.

Lorsqu'il vint se rasseoir, David se pencha vers lui et lui montra un peu énigmatiquement les mots qu'il avait griffonnés sur son calepin quelques minutes plus tôt.

— Charles, je crois que j'ai découvert quelque chose…, lui confia-t-il à voix basse, pendant que le *district attorney* jetait un ultime coup d'œil à ses notes avant de se lever.

Mais David n'eut pas le temps de parler davantage à son avocat, car Blake s'était avancé devant le témoin et il était hors de question que Rubin ratât le moindre mot qu'il prononcerait.

La situation était beaucoup trop grave et, de toute manière, David aurait été rappelé à l'ordre par le juge s'il avait continué de parler pendant l'interrogatoire d'un témoin.

La première intention de Blake, irrité par l'habileté de son confrère, était de corriger la fâcheuse impression que Rubin était parvenu à créer par son habile petit jeu du chat et de la souris, auquel il paraissait exceller de manière surprenante, surtout pour un novice : il faudrait qu'il se méfie davantage de lui !

– Monsieur Larue, dit-il d'une voix ferme, monsieur Eaton a retenu vos services professionnels de détective privé en mai dernier, car il soupçonnait sa femme d'avoir une relation extraconjugale ?

– C'est exact.

– Dans le cadre de votre enquête, vous avez été amené à conclure que madame Eaton voyait effectivement l'accusé et s'était même rendue à son appartement le soir du 10 juin.

– C'est exact.

Avant de poursuivre, Blake se tourna vers son assistant et eut un haussement d'épaules impatient. Les lèvres du jeune homme se plissèrent en une moue coupable et il bondit de sa chaise, se rappelant tout à coup les instructions que son patron lui avait données. Il se rendit à l'écran et, en un tournemain, une des photos prises devant l'appartement de David apparut. Elle montrait David en train de discuter avec sa maîtresse. L'assistant fit alors un gros plan de Louise, ou plus précisément de son cou, et l'on y aperçut le collier de perles que David lui avait offert.

– On voit clairement ici le collier de perles que portait madame Eaton avant d'entrer chez son amant. Or, sur la photo suivante, lorsqu'elle en ressort…

Il fit une pause pour laisser le temps à son assistant de passer à une autre photo.

– Sur la photo suivante, on voit que Louise Eaton ne porte plus de collier de perles…

Il y eut un émoi dans la salle, un émoi qui ne manqua pas de réjouir secrètement Blake. Il obtenait ce qu'il désirait :

il effaçait le travail de sape de son rival auprès de son témoin qui était passé soit pour un incompétent soit pour un menteur, rien de bien intéressant en somme.

À la fin de ce témoignage, le juge consulta sa montre et estima qu'il était temps de faire une première pause. Aussi ajourna-t-il la cour pour vingt minutes.

Tout de suite, David put s'ouvrir à son avocat de ce qui lui brûlait les lèvres depuis de longues minutes :

– Le soir du meurtre, si Larue était au Juke Box, je suis sûr que Louise y était elle aussi, c'était son bar. Mel va te le dire.

– Mel ?

– Oui, c'est le barman, en fait le propriétaire du bar.

19

Les deux témoins suivants appelés à la barre furent les vieilles dames qui étaient assises à la table voisine de David et de Louise Loria, au Plaza, le soir du meurtre. En les voyant, David comprit tout de suite la raison du comportement de Louise Loria au Plaza. Ce n'était pas parce qu'elle était une excentrique ou encore une originale qu'elle avait agi ainsi, parlant et riant bruyamment, s'accrochant «accidentel-lement» à la nappe de la table de ses vénérables voisines : elle voulait simplement être certaine de se faire remarquer. Un homme de main d'Eaton était certainement assis discrète-ment au café, non loin d'eux, et avait pour tâche de repérer les témoins de cette bruyante rencontre entre Louise Loria et David. Ce dernier n'en revenait pas et dodelina de la tête, découragé ; décidément, aucun détail n'avait été laissé au hasard dans cette machination !

Il observa avec résignation Blake montrer aux vieilles dames une photo de Louise Eaton : toutes deux, sans hésita-tion, malgré leur nervosité de se trouver pour la première fois de leur vie en cour, confirmèrent l'avoir vue, le soir fatidique. Elles expliquèrent que la victime parlait fort, qu'elle buvait de la bière à une vitesse phénoménale et qu'elle s'était même effondrée sur leur table. L'avocat de David ne crut pas bon de les contre-interroger. S'il avait eu en main la fameuse photo que Paul Loria avait remise à David et qui montrait la ressem-blance saisissante entre Louise Eaton et Louise Loria, il aurait pu les confondre, anéantir leur témoignage ou en tout cas semer un doute dans l'esprit du jury. Mais il ne l'avait pas. Et Louise Loria restait introuvable.

Mais en revanche, il contre-interrogea Mario Bach, le jeune homme à la boucle d'oreille qui avait servi David et Louise Loria. Lui aussi s'était montré catégorique en voyant la photo de Louise Eaton : c'était bel et bien elle qui se trouvait au Palm Café, en compagnie de David Berger, le soir du meurtre.

— Monsieur Bach, environ combien de clients avez-vous servi, ce soir-là ?

— Hum, je ne sais pas, une centaine au moins.

— Une centaine ? C'est beaucoup. Comment se fait-il que vous vous soyez souvenu d'avoir servi madame Eaton en particulier ?

— Eh bien, madame Eaton n'est pas du genre de femme qu'on peut oublier. Elle…

Il regarda en direction d'Eaton, comme s'il craignait de le contrarier par ce qu'il allait dire. Enfin il poursuivit :

— Elle buvait à la bouteille et je pense qu'elle a bien dû engloutir quatre ou cinq bouteilles en dix minutes. J'avais à peine posé la bière sur la table qu'elle la vidait et m'en demandait une autre. Et puis, comme ont dit les dames avant moi, elle a fait une petite gaffe, enfin, je veux dire : une chute sur la table voisine… Ça n'arrive pas tous les soirs…

— Je vois. Elle buvait à la bouteille, avez-vous dit ?

— Oui. De la bière. Je me souviens même qu'elle buvait de la Heineken.

— De la Heineken ?

— Oui.

— Et rien d'autre ?

— Non, juste de la Heineken.

— Je vous remercie.

Le témoin suivant était la comptable du club Hamptons, Sandra Jeanson, une quadragénaire un peu boulotte aux cheveux noirs, courts et frisottés.

— Madame Jeanson, j'ai ici une liasse de factures qui proviennent du club de golf Hamptons, où vous travaillez à titre de comptable depuis plusieurs années.

— En effet.

Il s'avança vers elle, lui montra la liasse.

— Madame Jeanson, demanda Charles Rubin, pouvez-vous expliquer à la cour en quoi consiste cette liasse ?

Sur le grand écran de la cour, derrière lui, on pouvait voir reproduites, non pas toutes, mais bien une dizaine des factures qui formaient cette liasse.

La comptable jeta un bref coup d'œil à la liasse et dit :

– Eh bien, au club, rien n'est acheté comptant, tout est porté au compte des membres. Ils doivent signer pour chaque achat à la salle à manger ou au café du club. À la fin du mois, une copie de chaque transaction leur est envoyée en même temps que leur état de compte, si bien qu'ils peuvent vérifier qu'on ne leur fait pas payer quelque chose qu'ils n'ont pas acheté.

– Je vois. Je vois également que, sur ces copies, il n'y a pas de nourriture mais seulement des consommations. Est-ce parce que madame Eaton ne mangeait jamais au club ?

– Non, il y a deux systèmes de facturation séparés, un pour la cuisine, l'autre pour le bar.

– Ah ! je vois. Madame Jeanson, dans la liasse que je vous ai remise, il y a les copies des factures du bar des deux derniers mois. Pouvez-vous me dire, après les avoir examinées attentivement, si vous voyez de la Heineken, ou même toute autre bière qui aurait été commandée par madame Eaton ?

Comme l'avait fait le jeune serveur, la comptable regarda en direction d'Eaton, comme si elle craignait de le froisser par la réponse qu'elle connaissait d'avance. Elle mit ses lunettes, compulsa rapidement les factures, puis admit :

– Non, je ne vois pas de bière. Et de toute manière, toutes les serveuses au club vous diront la même chose. Bien sûr, madame Eaton prenait du vin en mangeant mais, à part ça, elle buvait juste des martinis.

Charles se pencha vers les factures et fit mine de les examiner.

– Je ne veux pas vous contredire, madame Jeanson, mais je ne vois nulle part sur les factures le mot martini. Pouvez-vous éclairer ma lanterne ?

Et dans la salle, dans le jury, les gens jetaient un coup d'œil à l'écran et constataient qu'effectivement nulle part le mot martini n'apparaissait, ce qui était curieux, non ?

– Eh bien, les goûts de madame Eaton étaient si connus au club que les serveuses utilisaient une abréviation pour elle lorsqu'elle commandait. Elles écrivaient simplement : « mes » et le barman comprenait.

Elle avait prononcé ces trois lettres comme on dit le mot anglais « *mess* ».

— Mes ?

— Oui, M.E.S. pour « martini extra-sec ».

Les factures à l'écran étaient effectivement criblées de cette abréviation « mes ». Il y eut un émoi dans la salle. Le serveur, qui semblait absolument sûr de son fait, avait déclaré que Louise Eaton n'avait bu que de la bière, à la bouteille, et il avait même été jusqu'à spécifier la marque, de la Heineken. Alors, était-ce bien Louise Eaton qui se trouvait au Palm Café, avec David Berger, le soir du meurtre ?

Charles Rubin regarda son adversaire, Blake, avec un léger sourire. Le *district attorney* semblait diablement contrarié par la petite victoire de ce blanc-bec qui venait défaire ce qu'il avait patiemment tenté d'établir avec les deux vieilles dames et le serveur.

— Je n'ai pas d'autres questions, dit Charles Rubin à la comptable.

Le témoin suivant appelé à la barre fut le sergent-détective Michael More.

— Monsieur More, lui demanda Blake après l'avoir invité à décliner son identité et ses fonctions dans le cadre de cette enquête, je vais vous montrer différentes photos prises par vous et votre équipe, de même que différents objets recueillis sur les lieux du meurtre à l'hôtel Plaza, et vous me confirmerez s'ils correspondent aux fruits de votre cueillette.

Sur le grand écran, l'assistant fit apparaître une photo de la chambre d'hôtel. Puis immédiatement après, un impressionnant cliché de Louise Eaton, morte, assise sur le fauteuil où elle avait été trouvée le matin. Gros plan de son visage, de sa bouche barbouillée.

Photo de l'oreiller, maculé de rouge à lèvres.

Des vêtements de la victime.

La jupette en cuir noir.

Le pull rouge.

Le soutien-gorge.

Photos du lit défait.

Gros plans, avec de minuscules affichettes numérotées, montrant des cheveux blonds, longs, et des cheveux courts aussi, des poils pubiens, noirs. Et des poils pubiens blonds sur les draps froissés.

Cheveux aussi sur chacun des deux oreillers du lit.

Clichés de la salle de bains et, surtout, de la cuvette où l'on pouvait aussi voir des poils.

Comme si la succession de photos n'avait pas suffi, Blake prit ensuite le sac de plastique, qui contenait l'oreiller maculé de rouge à lèvres et qui avait servi à étouffer la victime, et il le montra lentement aux membres du jury avant de le remettre à son assistant.

Maintenant était venu le temps de procéder à l'interrogatoire de son témoin, Michael More, qui paraissait s'impatienter sur sa chaise.

– Inspecteur More, est-ce que les différentes photos que je viens de montrer correspondent à ce que vous avez vu sur la scène du crime?

– Oui.

Blake alla vers son assistant qui lui remit diligemment un document sans même qu'il ait à lui dire un mot — c'était un ballet orchestré d'avance avec la précision d'une horloge suisse. Il revint vers le témoin.

– Monsieur More, selon votre rapport, vous avez retrouvé dans la salle de bains de la chambre d'hôtel un verre portant les empreintes digitales de l'accusé.

– C'est exact.

– Vous avez également retrouvé des poils pubiens et des cheveux appartenant à David Berger, selon ce qu'a révélé une analyse de l'ADN. Est-ce exact?

– C'est exact.

– Vous avez également retrouvé, dans la salle de bains, un poil pubien et un cheveu appartenant à l'accusé.

– C'est exact.

Secoué, l'avocat de David contre-attaqua pourtant avec fermeté, car il y avait sur les lieux du crime des choses vraiment curieuses, que le sergent-détective aurait de la difficulté à expliquer. Il alla l'affronter avec un exemplaire de son rapport.

– Sergent-détective More, sur la photo que j'ai ici — c'était la photo de Louise Eaton, assise, morte, dans le fauteuil de la chambre d'hôtel —, on note que les poils pubiens de la victime sont noirs.

– Euh… oui, en effet.

– Sergent-détective, avez-vous trouvé des poils pubiens noirs dans le lit de la chambre d'hôtel, ou aux toilettes, je veux dire: des poils pubiens noirs autres que ceux appartenant à l'accusé?

– Non.

– À aucun endroit dans le lit, sur les draps, ou dans la salle de bains?

– Non.

– Avez-vous retrouvé dans le lit des poils pubiens appartenant à une autre personne que l'accusé?

– Oui.

– Ces poils pubiens n'appartenaient pas à madame Eaton, si je comprends bien?

– Non, ils étaient blonds.

– Ils étaient blonds. Contrairement à ce qu'on voit sur la photo.

– Oui, confirma le sergent-détective, comme à regret.

– Sergent-détective, on peut également lire dans votre rapport que des poils pubiens blonds retrouvés dans le lit se sont révélés, à la suite d'analyses en laboratoire, enduits de salive appartenant à l'accusé.

– Oui, admit fort stoïquement le sergent-détective, ce qui n'empêcha pas des réactions dans la salle.

Ce fut une sorte de murmure progressif comme au théâtre lorsque les spectateurs emboîtent une pièce. Oui, une sorte de rumeur diffuse qui allait grandissant. De nombreux sourires et évidemment des rires, car pour ainsi dire tout le monde, sauf ceux qui étaient distraits ou sommeillaient, avait compris que David avait honoré sa compagne en se livrant sur elle à …

Il y eut même de petits commentaires à peine étouffés: l'accusé avait *snacké* sa partenaire, c'était un « homme de tête », il avait la « langue bien pendue », etc.

David, qui lui aussi avait compris, eut un sourire embarrassé, haussa les épaules: eh oui, il l'admettait, il était comme ça, il faisait passer la jouissance des femmes avant la sienne et c'est peut-être ce qui, outre ses fines moustaches et son regard de velours, lui avait valu des succès aussi durables. Même le juge, malgré le sérieux qu'exigeaient ses fonctions, esquissa un sourire, et mit quelques secondes avant de rappeler la salle à l'ordre.

Les deux seuls individus qui ne se bidonnaient pas étaient l'irascible Eaton et Blake qui, lui, n'aimait pas du tout la direction que prenait l'interrogatoire. Ce jeune fanfaron, qui n'avait même pas les moyens de porter un costume décent, tournait en ridicule son témoin. Et pire encore, il créait un doute dans l'esprit du jury.

Un doute raisonnable.

C'était avec une autre femme que David avait été au lit.

Et non pas avec la victime.

– En d'autres mots et, corrigez-moi si je me trompe, si on se fie aux traces que des corps nus laissent inévitablement dans une chambre où ils ont passé plusieurs heures, on a l'impression que la victime n'a pas été aux toilettes de la nuit, n'a jamais été dans le lit et, en fait, a passé toute la nuit assise sur le fauteuil, seule d'ailleurs, puisqu'on n'a pas retrouvé de poils pubiens ou de cheveux de l'accusé sur ce fauteuil?

– Oui, on peut en effet avoir cette impression.

La salle semblait se régaler, des sourcils se haussaient, des lèvres se pinçaient, le juge prenait des notes rapides, de même que de nombreux membres du jury. Il y avait en effet de quoi s'interroger, non? Comment expliquer l'absence de poils pubiens et de cheveux de la victime dans le lit et dans la salle de bains? Et surtout comment expliquer la présence des autres poils, qui appartenaient à une autre femme?

Blake fulminait. De même qu'Eaton. Ce petit imbécile était en train de renverser la vapeur. Il taillait en pièces le sergent-détective, qui n'avait fait son travail que bien honnêtement.

Son tour venu, Blake tenta d'atténuer les ravages causés par son adversaire.

– Monsieur More, vous avez retrouvé le corps de la victime morte par étouffement.

– Oui.

– Vous avez également retrouvé sur les lieux du crime des cheveux et des poils pubiens appartenant à l'accusé.

– Oui.

– Je n'ai pas d'autres questions.

Le juge consulta sa montre, puis décida d'ajourner la cour pour l'heure du midi, un repos bien mérité pour les deux parties.

20

Une cinquantaine de minutes plus tard, Rubin, qui avait conduit à toute vitesse, garait devant le Juke Box sa vieille BMW, dont le rouge criard étonnait chez un homme à la profession aussi traditionnelle.

La chance lui sourit: Mel Sollers était à son bar. C'était un homme de quarante-cinq ans, qui en paraissait facilement cinquante, prix qu'il payait pour avoir pendant des années mené une vie de noctambule. Trois ans plus tôt, il avait bien décidé de se ranger, à la suite d'un léger infarctus, mais il restait un homme hypothéqué. Avec ses cheveux encore blonds parsemés de mèches blanches, ses yeux cernés et sa voix rauque de fumeur invétéré, il conservait tout de même le charme des noceurs usés.

– Bonjour, mon nom est Charles Rubin. Je suis un ami de David Berger. Son ami et avocat, à la vérité.

Charles tendit la main vers Mel Sollers qui essuyait un verre avec un linge à vaisselle, tâche à laquelle il préféra ne pas mettre fin. Le mot «avocat» n'avait pas la vertu de l'égayer, même s'il en comptait un bon nombre parmi sa clientèle. Rubin n'insista pas, baissa le bras et dit:

– Vous êtes sans doute au courant de ce qui est arrivé à David.

– Est-ce qu'il y a quelqu'un qui n'est pas au courant dans les Hamptons? laissa tomber d'un ton un peu désobligeant Sollers qui, comme tout le monde, ne tenait guère à être mêlé, de près ou de loin, à une histoire de meurtre.

– David a besoin de vous, expliqua Rubin.

– Je ne vois vraiment pas ce que je peux faire pour lui, protesta Sollers.

Et il se désintéressa du jeune avocat en se dirigeant vers une de ses clientes, une habituée un peu pathétique.

Richissime veuve, madame Silverstone, une quinquagénaire qui passait chez son chirurgien dès l'apparition de la moindre ride suspecte, était bien connue au Juke Box. Imitant tardivement son mari qui l'avait trompée à bras raccourcis pendant les trente années de leur mariage, elle collectionnait les amants, toujours plus jeunes, qui lui permettaient d'entretenir le sentiment illusoire de ne pas vieillir. Il y avait aussi un véritable pilier du Juke Box, Jim Steinberg, la jeune trentaine, qui avait hérité de vingt-deux millions de son père industriel et qui tentait d'oublier son mal de vivre en buvant tous les jours sa ration de cognac.

D'autres clients aussi, des touristes sans doute, pensa Rubin, car qui vient prendre une bière avec un appareil-photo en bandoulière ?

Sollers revint bientôt vers le jeune avocat. Il ne lui avait même pas demandé ce qu'il voulait boire, se dérobant à la plus élémentaire politesse chez un tenancier de bar. Mais Rubin, trop heureux de l'avoir à nouveau sous la main, se remit à le questionner :

— Est-ce que vous travailliez le soir où Louise Eaton a été assassinée ?

David n'aurait jamais posé cette question.

Parce qu'il aurait déjà connu la réponse.

Sollers avait pour toute famille son bar et y venait tous les jours.

Soupçonneux de nature et cultivant la discrétion comme d'autres les champignons, il préféra faire une de ces réponses évasives dont il possédait le secret.

— Le soir où Louise Eaton a été assassinée ?

— Oui, voyez-vous, c'est très important, parce que si elle était ici, elle ne pouvait pas être au Plaza en même temps et, alors, David aura la preuve qui lui manque.

— Et moi, j'aurai quoi ?

Cette réplique étonna Rubin en même temps qu'elle le déçut. Comment ! Cet homme aux manières un peu frustes, surtout pour un propriétaire de bar qui aurait dû se montrer plus liant avec les clients, lui demandait effrontément de l'argent !

— Monsieur Sollers, une vie est en jeu.

Sollers voulut répondre mais un client à l'autre bout du bar lui fit signe qu'il désirait une autre bière. Il s'excusa, servit son client et revint auprès de Rubin.

— Je ne pense pas que je puisse vous aider, monsieur… Je suis vraiment désolé.

— Est-ce qu'il y a quelqu'un d'autre ici, qui aurait pu voir madame Eaton le soir du meurtre ?

— Est-ce que c'est votre première visite dans les Hamptons ? demanda le barman, avec de la moquerie dans la voix.

— Euh… oui…, admit Rubin avec une certaine honte, comme s'il s'agissait d'un crime de lèse-majesté.

— Si vous viviez ici, vous ne perdriez pas votre temps. Parce que vous sauriez que personne dans le coin ne va oser se mettre dans le chemin de Joseph Eaton. Il est le parrain des Hamptons.

— Mais vous, ce soir-là, vous avez vu madame Eaton ?

— Peut-être que oui, peut-être que non. Mais ça ne changera rien à ma position. Je ne témoignerai pas et même si vous me forcez à me présenter en cour, je dirai qu'elle n'était pas là ou que je ne m'en souviens pas, et vous ne serez pas plus avancé.

Rubin ne répliqua rien mais, quelques secondes plus tard, esquissa un sourire, et le barman se demanda un instant s'il n'était pas idiot, jusqu'à ce qu'il se rende compte que le jeune juriste rendait simplement son sourire à la veuve qui l'avait remarqué et tentait sa chance auprès de lui. Sollers plissa les lèvres, amusé par la situation qui ne le surprenait pas outre mesure, car madame Silverstone ne pouvait résister à la chair fraîche et il devait avouer que, même s'il ne lui était guère sympathique, le jeune juriste était plutôt bien de sa personne.

Se désintéressant de Rubin, Sollers, par simple réflexe de tenancier, jeta un regard circulaire dans le bar. Il aperçut alors un homme d'environ trente ans qui venait juste d'arriver, et avait préféré s'asseoir à une table dans la salle plutôt qu'au bar comme le faisaient souvent les clients durant le jour. Les cheveux noirs, courts et abondants qui descendaient bas sur son front, le menton volontaire, une mauvaise peau ravagée par les traces d'un acné juvénile, Paul Sinclair était trapu et possédait une carrure plutôt athlétique. Ses lunettes noires lui donnaient un air pas très commode.

Sollers fouilla dans sa mémoire. Il lui semblait avoir déjà vu ce client, qui n'était certes pas un régulier. Tout de suite, il se rappela : cet homme, c'était lui qui était venu chercher madame Eaton, le fameux soir du meurtre, en compagnie de son chauffeur. Oui, il se souvenait, il en était certain. Madame Eaton avait protesté. Même si elle avait déjà beaucoup bu, elle voulait boire encore mais le chauffeur, aidé de cet homme, lui avait fait finalement entendre raison et elle les avait suivis, si éméchée à la vérité qu'à deux reprises elle avait failli tomber. À la fin, elle avait accepté que le chauffeur lui prêtât le bras pour ne pas se casser la figure. Oui, il se souvenait très bien.

Il se souvenait même de l'heure. C'était peu après le *happy hour*, le cinq à sept qui, à son bar, comme en bien des établissements, se terminait à huit heures. Même si elle était richissime, à l'annonce de la fin du «deux pour un», Louise Eaton s'était empressée de commander deux martinis — ce qui veut dire que Sollers lui en avait servi quatre! — sans se gêner, car elle se moquait éperdument du qu'en-dira-t-on et, de toute manière, sa (mauvaise) réputation était faite depuis longtemps au Juke Box.

Et abandonner des martinis sur le comptoir, c'était un véritable sacrilège...

— Vous vous rendez compte, reprit Rubin, que si vous refusez de venir témoigner, David a de fortes chances de se retrouver sur la chaise électrique?

— Je suis sûr que vous êtes un avocat brillant et que vous trouverez une autre manière de le tirer de ce bourbier. Maintenant, si vous n'avez pas d'objection, j'ai autre chose à faire, alors je vous demanderais de m'excuser.

Rubin se mordit les lèvres. Il avait perdu la partie. Il n'y avait rien à tirer de cet homme. C'était chacun pour soi, la loi terrible des Hamptons. Et du reste du monde sans doute. Pourtant, en une ultime tentative, il tendit à Sollers sa carte, un geste qui parut intéresser Sinclair, toujours assis à sa table, solitaire au fond du bar. À moins qu'il ne s'impatientât de la lenteur du barman à venir le servir.

— Si vous changez d'idée, appelez-moi à ce numéro. C'est mon cellulaire, vous pouvez me joindre en tout temps.

Sollers prit la carte et, sans même la regarder, il la jeta sur son comptoir.

Lorsqu'elle vit que Rubin partait déjà, madame Silverstone esquissa une moue de déception puis lui décocha son sourire le plus dévastateur, mais brièvement, pour ne pas exposer trop longtemps sa peau à ce pernicieux plissement. Rubin se contenta d'un hochement embarrassé de la tête. Comme s'il pouvait vraiment s'intéresser, à son âge et dans sa situation, à une richissime veuve!

Pendant que le jeune avocat quittait avec empressement le bar, Sollers, lui, se dirigeait vers Sinclair pour prendre sa commande. Lorsqu'il le vit de plus près, il fut tout à fait certain qu'il s'agissait de l'homme qui accompagnait le chauffeur de madame Eaton, le soir du meurtre.

— Qu'est-ce que je peux vous servir? demanda-t-il et sans savoir pourquoi il ressentait un certain malaise en présence de cet homme.

Était-ce en raison de l'étrange sourire qu'il lui adressa, un sourire qui avait quelque chose de moqueur ou de cruel?

— Une Michelob, se contenta de dire l'homme et son sourire disparut.

— Pas de problème.

En retournant vers son comptoir, Sollers ne pouvait s'empêcher de se demander ce que cet homme faisait là. Mais il était peut-être simplement de passage dans le coin et il avait décidé de s'arrêter prendre une bière, pendant son heure de lunch. Comment savoir? Et dans le fond, qu'est-ce que ça pouvait bien faire?

Il prépara la Michelob, la servit à Sinclair et retourna derrière son bar. Et il se remit à nettoyer des verres, en préparation de la journée, qui ne commençait jamais vraiment avant cinq heures. Malgré lui, il repensa à ce que lui avait dit le jeune avocat. Il était la dernière chance ou, en tout cas, la meilleure chance de David Berger.

Mais témoigner contre Eaton…

Ne risquait-il pas de perdre la meilleure partie de sa clientèle, parmi les résidents des Hamptons, parce que tout le monde craindrait d'encourager l'homme qui avait osé témoigner en faveur de l'assassin présumé de Louise Eaton? Sans compter les représailles plus directes auxquelles pourrait recourir Eaton, et s'il y en avait un qui avait le bras long…

Donner la preuve de l'innocence de David Berger, qui était un parfait étranger pour lui...

Puis, curieusement, une sorte de révolution se produisit en lui.

Il prit la carte de visite du jeune avocat et il la contempla.

Puis il jeta sur son bar un regard circulaire.

Son bar qui était sa raison d'être...

Il ne s'était jamais marié, n'avait jamais eu d'enfant, son métier l'ayant exposé à une trop forte dose d'infidélités autant féminines que masculines pour qu'il pût conserver ses illusions au sujet du mariage.

Il regarda la richissime veuve, puis Steinberg, qui réclamait un autre verre de cognac.

Et il y avait ce touriste un peu paysan, un Belge selon toute apparence, qui buvait de la bière comme si c'était de l'eau et qui prenait des photos de l'intérieur du bar...

Oui, tout cela lui parut tout à coup non pas absurde, mais moins important, oui, moins important en comparaison de la vie d'un homme.

Qui n'était ni son père, ni son frère, ni même un ami.

Mais c'était tout de même un homme qui mourrait en raison d'une erreur judiciaire. Parce qu'il s'était trouvé au mauvais endroit au mauvais moment...

Et il se dit que, une fois dans sa vie, il ferait quelque chose non pas seulement par intérêt ou pour de l'argent, mais parce que c'était la bonne chose à faire.

Une bizarre intuition traversa à toute vitesse son esprit. Il y avait depuis longtemps en lui une lassitude.

Oui, la vie qu'il menait, elle valait quoi, au fond ?

N'était-ce pas une bonne occasion d'en finir ?

Parce qu'une pensée secrète lui murmurait que son geste aurait des conséquences funestes pour lui, que peut-être il en mourrait, car la vengeance d'Eaton serait aussi terrible que foudroyante...

Mais qu'importe...

Il eut une ultime hésitation, jeta un regard en direction de Sinclair, qui sirotait sa bière sans le quitter des yeux.

Et alors, il prit la carte de Rubin, regarda son numéro de téléphone qu'il composa.

Rubin devait sans doute être l'homme le plus étonné du monde lorsqu'il entendit la voix de Sollers. Et il le fut sans doute encore plus lorsque celui-ci, après s'être présenté, déclara laconiquement:

– Je vais le faire.

Et puis, comme si sa nervosité, plus grande qu'il ne l'avait escomptée, avait affecté sa vessie, il éprouva l'envie soudaine d'uriner. Il se dirigea vers les toilettes.

Quelques secondes plus tard, il éprouva une sensation froide sur le côté droit du cou, comme si un objet métallique le touchait.

Il n'eut pas le temps de se retourner pour voir Sinclair qui avait posé sur lui la pointe de son revolver muni d'un long silencieux.

21

– Bonne nouvelle! chuchota Charles à l'oreille de David, en réintégrant la cour qui reprenait ses travaux. Le type du bar accepte de témoigner.

– Paul Loria?

– Non, Mel Sollers, le propriétaire du Juke Box! Louise Eaton était effectivement à son bar le soir du meurtre.

– Ça veut dire que je suis sauvé?

Charles n'eut pas le temps de lui répondre.

Marielle Martin, le médecin pathologiste, qui avait examiné le corps de la victime, était maintenant à la barre et s'apprêtait à témoigner.

Cette femme de trente-cinq ans était très digne, très sérieuse, belle aussi malgré sa sévérité naturelle, ses lunettes et ses cheveux noirs retenus en chignon.

– Madame Eaton est morte entre 11 h du soir et 1 h du matin, à la suite d'une asphyxie, répondit-elle à Blake, qui lui avait d'abord demandé de décliner son identité, de même que ses fonctions.

– Vous avez analysé son sang?

– Oui. Il contenait un niveau d'alcool de 2,3.

– Pouvez-vous nous expliquer ce que représente ce niveau?

– C'est un niveau très élevé qui, pour vous donner une idée, représente près de trois fois la limite du niveau permis pour conduire une voiture.

Il prit alors sur la table, où étaient posées les différentes pièces à conviction, le sac de plastique contenant l'oreiller qui avait vraisemblablement servi à étouffer la victime.

– Docteur Martin, je vous montre l'oreiller qui a été retrouvé près de madame Eaton. On y voit des traces de rouge à lèvres. Est-ce que ce rouge à lèvres correspond à celui que portait madame Eaton le soir du crime?

– Oui.

– Vous êtes formelle à ce sujet?

– Écoutez, ce n'est peut-être pas le même, mais c'est assurément la même marque. Mes analyses de laboratoire ne peuvent pas me tromper.

Blake alla replacer l'oreiller taché de rouge à lèvres sur la table et prit quatre sachets de plastique. Le premier contenait sept ou huit poils pubiens blonds, l'autre trois poils pubiens noirs, le troisième des cheveux blonds assez courts, des cheveux d'homme sans doute, et le dernier, des cheveux également blonds, mais plus longs.

Chaque sachet était identifié par une étiquette. Blake revint avec eux à la barre des témoins.

– Docteur Martin, vous reconnaissez ces quatre sachets?

Elle les examina avant de répondre, prit même la peine de vérifier si les étiquettes portaient la même mention que celle notée dans son rapport, qu'elle avait devant elle et qu'elle consulta avec calme car elle avait l'habitude de la cour, son métier l'y amenant presque toutes les semaines.

– Euh... oui, je me suis en effet livrée à un examen. Les poils pubiens et les cheveux proviennent du même individu.

– Et quel est cet individu?

– Monsieur David Berger.

– Vous êtes formelle à ce sujet?

– Absolument.

L'avocat de David ne paraissait guère apprécier cette démonstration systématique, véritable jeu de massacre lent et ordonné, qui risquait de conduire son client à la prison, si ce n'était à la chaise électrique.

– Docteur Martin, à votre avis, est-ce que les rapports sexuels qu'a eus la victime le soir du meurtre ont été consensuels?

– Oui, je n'ai retrouvé sur le corps de la victime aucune ecchymose, aucune trace de coup qui aurait permis de croire qu'elle aurait été forcée d'avoir des relations sexuelles.

Blake lui montra une photo de Louise Eaton, nue, assise dans la chambre du Plaza. Il lui montra ensuite un gros plan de cette même photo, sur lequel on voyait, entre les cuisses de la victime, des traces de sperme.

– Docteur Martin, lorsque vous avez procédé à l'examen de la victime, avez-vous trouvé des traces de sperme entre ses cuisses comme sur cette photo?

– Oui.

– En avez-vous trouvé dans son vagin?

– Oui.

– Avez-vous analysé ce sperme?

– Oui.

– Docteur Martin, avez-vous analysé le sang de l'accusé prélevé au moment de son premier interrogatoire par la police?

– Oui.

– Docteur, l'ADN du sang de l'accusé et celui du sperme trouvé sur la victime sont-ils identiques?

– Oui, rigoureusement identiques.

Il y eut un émoi dans la salle. Car la plupart des gens savaient ce que pareille affirmation voulait dire, et plusieurs regardaient maintenant David non plus comme un suspect, mais comme un assassin: le meurtrier confirmé de Louise Eaton, et ce, même si la cour ne s'était pas encore prononcée.

Le mari de la victime ne put réprimer un sourire. David Berger était fini! Quant à Blake, il triomphait lui aussi, mais sans trop le montrer. D'ailleurs, jamais un cas ne lui avait paru aussi facile. Cela avait été un vrai plaisir, comme une simple promenade à la campagne. Mais pour être bien certain d'enfoncer le clou, il poursuivit:

– Docteur Martin, au profit de la cour, pouvez-vous nous préciser, en termes simples, ce qu'est au juste l'ADN?

– Eh bien, en termes simples, chaque individu a pour ainsi dire une empreinte génétique unique. Ce qui veut dire que l'ADN de chaque être diffère de celui des milliards d'individus qui peuplent la planète.

– Êtes-vous en train de me dire, docteur, qu'il est absolument certain que le sperme trouvé sur la victime et le sang prélevé sur David Berger proviennent de la même personne?

– Oui.

– Vous êtes catégorique?

– L'ADN ne ment pas.

22

Charles Rubin avait bien dû lire une dizaine de fois le rapport du docteur Martin. À la vérité, il le connaissait pour ainsi dire par cœur : il l'avait analysé, décortiqué, scruté à la loupe. Et il lui semblait qu'il recelait une faille.

Avant de se lever pour s'avancer vers la barre des témoins, il fit un sourire d'encouragement à David qui avait été abattu — on l'aurait été à moins — par le témoignage du docteur Martin au sujet de son ADN.

Charles prit sur la table, où étaient étalées les pièces à conviction, deux sachets plastifiés contenant des poils pubiens, et deux autres contenant des cheveux.

Il s'avança vers le docteur Martin, qui l'attendait de pied ferme.

– Docteur Martin, la victime présentait-elle une pilosité normale ?

– Oui. Je n'ai aucune raison d'affirmer le contraire.

– Docteur Martin, vous avez vu, dans l'exercice de vos fonctions, plusieurs cas de viols ou de meurtres, n'est-ce pas ?

– Oui.

– Combien, diriez-vous ?

– Je n'en ai pas fait le décompte exact.

– Mais approximativement, pour donner une idée à la cour de l'ampleur de votre expérience ?

– Je dirai au moins cinq ou six cents cas.

– Impressionnant.

– Hélas !

– Docteur Martin, est-ce qu'il vous est arrivé souvent de ne pas retrouver de poils pubiens de la victime dans le lit où le viol a été perpétré ?

— Objection, Votre Honneur. On ne parle pas ici d'un cas de viol mais d'un meurtre, et la victime, selon toute apparence, a été consentante en ce qui a trait aux relations sexuelles, donc il y a eu moins de violence et, par conséquent, moins de pertes de poils pubiens, si je puis dire.

Le juge hésita, puis trancha :

— J'aimerais entendre l'opinion du docteur Martin au sujet de la présence ou de l'absence de ces poils pubiens.

— Non, c'est… plutôt inhabituel, en effet.

— Et ne trouvez-vous pas également inhabituel que des poils pubiens et des cheveux appartenant à une autre personne aient été retrouvés dans le lit ?

— C'est inhabituel, en effet.

— Quelle conclusion tirez-vous de la présence de ces poils et de ces cheveux dans le lit ?

— J'en tire deux. Soit le lit n'a pas été fait avant l'arrivée de l'accusé et de la victime dans la chambre, soit il y avait une tierce personne dans la chambre au moment du meurtre.

Maintenant, la pathologiste paraissait plus nerveuse.

Et derrière ses lunettes, ses yeux s'étaient rapetissés. Quel boulet le jeune avocat lui enverrait-il ? Elle avait fait son rapport le plus honnêtement possible comme elle le faisait toujours, mais elle n'aimait guère se faire déculotter comme une débutante.

Sans s'en rendre compte, Eaton avait avancé les lèvres, qu'il serrait, et il se balançait sur sa chaise comme s'il était incapable de contenir son impatience.

— Docteur Martin, je voudrais maintenant vous présenter une des photos de l'accusé prises peu de temps après que la police l'ait interrogé une première fois.

Il mit une diapositive sur le rétroprojecteur et on vit apparaître en gros plan le dos de David lacéré par une amoureuse trop démonstrative.

— Docteur, cette photo montre des éraflures sur le dos de l'accusé. Pourriez-vous me dire comment elles ont été produites ?

— Objection !

Le juge ne tint pas compte de l'objection de Blake.

— Ce n'est pas la première fois que vous voyez des éraflures sur le corps d'un accusé, docteur, alors j'aimerais que vous répondiez à la question de maître Rubin.

Moue de dépit chez Blake et le docteur répondit :

— Selon toute apparence, mais je peux me tromper évidemment, ces marques semblent provenir de la main d'une partenaire passionnée.

— Docteur Martin, lorsque vous avez examiné ces marques, deux jours après le meurtre, avez-vous pu estimer à quand elles remontaient ?

— Oui, approximativement.

— Et de quand dataient-elles, à votre avis ?

— Évidemment, la rapidité de guérison varie d'un individu à l'autre et dépend aussi en partie des soins qu'on apporte aux blessures.

— Oui, je comprends, docteur, mais néanmoins, au moment de faire votre examen, vous vous êtes fait une idée, même approximative.

— Oui. Si j'en juge par leur degré de guérison, les cicatrices remontaient à environ quarante-huit heures.

— Quarante-huit heures, soit le temps qui s'était écoulé entre le meurtre et votre examen.

Il marcha vers le rétroprojecteur, retira la diapositive et en mit une autre, qui montrait en gros plan les deux mains de la victime. Puis il revint à la barre des témoins.

— Docteur Martin, reprit-il, au cours de l'autopsie de la victime, vous avez examiné attentivement ses mains, je suppose.

— Oui, bien entendu.

— Comme on le voit sur la diapositive, la victime n'avait pour ainsi dire pas d'ongles, je veux dire par là qu'elle se les rongeait ou les gardait extrêmement courts.

— C'est... c'est exact.

La question qui suivait allait de soi, et Blake, qui l'avait devinée comme bien des gens dans la salle, rageait déjà.

Décidément, Rubin était plus fort qu'il ne le croyait. Il était en train de tout démolir avec sa logique patiente.

— Docteur, en tant que médecin légiste ayant examiné des centaines et des centaines de corps de victimes, croyez-vous oui ou non que ces mains aux ongles si courts aient pu infliger de pareilles éraflures au dos de l'accusé ?

— C'est... c'est plutôt improbable.

— En effet, docteur, et je me permettrai d'ajouter que j'ai lu et relu votre rapport, et pourtant à aucun endroit je n'ai noté que vous aviez décelé, sous les ongles de la victime ou au bout de ses doigts, du sang ou même des particules de peau qui auraient appartenu à l'accusé. En général, dans de pareilles situations, lorsque la victime inflige avec ses ongles des blessures aussi profondes que celles qu'on a vues sur le dos de l'accusé, n'y a-t-il pas d'infimes traces de peau de l'accusé ou du sang sous ses ongles ?

– Oui.

– Docteur, avez-vous retrouvé sur les mains de la victime des traces de savon ou de détergent, ou une odeur de savon ou de détergent qui auraient pu vous porter à penser que la victime s'était lavé les mains ou avait été lavée de manière à éliminer toutes traces de sang ou de peau de son agresseur ?

– Non, je… je n'ai rien noté de tel.

– Par conséquent, peut-on croire avec un niveau de certitude extrêmement élevé que ces éraflures ont été infligées à l'accusé par une autre personne ?

– Oui.

– Je vous remercie, docteur.

23

Vu les circonstances et vu qu'un doute raisonnable s'était petit à petit instillé dans l'esprit de plusieurs membres du jury, Charles Rubin aurait pu choisir de ne pas faire témoigner David. Mais, dans sa brève expérience de la cour, il avait acquis la conviction qu'un accusé devait avoir la chance de clamer haut et fort son innocence. Ne pas se prévaloir de ce privilège était en général une faute : l'accusé qui ne parle pas s'accuse, même si c'est son droit le plus strict de se taire. Il laisse croire qu'il a quelque chose à cacher, qu'il a peur de se trahir par quelque détail de son témoignage.

– Monsieur Berger, commença Rubin, avez-vous, oui ou non, vu madame Louise Eaton le soir du meurtre ?

– Non.

– La voyiez-vous avant ?

– Oui, je… Enfin, nous avons eu une liaison pendant un an.

– Et la voyiez-vous toujours au moment où elle a été tuée ?

– Non, nous nous étions séparés le lundi ayant précédé sa mort.

– Monsieur Berger, vous êtes-vous rendu au Plaza le soir du meurtre ?

– Oui.

– Pouvez-vous expliquer à la cour dans quelles circonstances ?

David répondit le plus simplement du monde à la question, narrant comment le barman du club lui avait suggéré de rencontrer sa nièce, fraîchement arrivée à New York. Puis il raconta succinctement son rendez-vous galant, la nuit passée avec Louise Loria et son horrible découverte du matin.

– Monsieur Berger, avez-vous, oui ou non, tué madame Eaton?

– Non.

24

David avait répondu sans hésitation. Était-ce suffisant pour convaincre le jury, qui avait bu ses paroles et, surtout, l'avait observé comme quelqu'un qui est déjà condamné, mais à qui l'on aimerait donner une dernière chance ?

Le *district attorney* s'adressa alors au juge :

— Votre Honneur, avant de contre-interroger l'accusé, j'aimerais demander à la cour l'autorisation de citer un témoin fort important, Paul Loria. Je sais que c'est une procédure inhabituelle, mais afin que le jury comprenne bien les faits, j'ai besoin de procéder ainsi...

Le juge jeta un regard en direction du jeune Charles Rubin, qui se contenta de hausser les épaules et de dodeliner de la tête en signe d'acquiescement. Il aurait pu exiger que l'accusé soit contre-interrogé tout de suite, mais c'était peut-être une bonne chose de lui laisser quelques minutes pour respirer. Aussi ne s'opposa-t-il pas à la requête de son collègue.

— Vous pouvez procéder.

Blake laissa David retourner auprès de son avocat et convoqua Paul Loria.

— Monsieur Loria, depuis combien d'années êtes-vous barman au Hamptons ?

— Vingt et un ans.

— Vingt et un ans. Vous êtes donc une personne plutôt stable.

— Oui, je crois.

— Vous êtes marié ?

— Oui. Depuis quinze ans.

— Des enfants ?

– Deux.

– Monsieur Loria, comment décririez-vous vos relations avec monsieur Berger?

– Très bonnes.

– Pouvez-vous être plus précis?

– Eh bien, nous ne nous voyions pour ainsi dire jamais à l'extérieur du club, mais presque tous les soirs, avant de partir, il passait faire son tour au bar et nous bavardions.

– Le considérez-vous comme un ami?

– Oui.

– Monsieur Loria, vous souvenez-vous avoir eu avec l'accusé, quelque temps avant le meurtre, la conversation qu'il dit avoir eue avec vous?

– Nous avons effectivement eu une conversation et je lui ai rapporté les rumeurs qui circulaient à son sujet au club.

– Quelles rumeurs, au juste? Pouvez-vous préciser?

– Eh bien, plusieurs membres commençaient à raconter que le pro avait une liaison avec la femme d'un membre.

– Est-ce que le nom de monsieur Eaton était prononcé?

– Non, mais on disait qu'il s'agissait d'un membre influent. Alors, comme il n'y a pas de fumée sans feu et que David était un ami, j'ai préféré lui en parler.

– Je vois. Et comment a-t-il réagi?

– Il a dit que c'était ridicule, que jamais il ne ferait une chose aussi stupide.

– Il vous a donc menti.

Paul Loria regarda David avant de répondre, comme s'il était embêté d'avoir été ainsi mis en boîte par Blake, habile dialecticien s'il en était.

– Euh… rétrospectivement, je me rends compte que oui, mais il avait des raisons évidentes de le faire.

– Oui, je comprends, mais il n'en reste pas moins qu'il vous a menti, même si vous étiez un ami.

– Oui, si on veut.

– Monsieur Loria, est-il vrai que vous avez suggéré à votre ami David Berger de rencontrer votre nièce, qui venait d'arriver à New York?

– Je…

Il paraissait ennuyé par la question.

– J'aurais été bien embarrassé de le faire, dit-il enfin.

– Pour quelle raison ?

– C'est que… je n'ai pas de nièce, je suis enfant unique et ma femme aussi.

Émoi dans la salle à nouveau car il était de plus en plus établi que David était prêt à commettre n'importe quel mensonge pour s'en tirer. Ce dernier, bouleversé, protesta à mi-voix auprès de son avocat qui tenta de l'apaiser d'un signe de la main.

Blake ne posa pas davantage de questions à Loria. Après une hésitation, Charles Rubin renonça à le contre-interroger. À en croire David, il mentait de manière éhontée. Mais la seule personne qui aurait pu le contredire sur ce sujet, le confondre, c'était Louise Loria, qui s'était littéralement volatilisée. À croire que, malgré les dires de David, elle… n'avait jamais existé !

Loria retourna s'asseoir en lançant en direction de David un regard attristé. Il semblait vraiment désolé d'avoir eu à le contredire de la sorte, sachant fort bien tout le tort qu'il lui causait.

25

C'était maintenant au tour de David d'être contre-interrogé. Fidèle à ses habitudes et à son tempérament perfectionniste, Blake n'entendait courir aucun risque et se montra fort méthodique.

Il commença fort peu subtilement, c'est le moins que l'on puisse dire, car sa première question fut tout simplement :

– Monsieur Berger, aviez-vous une aventure avec madame Louise Eaton ?

– Oui. Je l'ai déjà dit à la cour.

– Mais si on en croit le rapport du sergent-détective More, lors de votre premier interrogatoire, vous avez nié en avoir une.

– Oui, je… j'étais désemparé… J'aurais dû me taire jusqu'à l'arrivée de mon avocat…

– Je vois. Lorsque vous êtes désemparé, vous avez tendance à mentir, c'est un réflexe normal. Monsieur Berger, êtes-vous désemparé en ce moment ?

Rires bien naturels dans la salle.

– Objection, Votre Honneur !

– Objection retenue.

Après avoir pris un moment pour savourer discrètement son petit effet dans l'audience, Blake reprit :

– Monsieur Berger, saviez-vous que madame Eaton était mariée lorsque vous avez entrepris cette relation avec elle ?

– Oui, je le savais, admit David.

– Vous le saviez et avez néanmoins encouragé cette relation.

– Objection !

– Objection retenue.

– Monsieur Berger, qui a pris l'initiative de cette relation ?

Question fort simple, du moins en apparence.

Mais au fond…

Comment dire avec certitude qui prend vraiment l'initiative d'une liaison ?

David se remémora la première leçon qu'il avait donnée à Louise, leurs premiers éclats de rire, leur première étreinte dans la forêt du douzième trou… Il la voyait relever sa jupe et lui dire, audacieuse : « Je pense qu'on a trouvé ce qu'on cherchait… »

Il revoyait le sourire de sa maîtresse, ses bras qui s'ouvraient, ses seins minuscules mais ravissants…

Et maintenant, elle était morte…

– Monsieur Berger, est-ce que vous avez entendu ma question ?

Blake le ramenait brutalement à la réalité. Il était en cour, accusé du meurtre de cette femme adorable et excessive.

– Oui…, dit-il, mais il n'y répondit pas, comme s'il était encore perdu dans ses souvenirs.

– Monsieur Berger, qui a pris l'initiative de la relation ?

– Je… je ne sais pas, dit-il.

Il avait l'impression, en vérité, que c'était elle qui constamment avait sollicité des leçons de golf, qui constamment lui avait fait de petits cadeaux, qui constamment l'avait complimenté. Et puis elle s'était montrée plutôt explicite quant à ses intentions, c'est le moins que l'on puisse dire, lorsqu'elle l'avait séduit dans le bois du 12e trou…

Il aurait pu, pour se disculper, dire que c'était elle qui avait fait les premiers pas. Cela aurait désobligé son mari, cela l'aurait mis en rage, petite vengeance facile à portée de sa main d'amant, manière de se consoler de n'avoir jamais été que le pauvre, et lui le riche.

Mais c'était un peu comme si cette femme, qu'il avait perdue à tout jamais, était encore là devant lui, encore plus vivante, plus réelle dans son souvenir que du temps de sa vie : il ne voulait pas trahir sa mémoire. Elle était déjà bien assez humiliée dans la mort.

Oui, bizarrement, et même si la chose pouvait lui être fatale, il voulait la protéger, sauver son honneur…

Son visage, son sourire, ses yeux…

Ils étaient là devant ses propres yeux hallucinés, comme un bouquet de lumière.

Son visage, son sourire, ses yeux, dans la nuit qui s'épaississait autour de lui avec tous ces étrangers qui guettaient sa chute prochaine… Qui voulaient juste voir une tête rouler dans la poussière. Pour que justice fût faite. Mais jamais justice ne serait faite, parce que jamais Louise Eaton ne reviendrait à la vie : quelqu'un l'avait étouffée avec un oreiller.

— Monsieur Berger, depuis combien de temps aviez-vous une liaison avec madame Eaton ?

— Depuis un an environ.

— Et est-ce que vous vous rencontriez souvent au Plaza ?

— Nous ne nous sommes jamais rencontrés au Plaza.

— Et pourtant, le soir du meurtre…

— Je n'étais pas avec elle. J'étais avec une autre femme que je croyais être la nièce de Paul Loria. Je sais que ça peut paraître bizarre, mais c'est ainsi que les choses se sont passées.

— Vous niez vous être trouvé avec Louise Eaton, au Plaza, le soir du meurtre, malgré qu'on ait retrouvé vos cheveux dans le lit, vos empreintes digitales sur un verre et votre sperme sur la victime ?

— Oui, je le nie. Louise Eaton et moi étions séparés. Je ne la voyais plus.

— Depuis combien de temps ?

— Je l'ai déjà dit à la cour, depuis le lundi précédent.

— Et pourquoi vous étiez-vous séparés ?

— Je…

— Monsieur Berger, est-ce que vous pourriez répondre à ma question, s'il vous plaît ?

— Elle voulait que nous partions ensemble.

— Que vous partiez ensemble ?

— Oui, elle était prête à quitter son mari, elle en avait assez de cette liaison clandestine. Elle voulait vivre notre amour au grand jour.

Sur sa chaise, Eaton bouillait. Ses yeux étaient devenus de véritables poignards. Le petit vaurien ajoutait l'insulte à l'injure. Non seulement il avait baisé sa femme, mais maintenant il apprenait au monde entier qu'elle voulait partir avec lui, que c'était du sérieux en somme et pas seulement une passade ou une petite vengeance parce que, trop absorbé par ses affaires, il la négligeait. Comment une femme pouvait-elle lui préférer un être aussi insignifiant que ce petit professionnel de golf qui n'aurait rien été si lui, le grand Eaton, n'avait pas stupidement accepté de donner son aval à son embauche? C'était comme s'il s'en voulait doublement parce qu'il était conscient d'avoir été l'artisan de son propre malheur: rien de plus douloureux, à la vérité, pour cet homme puissant qui avait la prétention d'avoir la main haute sur son destin et celui des gens qui l'entouraient! Et ce chien avait osé mordre la main qui le nourrissait, lui prendre sa femme et sa réputation!

— Menteur! hurla-t-il de sa chaise.

Mais son avocat le retint. Pourtant, ce cri du cœur émut la salle. C'est vrai que David, par sa simple beauté, la finesse de ses moustaches, le bleu troublant de ses yeux, s'était valu l'admiration de quelques femmes dans l'audience, mais maintenant, en face de cet homme blessé dans son amour-propre, il passait pour un séducteur sans principes qui n'avait pas hésité à profiter de la faiblesse d'une femme, fût-elle celle de son propre patron.

— Elle était prête à quitter son mari pour vous? C'est ce que vous dites, monsieur Berger?

— Oui, elle m'a même…

— Elle vous a même quoi?

— Elle avait apparemment un arrangement matrimonial avec son mari. Si elle restait mariée avec lui pendant sept ans, elle touchait automatiquement cinq millions de dollars en cas de séparation ou de divorce. Elle m'a offert de me donner la moitié de ces cinq millions si je partais avec elle…

Cette révélation peu commune causa une certaine commotion dans la salle et surtout une rumeur. Cinq millions! Ce n'était pas banal! Eaton était immensément riche, la chose était connue, mais tout de même…

Le juge dut frapper trois fois son bureau avec son marteau de bois pour rappeler la salle à l'ordre.

— C'est faux! protesta Eaton, qui n'eut pas le temps de s'expliquer car son avocat le fit taire, si bien qu'on ne sut pas si ce qui était faux était l'arrangement matrimonial ou le fait que sa femme eût offert de partager l'argent avec son amant.

— Et vous n'avez pas accepté cette proposition? La moitié de cinq millions, c'est tout de même une somme!

– Non, je… je ne me sentais plus bien dans cette situation, je… je préférais que nous en restions là…

– Monsieur Berger, comment décririez-vous votre situation financière?

– Objection, Votre Honneur! pesta le jeune juriste qui défendait tant bien que mal David.

– Votre Honneur, je cherche simplement à établir le motif du meurtre, expliqua Blake.

Un fort bref instant de réflexion, et le juge trancha de la sorte:

– Monsieur Berger, veuillez, je vous prie, répondre à la question.

– Je gagne un bon salaire, je…

– Combien gagnez-vous au juste?

Avant de répondre, David jeta un coup d'œil en direction de son avocat pour voir s'il était tenu de répondre à la question. Charles Rubin plissa les lèvres: son client devait se plier à ce désagréable exercice.

– J'ai un salaire fixe de soixante mille dollars par année…

Il y avait beaucoup de pros de clubs moins prestigieux qui gagnaient un meilleur salaire que celui qu'on lui avait proposé et qui, en outre, recevaient souvent un pourcentage sur les ventes de la boutique. Mais, au Hamptons, on considérait un peu chichement comme une partie du salaire le prestige que procurait le poste de pro. Mais essayez d'utiliser votre prestige pour payer votre épicerie ou la pension alimentaire de votre ex-femme! Du reste, David n'avait pas eu vraiment d'autre choix que d'accepter cette proposition, sa situation financière à l'époque était désespérée, c'était à prendre ou à laisser avec aucune place pour la négociation!

– Soixante mille dollars par année…

– Oui, et je peux garder tout l'argent que me procurent les leçons de golf.

– Les leçons de golf… Et si j'ai bien compris, vous en donnez beaucoup!

Rires dans la salle, car il semblait bien que c'était à l'occasion d'une de ces leçons que tout avait commencé.

– Objection, Votre Honneur! clama Charles Rubin. Maître Blake discrédite mon client.

– Objection retenue, accorda le juge. Maître Blake, faites-nous grâce de votre sens de l'humour douteux.

Blake inclina la tête respectueusement, content malgré tout d'avoir marqué un point auprès de l'audience : les rieurs se rangent invariablement de votre côté, c'est connu.

Une pause, et il reprenait, avec une confiance grandissante :

— Monsieur Berger, je me suis permis de faire une enquête de crédit à votre sujet et j'ai fait des découvertes intéressantes.

— Objection, Votre Honneur ! tonna le jeune Rubin qui en avait marre de voir son adversaire utiliser des tactiques grossières pour discréditer son client.

— Objection rejetée. Vous pouvez poursuivre, maître.

— J'y ai noté que vous avez perdu l'usage de deux cartes de crédit il y a deux ans…

— Oui, c'était… c'était avant d'obtenir mon emploi au Hamptons et… ma femme avait arrêté de travailler quand nous avons eu notre petite fille, et enfin, je me suis endetté… Mais les choses se sont améliorées par la suite…

— Les choses se sont améliorées par la suite, répéta l'avocat avec une sorte de sadisme dans la voix, comme s'il se délectait de l'embarras progressif de David. Mais néanmoins, vous avez dû, il y a dix-huit mois, si j'en crois le dossier de la banque, demander une consolidation de dettes…

— Oui, je… en effet…

— Vous êtes tenu de faire des paiements mensuels de quel montant ?

— Mille trois cents dollars.

— Mille trois cents dollars par mois, c'est une somme !

— Oui, c'est exactement dix fois cent trente dollars, ironisa David, mais cette bravade ne lui valut qu'un succès mitigé dans l'audience et eut l'air en outre de contrarier son avocat qui, par une œillade éloquente, lui enjoignit de faire preuve de réserve.

En cour, la première règle était qu'il valait mieux en dire moins que trop et, en voulant faire du *ad lib*, on pouvait s'égarer, laisser échapper quelque information compromettante.

— Et combien payez-vous pour votre loyer ? poursuivit maître Blake.

— Sept cent cinquante dollars par mois.

— Et la pension que vous versez pour votre fille s'élève à combien ?

— Quatre cent vingt-cinq par mois.

– Et pour votre automobile, vous payez combien ?

– Quatre cent cinquante dollars par mois.

– Quatre cent cinquante dollars. Si j'additionne tout, j'arrive à une somme globale de deux mille neuf cent vingt-cinq dollars par mois. Est-ce que ce montant coïncide avec vos chiffres ?

– Oui.

– Évidemment, reprit maître Blake, je n'ai pas comptabilisé les autres dépenses courantes, comme la nourriture…

– Je prends presque tous mes repas au golf, c'est compris dans mon traitement, crut bon de préciser David, comme un animal désespéré d'être si habilement traqué.

Il se sentait honteux, il était mis à nu, déculotté devant tout le monde. Ses amis, du moins ceux qui lui restaient, se bidonneraient. Il y en avait plusieurs qui le croyaient non pas riche, mais à l'aise depuis qu'il était professionnel au prestigieux club, et tout cet étalage leur révélerait une vérité bien différente.

– Monsieur Berger, à l'exception des nombreuses leçons de golf que vous donnez, votre salaire mensuel net s'élève à combien ?

– Euh… je… je ne sais pas au juste.

– Je vais vous aider. Vous touchez un salaire mensuel net, après impôts et retenues diverses, de trois mille deux cent cinquante-neuf dollars et quelques cents, dit-il en consultant une note griffonnée. Est-ce que ce chiffre vous paraît conforme à la réalité ?

– Euh… oui…

– Donc, il vous reste, après dépenses, la somme de trois cent soixante-quinze dollars par mois, soit approximativement cent dollars par semaine. Cent dollars pour vous nourrir, hum, je m'excuse, vous venez de me dire que vous étiez nourri au club, donc cent dollars par semaine pour aller au cinéma, payer votre essence, faire de petits cadeaux à votre maîtresse. Monsieur Berger, comment faites-vous pour y arriver ?

– Je donne des leçons de golf.

– C'est vrai, je les oubliais, celles-là, les fameuses leçons de golf, dit-il d'une manière vaguement ironique. Mais au profit de la cour, monsieur Berger, pourriez-vous nous dire combien vous rapportent ces leçons de golf ? En moyenne, bien entendu.

– Cinq cents dollars par semaine.

– Monsieur Berger, est-ce qu'il arrivait que des membres vous paient en argent comptant ?

– Pour les leçons ? dit-il un peu bêtement.

– Oui, pour les leçons, bien entendu, je ne m'intéresse pas aux autres services professionnels que vous pouviez procurer aux membres ! dit avec un large sourire maître Blake, trop heureux de sa bonne fortune : décidément, ce témoin était un charme à interroger !

Nouveaux rires dans la salle.

Navré, le pauvre Charles Rubin s'enfonçait dans sa chaise.

Les autres services professionnels que son client pouvait procurer aux membres !

David ne répondait pas, il se sentait devenir aussi petit qu'un lilliputien, et celui qui se régalait peut-être le plus de sa déconvenue publique, c'était Eaton. Il avait toujours su que ce professionnel sans véritables références était un raté, un sans-le-sou, et il n'aurait jamais dû donner son vote pour son embauche. On lui avait assuré qu'il constituerait un atout pour le club, parce qu'il possédait une certaine notoriété, qu'il avait gagné quelques tournois locaux et qu'il avait une bonne gueule.

Une bonne gueule !

Une gueule de *dévoyeur* de femmes mariées !

– Monsieur Berger, est-ce que certains membres vous paient les leçons en argent comptant ?

– Vous travaillez pour le fisc ?

Rires dans la salle. Pour une fois, David n'en était pas l'objet.

– Allons, monsieur Berger, répondez à ma question !

– Rien ne se paie en argent comptant au club. Tout est porté au compte du membre, même les pourboires des cadets.

– Je comprends. Monsieur Berger, dans le cadre de mon enquête, j'ai obtenu de la cour l'autorisation de consulter le relevé de la comptabilité du club.

Il alla à la table où son assistant lui remit un document. Il retourna vers David et dit :

– Sur le rapport d'avril de cette année, il est dit que vous avez touché sept cent cinquante dollars en leçons pour le mois entier, sur celui de mai, trois cent cinquante, et sur celui de juin, deux cents. Nous sommes loin des cinq cents dollars par semaine dont vous venez de nous parler !

– C'est une moyenne. Je donne surtout mes leçons en hiver et au printemps, en début de saison. L'été, les membres sont moins actifs. D'autant que l'été dernier a été extrêmement chaud et humide.

– Ah ! je n'avais pas remarqué, c'est vrai que je ne passe pas ma vie comme vous sur un terrain de golf.

David ne disait rien, il avait juste envie de se trouver ailleurs ou de mettre ses mains autour du cou graisseux de cet horrible avocat et de serrer jusqu'à ce qu'il perdît son insupportable petit sourire en coin et que l'éclat de ses yeux devînt une plainte, une terreur devant l'asphyxie.

Mais pourquoi cette image lui était-elle venue ?

Pourquoi avait-il eu envie d'étrangler l'imbuvable juriste ? N'était-ce pas parce que c'était précisément le sort qu'il avait réservé à sa maîtresse ?

– Monsieur Berger, si je comprends bien, vous devez avoir plus de difficultés à boucler les fins de mois en été.

– J'ai une marge de crédit de trente mille dollars à la banque.

– Je voulais justement vous en parler.

Il retourna vers son assistant, lui remit le rapport de la comptabilité. Il prit de ses mains un autre document.

– J'ai ici un exemplaire d'une lettre de votre banque principale — vous faites bien affaire avec la Chase Manhattan de New York ?

– Oui.

– Eh bien, j'ai ici une lettre datée du 5 juin de cette année qui vous informe que la banque aimerait discuter de votre marge de crédit qui a atteint sa limite depuis des mois.

Il lui montra la lettre.

– Est-ce que vous reconnaissez cette lettre ?

– Oui, admit David qui détourna aussitôt son regard du désagréable document.

– Monsieur Berger, que comptiez-vous faire pour régler ce problème ?

– Je... je me proposais d'aller voir une autre banque.

– Une autre banque. Et vous croyez qu'elle vous aurait accordé un prêt de trente mille dollars ?

— Objection, Votre Honneur ! Maître Blake harcèle mon client.

— Objection retenue. Maître Blake, je crois que vous avez suffisamment établi devant la cour que la situation financière de l'accusé est précaire.

Maître Blake ne dit rien, maugréa quelques mots incompréhensibles, revint à sa table où il rendit à son assistant le duplicata de la lettre bancaire. Puis il s'avança d'un pas lent vers l'accusé, comme s'il ruminait son attaque.

— Comment votre maîtresse a-t-elle réagi lorsque vous lui avez annoncé que vous refusiez sa proposition de vous offrir de l'argent pour partir avec elle ?

— Elle ne m'offrait pas de l'argent pour partir avec elle, elle ne voulait pas m'acheter, elle était généreuse, elle voulait simplement que nous soyons d'égal à égal, que je ne me sente pas le pauvre du couple…

— Le pauvre du couple, c'est une expression amusante que je n'avais jamais entendue ! Mais je reformule ma question, monsieur Berger, comment votre maîtresse a-t-elle réagi lorsque vous lui avez annoncé que vous ne vouliez pas partir avec elle ?

— Mal.

— Mal ? Que voulez-vous dire ?

— Elle était triste. Je pense que notre relation était devenue très importante pour elle.

— Monsieur Berger, qu'est-ce qui nous prouve que vous étiez vraiment séparés, Louise Eaton et vous ? C'est connu, tous les amoureux du monde ont des brouilles et se réconcilient. N'était-ce justement pas le but de votre rencontre au Plaza, le vendredi soir du meurtre, de vous réconcilier et de passer une dernière nuit d'amour avant le retour de voyage du mari ?

— Non.

— Monsieur Berger, quand avez-vous parlé à la victime pour la dernière fois ?

— Le lundi où nous nous sommes séparés, je vous l'ai déjà dit.

— Monsieur Berger, si mes renseignements sont exacts, vous vivez seul ?

— Oui, en effet. Enfin, j'ai ma fille un week-end sur deux.

— Étiez-vous seul à votre appartement, avant de partir pour le Plaza, le soir du meurtre ?

– Oui.

– Monsieur Berger, j'ai ici le relevé de compte du cellulaire de madame Eaton pour le mois de juin. Elle a reçu un appel de votre appartement le vendredi soir, à 18 h 06. Et vous venez de dire à la cour que la dernière fois que vous lui aviez parlé était le lundi, je ne suis pas sûr de vous suivre.

– Je... j'avais compris que vous me demandiez la dernière fois où je l'avais vue...

– Je vois... Mais si vous lui avez téléphoné, n'est-ce pas parce que ce n'était pas fini entre vous?

– En vérité, je... je l'ai appelée pour voir comment elle allait. Mais elle m'a envoyé promener. Elle m'a même dit que si je l'appelais encore, elle dirait à son mari que je la harcelais. Alors, j'ai compris que c'était bien fini.

Blake ne put réprimer un sourire cependant qu'un éclair malicieux traversait ses yeux. Il était simplement allé à la pêche et la prise était inespérée. L'avocat de David, pour sa part, s'enfonçait dans sa chaise. Il avait pourtant prévenu son client — et à plus d'une reprise — de se contenter de répondre aux questions le plus succinctement possible, de ne pas s'étendre et faire du *ad lib*.

Il n'en revenait pas en fait. C'était comme si son client, avant même de livrer combat, jetait tout à coup l'éponge. Blake devait profiter de cette opportunité inattendue pour bien enfoncer le clou.

– Est-il possible que vous ayez compris qu'elle était devenue une menace pour vous?

– Non, je...

– Est-il possible qu'en raison de cette menace, parce que vous aviez peur de perdre votre emploi, vous avez paniqué et vous avez décidé d'agir?

– Non... ce... ce n'est pas le cas.

– Est-il possible que vous l'ayez invitée au Plaza sous prétexte de vous réconcilier avec elle? Puis vous vous êtes tous les deux soûlés, vous êtes montés à la chambre où vous lui avez fait l'amour avant d'appuyer un oreiller sur son visage?

David Berger, le visage défait par le chagrin, ne disait rien.

Tout à coup, il avait envie de dire oui, tout simplement. Alors, son supplice serait terminé.

— Votre Honneur, j'aimerais pouvoir discuter un moment avec mon client, demanda maître Rubin.

— La cour va être ajournée pendant vingt minutes, accorda aussitôt le juge qui assena sur son bureau le traditionnel coup de marteau.

26

– Est-ce que tu veux être envoyé à la chaise électrique ? demanda avec force maître Rubin.

David était assis en face de lui, à une table, dans la petite salle de conférences privée que la cour mettait à la disposition des avocats et de leurs clients.

– Non, je…

– Alors, il va falloir que tu te décides ! Ou tu réponds comme un homme qui est certain d'être innocent ou tu continues à hésiter comme tu le fais et, alors, même le meilleur avocat du monde ne pourra pas convaincre le jury que tu n'as pas tué cette femme. Et pourquoi avoir avoué qu'elle t'avait menacé ? La cour n'a pas besoin de savoir tout ce qui s'est passé entre elle et toi !

– Je comprends, je…

– À moins, bien entendu, que tu veuilles que je change notre plaidoyer. Il est encore temps d'ailleurs. Si tu veux, on peut plaider l'homicide involontaire. Avec un peu de chance, au bout de sept ou huit ans de prison, tu seras libre.

– Je ne l'ai pas tuée…

– Alors, si tu ne l'as pas tuée, il va falloir que tu te comportes et surtout que tu répondes aux questions de Blake comme un homme innocent.

Et comme David ne réagissait pas, son avocat lui demanda, non sans une pointe d'exaspération :

– Est-ce que tu comprends, oui ou non ?

– Oui.

– Alors, peux-tu me dire pourquoi diable tu hésites tant à répondre ?

– Parce que, au fond, c'est moi qui l'ai tuée.

Maître Rubin n'en revenait pas ! Quelle curieuse volte-face ! Son client admettait maintenant avoir assassiné Louise Eaton ? Ce ne pouvait être vrai ! Il devait sûrement avoir mal entendu.

– Qu'est-ce que tu viens de me dire là ?

David, les larmes aux yeux, le regard perdu, expliqua :

– Si j'avais accepté sa proposition, nous n'aurions pas rompu et elle ne serait pas morte.

– Mais, David, voyons, tu ne peux pas te mettre à raisonner comme ça ! Si on pensait tous comme toi, on n'en finirait plus. Louise Eaton n'est pas morte parce que tu as rompu avec elle, elle est morte parce qu'elle a été tuée par quelqu'un qui s'est servi de toi pour dissimuler son crime. Nous ne savons pas qui, mais ce n'est pas vraiment notre problème. Notre problème, c'est de convaincre le jury que tu n'as pas tué cette femme, même si elle a été ta maîtresse pendant un an et que, par un malencontreux hasard, tu te trouvais au même hôtel qu'elle le soir où elle a été tuée, avec une femme qu'on ne peut pas retrouver et qui ressemblait comme deux gouttes d'eau à la victime. Mets-toi un instant dans la peau du jury. D'accord, on n'a pas retrouvé de cheveux ou de poils pubiens de la victime dans le lit, ni ailleurs dans la chambre. Mais il y avait ton sperme entre ses jambes !

– Je sais, je sais, admit David.

Rubin resta un instant silencieux. Il laissa son regard se poser distraitement sur l'écran du téléviseur qui se trouvait dans la pièce. Les avocats et leurs clients pouvaient ainsi apprécier plus aisément les réactions du public et de la presse, surtout dans le cas de procès hautement médiatisés.

– Il va falloir que le patron du Juke Box fasse un témoignage convaincant si on veut corriger l'impression qui commence sans doute à se créer dans l'esprit du jury, expliqua le jeune juriste.

Mais au moment même où il prononçait ces mots, ses yeux s'arrondissaient de stupeur, car un bulletin spécial venait d'interrompre l'émission en cours : on y annonçait que le corps de Mel Sollers, propriétaire du Juke Box, venait d'être retrouvé dans les toilettes de l'établissement. Il tenait dans sa main un revolver, laissant croire à première vue à un suicide.

– Merde ! maugréa Rubin.

David se tourna et partagea aussitôt l'effarement de son avocat.

– Ils l'ont tué, les salauds!

– Je ne sais pas s'ils l'ont tué, mais je sais une chose: si tu veux sauver ta peau, il va falloir que tu sois bon, que tu sois vraiment bon. Et pour commencer, il y a une chose que je veux que tu me promettes de faire, parce que sinon tu vas devoir te trouver un autre avocat. Quand Blake va te demander si tu as tué Louise Eaton, je veux que tu lui répondes «non» sans hésiter. Tu comprends?

27

— Monsieur Berger, vous n'avez pas été tenté d'accepter la proposition financière de madame Eaton ? Vu vos énormes difficultés, ç'aurait été une manière plutôt inespérée de vous remettre à flot, non ? demanda Blake.

La cour avait repris ses travaux, et David sa place, avec une nouvelle résolution. Son avocat avait raison, s'il voulait s'en sortir, il lui fallait faire preuve de plus de fermeté, et surtout de clarté. Cesser d'hésiter, de tergiverser comme s'il cherchait à dissimuler une vérité par trop accablante.

— Non, j'ai préféré la quitter malgré tout, parce que la situation était devenue impossible, répliqua David.

— Monsieur Berger, est-ce que cette rupture a donné lieu à de la violence entre vous et votre maîtresse ?

— Non.

— Monsieur Berger, vous décririez-vous comme un homme violent ?

— Objection, Votre Honneur !

— Objection retenue.

— Monsieur Berger, j'ai ici un relevé de la police de New York. Il y a deux ans, à deux reprises, votre femme a appelé le 911 parce qu'elle craignait pour sa sécurité. J'ai ici le rapport qui en fait foi…

— Je n'ai jamais été violent avec elle. Si vous lisez ce foutu rapport, vous allez voir, elle n'avait aucune blessure, aucune marque de coups.

— Peut-être parce que vous avez également utilisé un oreiller !

— Ce sont des insinuations stupides ! Tout ce que ma femme voulait, c'était me faire passer pour un homme violent afin d'obtenir la garde de notre enfant.

– Et monsieur Berger, dites-moi, qui a obtenu la garde de votre enfant, finalement ?

– Ma femme.

– Donc, elle a réussi et ces allégations de violence de sa part étaient peut-être fondées ?

– Non, elle a échoué. Elle n'a pas obtenu plus que ce que la plupart des femmes obtiennent. J'ai ma fille deux week-ends par mois, comme la plupart des pères.

Blake fit une pause, il n'avait guère tiré profit de cette parenthèse de garde familiale, David s'était défendu avec passablement d'aplomb. Les jurés en tout cas ne paraissaient pas avoir été impressionnés outre mesure.

Blake esquissa un sourire fin, quasi imperceptible, puis il attaqua enfin, portant un coup d'autant plus rude qu'il était imprévu.

– Monsieur Berger, saviez-vous que la mort de Louise Eaton ferait de vous un homme riche ?

– Euh… non, je… je ne comprends pas ce que vous voulez dire. Tout ce que je voulais, c'était conserver mon poste de pro, je n'en ai jamais voulu à son argent.

Blake retourna vers sa table où son assistant lui remit prestement un dossier pour ensuite se lever et se diriger vers le rétroprojecteur. Blake déposa devant le juge un document qui, grâce aux bons soins de son assistant, apparut à l'écran.

– Une semaine avant sa mort, expliqua-t-il, Louise Eaton a pris une assurance-vie de deux millions dont vous êtes le seul bénéficiaire.

À nouveau, tumulte dans la salle. Décidément, ce procès était fertile en rebondissements de toutes sortes. Et cette femme était pleine de surprises.

Eaton avait été prévenu de la stratégie de Blake. Et pourtant, ce nouvel étalage de la générosité de sa femme infidèle le mortifiait encore plus. Non seulement sa femme l'avait cocufié de belle et grande manière, mais elle avait aimé son amant au point de vouloir l'avantager par-delà la mort ! Ça rendait la tromperie plus réelle, plus tangible, officielle et ça consacrait sa honte.

Mais celui qui était le plus touché par cette révélation incroyable, c'était sans doute David. Comme Louise Eaton l'avait aimé, comme sa passion pour lui avait été folle !

Prendre une police d'assurance de deux millions sur sa vie... Comme si elle avait eu une étrange prémonition au sujet de sa mort prochaine... Oui, au fond, ne savait-elle pas depuis longtemps que son mari la faisait suivre, qu'il voulait se débarrasser d'elle, parce qu'elle se montrait avec lui d'une froideur inhabituelle depuis qu'elle partageait le lit de David?

Et David revoyait le visage de sa maîtresse, son sourire, sa lumière et ses bras qui s'ouvraient, ses bras qui jamais ne s'étaient refusés à lui...

Comment avait-elle pu l'aimer à ce point, lui qui, pour des raisons bien évidentes, s'était toujours montré avec elle avare de son temps et d'une prudence excessive?

– Monsieur Berger, reprit Blake, enchanté par l'effet de sa charge sur le public et les jurés qui, crayon en main, prenaient pour la plupart quelques notes capitales, étiez-vous au courant de l'existence de cette police d'assurance de deux millions?

– Non.

– Et votre maîtresse ne vous a jamais parlé de son intention de contracter cette police?

– Non.

– Vous ne trouvez pas que c'est une coïncidence un peu inouïe qu'elle ait pris cette assurance une semaine avant son assassinat?

– Objection!

– Objection retenue.

– Monsieur Berger, répondez-moi simplement par oui ou par non. Avez-vous tué madame Louise Eaton?

– Non.

– Monsieur Berger, si vous n'avez pas tué votre maîtresse, pourquoi avez-vous décidé de fuir les lieux du crime?

– J'ai paniqué.

– Vous avez paniqué? Je vois... Mais le jour même du meurtre, vous êtes quand même allé travailler. Et j'ai questionné plusieurs employés au club de golf: personne ne vous a trouvé particulièrement nerveux. Vous aviez l'air d'un homme calme, qui accomplit son travail comme si de rien n'était. La panique était passée. Alors, pourquoi ne pas avoir agi comme un citoyen responsable? Pourquoi ne pas avoir pris le téléphone et appelé la police pour lui expliquer que vous pouviez l'aider dans son enquête pour la simple et bonne raison que vous vous trouviez sur le lieu du crime lorsque le meurtre a été commis ? N'est-ce pas parce que ce meurtre, c'est vous-même qui l'avez commis ? Et de sang-froid, parce que vous saviez que vous mettriez la main sur les deux millions de dollars de l'assurance ?

— Non, je l'ai dit et je le répète, je n'ai pas tué Louise Eaton…

— Monsieur Berger, selon votre souvenir, à quand remonte la dernière fois où vous avez eu un rapport sexuel avec votre maîtresse ?

— Hum, je ne sais pas au juste… C'est si loin…

— Est-ce que c'est la veille de sa mort ?

— Non. Je vous l'ai dit, nous nous étions séparés le lundi avant sa mort.

— Avez-vous fait l'amour ce lundi ?

— Non.

— La semaine précédente ?

— Ça faisait plusieurs jours, je…

— Si on dit une dizaine de jours, est-ce que cela vous paraît une approximation assez juste ?

— Oui.

— Une dizaine de jours, donc.

— Oui.

— Monsieur Berger, est-ce que vous utilisiez des préservatifs lorsque vous faisiez l'amour avec votre maîtresse ?

— Non, elle prenait la pilule.

— Ah ! je vois, c'est pratique. Monsieur Berger, vous ne niez pas, je crois, que c'est votre sperme qui a été retrouvé sur le corps de la victime ? Le docteur Martin a été formelle. L'ADN ne ment pas, comme elle dit.

— Non, je ne le nie pas.

— Monsieur Berger, s'il y avait une dizaine de jours que vous n'aviez pas eu de rapports sexuels avec la victime, comment se fait-il que votre sperme ait été retrouvé sur son corps ?

— Je… La seule explication que je peux fournir est la suivante : j'ai été victime d'un coup monté.

— Un coup monté ? Comme dans un roman ?

— Objection.

— Objection retenue.

— Je n'ai pas d'autres questions.

L'avocat de David voulut lui poser d'autres questions pour corriger la fâcheuse impression que l'interrogatoire de Blake avait vraisemblablement produite auprès des jurés.

– Monsieur Berger, le soir du meurtre, portiez-vous un préservatif lorsque vous avez fait l'amour avec Louise Loria?

– Oui, elle a exigé que j'en porte un.

– Est-ce que sa demande vous a paru extravagante?

– Non, c'était notre première rencontre et, de nos jours, la prudence…

– Monsieur Berger, est-ce que vous aviez des préservatifs sur vous?

– Non.

– Pourquoi?

– Pourquoi? Eh bien, je… je ne prévoyais pas de faire l'amour avec cette femme que je ne connaissais pas, je ne la rencontrais que pour rendre service à Paul Loria… Et puis, je n'achète jamais de préservatifs, comme je l'ai dit plus tôt, Louise Eaton prenait la pilule, alors nous n'avions pas besoin de nous embarrasser de préservatifs…

– Alors, d'où provenait le préservatif?

– Elle l'a pris dans son sac à main qui était sur la table de chevet, je me souviens, elle a dit: «Il faut mettre un parapluie.»

– Un parapluie, c'est une jolie expression. Est-ce vous qui avez retiré le parapluie après l'amour?

– Non. Lorsque je me suis réveillé le matin, la jeune femme avait disparu et le préservatif avec.

– Je n'ai pas d'autres questions.

Blake non plus n'en avait pas, si bien que le juge décida d'ajourner les travaux de la cour jusqu'au lendemain et il ne se trouva personne pour protester, car la journée avait été passablement longue.

28

Il ne restait plus au *district attorney* et à l'avocat de la défense qu'à se livrer tour à tour à cet exercice, capital s'il en est, du discours de fermeture, ultime chance d'impressionner le jury avec leur thèse.

— Nous avons montré tout ce qu'il fallait montrer pour prouver hors de tout doute la culpabilité de l'accusé, commença Blake.

Tout en parlant, il se déplaçait devant les jurés, en prenant soin de bien fixer sur chacun d'eux son regard d'aigle, comme s'il voulait les hypnotiser, les subjuguer, plier leur volonté à la sienne, et leur arracher le verdict de culpabilité dont il n'était plus tout à fait certain. Il y avait eu tant de choses dites pour et contre la culpabilité de David Berger. Les jurés risquaient de faire ce que tout le monde à la cour avait déjà fait : c'est-à-dire sombrer dans une confusion dont il serait difficile d'arracher un verdict de culpabilité. Parce que bien entendu, et Blake en était conscient plus que jamais dans ce procès difficile et tortueux, il suffisait d'un doute, d'un doute raisonnable pour que le jury fût tenu, si du moins les instructions du juge à leur endroit étaient claires, d'innocenter l'accusé.

— David Berger, continua Blake comme s'il était lui-même dégoûté à l'idée du crime odieux que l'accusé avait commis, a admis avoir été l'amant de Louise Eaton pendant un an, même s'il savait pertinemment qu'elle était mariée. Trois témoins dignes de foi, deux dames respectables et un jeune serveur, ont déclaré avoir vu l'accusé prendre un verre avec la victime le soir du meurtre, au Plaza. Il a été établi, par son relevé de compte de cellulaire, que la victime avait parlé à l'accusé le

179

soir du meurtre, quelques minutes avant d'avoir été vue en sa compagnie au Plaza. L'accusé lui-même ne nie pas s'être trouvé sur les lieux du crime, il ne nie pas avoir passé la nuit dans la chambre 747, soi-disant avec une autre femme qui a disparu mystérieusement et qui, contrairement à ses dires, n'est pas la nièce de Paul Loria, le barman du club Hamptons. Et pourtant ce n'est pas cette autre femme qui a été retrouvée assassinée au petit matin, c'est bien sa maîtresse, la pauvre Louise Eaton, qui ne savait pas ce qu'elle faisait, qui croyait aller retrouver un amant repentant au Plaza alors qu'elle a trouvé un assassin. Oui, un assassin, dont le mobile était simple : l'argent. L'argent et la peur. Lorsque sa maîtresse l'a menacé de tout dire à son mari, David Berger a eu peur de perdre son emploi et il s'est dit : « Je vais faire d'une pierre deux coups. En la tuant, non seulement je conserve mon emploi mais je touche la prime d'assurance de deux millions. » Alors, David Berger a agi promptement, comme l'homme désespéré qu'il était. Nous avons donc tout ce qui est nécessaire pour tirer des conclusions claires. Un meurtrier qui se trouvait sur les lieux du crime et un mobile : l'argent deux millions de dollars ! Il y a bien des gens qui ont tué pour moins que cela, beaucoup moins que cela. Toutes les autres prétendues preuves que la défense tente désespérément d'apporter pour disculper son client ne valent rien. On n'a pas retrouvé de poils pubiens dans le lit de la victime, ni dans la salle de bains, qu'est-ce que cela peut bien faire ? L'assassin aura simplement été assez habile pour supprimer toutes traces du passage de la victime dans la chambre. Mais dans sa panique, il n'a pas pensé au plus important. Oui, il a commis une erreur qui l'a trahi en oubliant de nettoyer son propre sperme qui a été retrouvé entre les cuisses de la victime. Oui, ce qui compte, chers membres du jury, ce sont les faits. Et les faits sont clairs : Louise Eaton, en se rendant au Plaza, croyait se rendre à un rendez-vous amoureux alors qu'en fait, elle se rendait à un rendez-vous avec la mort. Un rendez-vous avec un homme dont elle ne se méfiait pas, puisqu'il était son amant depuis un an, un homme sans scrupules qui n'a pas hésité à lui faire l'amour une dernière fois avant de l'étouffer avec l'oreiller sur lequel elle venait sans doute de poser la tête pour se donner à lui. Non, je le répète, nous avons devant nous un homme qui, pendant un an, a eu une moralité assez élastique pour avoir une liaison avec la femme du président du club où il travaillait. Un homme désespéré financièrement. Un homme au passé violent, qui s'est vu refuser la garde partagée de sa fille en raison de ses agissements. Je demande donc la sentence la plus sévère pour le meurtre avec préméditation de Louise Eaton, une femme dont la seule erreur a été d'aimer un profiteur sans scrupules.

L'avocat de David, qui avait écouté attentivement le discours de son rival, dut admettre que sa chaleur convaincante avait sans doute causé des ravages auprès des jurés. Mais il avait bon espoir de renverser la vapeur, et comme il serait le dernier à parler, il avait en quelque sorte un avantage. Il se leva, boutonna sa veste, jeta un regard en direction de David, et, non sans émotion, s'avança pour prononcer le discours de fermeture le plus important de sa vie.

– Mon confrère a fait un beau discours, j'en conviens, commença-t-il. Le seul ennui est que son discours ne s'appuie pas sur les faits. Or, ce sont seulement les faits qui doivent nous guider dans notre jugement. Oui, mon confrère a fait une belle envolée lyrique, mais il a surtout fait une erreur capitale : il croit qu'un jury moderne ne fera pas reposer son verdict sur l'évidence scientifique. Pourtant, l'évidence scientifique innocente complètement mon client. Elle l'innocente parce qu'elle prouve hors de tout doute que mon client n'a pas passé la nuit avec la victime. Dans le lit de la chambre d'hôtel, non seulement il n'y avait pas de cheveux ou de poils pubiens de la victime, mais il y avait à la place des cheveux et des poils pubiens d'une autre femme, qui malheureusement a disparu de la circulation de manière bien étrange, je vous l'accorde. Mais qui veut être mêlé à une histoire de meurtre, surtout lorsqu'il s'agit d'une aventure d'un soir ? En outre, chers membres du jury, il a été établi que madame Eaton avait les ongles si courts qu'il est rigoureusement impossible qu'elle ait pu lacérer le dos de David Berger. Si ce n'est pas elle, c'est une autre femme ; et cette autre femme, c'est celle avec qui l'accusé a passé la nuit, bien innocemment, sans se douter qu'on lui tendait un piège qui bouleverserait toute sa vie. Oui, d'accord, il a fui les lieux du crime, c'est une faute et il l'a avouée sans difficulté. Il a agi non pas comme un criminel, mais comme tout homme en état de choc l'aurait fait dans de semblables circonstances. Mais il n'a pas nié s'être trouvé au Plaza le soir du meurtre. Et la comptable du club Hamptons est venue démontrer hors de tout doute que Louise Eaton ne buvait que des martinis. Des martinis extra-secs. Or — le serveur et les deux dames qui étaient ses voisines de table sont formelles à son sujet —, la femme qui était assise en compagnie de David Berger au Palm Café ne buvait que de la bière, de la Heineken, pour être plus précis. Personne ne change subitement de goût. Et Louise Eaton ne fait pas exception à la règle. Pourquoi la jeune femme qui accompagnait David Berger au Plaza buvait-elle de la bière le soir du meurtre? Simplement parce que ce n'était pas Louise Eaton.

Charles Rubin se permit alors une brève pause, comme pour marquer une transition dans son discours, et peut-être aussi ramasser ses idées pour le sprint final.

— Membres du jury, reprit-il avec fermeté, pour établir la culpabilité d'un meurtrier, il faut que votre conviction soit au-delà de tout doute raisonnable. Or, les occasions de douter sont, dans ce cas, innombrables. Et les différents témoins appelés à comparaître devant cette cour ont créé dans votre esprit un doute raisonnable quant à la culpabilité de l'accusé. Le *district attorney*, vous vous en êtes bien rendu compte, et cela vous honore, n'est pas parvenu à démontrer la culpabilité de l'accusé et ce, pour une raison bien simple: ce n'est pas David Berger qui a tué Louise Eaton, mais quelqu'un d'autre. En conséquence, je demande au jury d'acquitter mon client, David Berger, dont la seule faute a été de se trouver au mauvais endroit, au mauvais moment.

Et il retourna auprès de David.

— Quelles sont mes chances? lui demanda aussitôt ce dernier.

— Difficile à dire. C'est sûr que si le propriétaire du Juke Box était venu témoigner, elles auraient été meilleures. Évidemment, il y a cette histoire de police d'assurance de deux millions et ton sperme retrouvé sur la victime…

— C'est embêtant.

— J'aurais aimé mettre la main au collet de cette mystérieuse Louise Loria. Mais il est trop tard, maintenant. Il ne nous reste plus qu'à croiser les doigts et à prier Dieu.

— Dieu… S'il existe, pourquoi m'a-t-il foutu dans ce pétrin?

29

La cour avait réservé un hôtel, non loin du palais de justice, où les jurés passeraient la nuit. Ils avaient reçu des consignes fort strictes : aucune communication téléphonique, même avec leur famille, aucun journal, pas de télé, rien que la solitude et le silence monastiques, à cette exception bien entendu qu'ils pouvaient parler entre eux.

Ils avaient eu, immédiatement après l'ajournement de la cour, une première réunion, et le verdict semblait pencher en faveur de David.

Trop de détails l'innocentaient malgré certaines apparences accablantes.

Ce dos lacéré abondamment — une blessure que l'accusé n'avait quand même pas pu s'auto-infliger pour tromper la police ! — alors que les ongles de la victime étaient rongés…

Ces cheveux et ces poils d'une autre femme dans la chambre et l'absence de ceux de la victime…

Mais le soir, Lionel Hardy, le président du jury, un homme de quarante-six ans à l'allure très respectable, eut une surprise de taille lorsqu'il souleva le couvercle métallique gardant chaud le steak frites qu'on venait de lui livrer à sa chambre.

Il y avait une lettre qui portait son simple prénom : Lionel, écrit en caractères rouges. Il fronça les sourcils. Était-ce une note de la direction ? Ou encore une lettre qu'un juré lui adressait pour lui faire part de ses dernières réflexions ?

Il décacheta la missive, blêmit et une lueur de terreur traversa son regard soudain devenu fixe.

C'est que l'enveloppe contenait la photocopie d'une longue liste de films pornos qu'il avait loués depuis un an,

183

dans une boutique située dans un quartier éloigné du sien. Ce n'aurait sans doute pas été dramatique s'il avait été un électricien célibataire. Mais il était marié, père de trois enfants, et surtout… ministre presbytérien!

De fines gouttelettes de sueur se mirent à perler sur son large front dégarni par une calvitie galopante.

Pourquoi diable lui envoyait-on cette liste, qui n'aurait pas été compromettante sans doute si elle n'avait pas inclus, également, une photocopie de tous les reçus de caisse avec le titre incendiaire du film imprimé et sa fort respectable signature…

L'explication ne tarda pas à venir.

Car la dernière page portait, écrits en lettres imprimées de caractères différents découpés dans un journal, le simple mais terrible mot: COUPABLE.

Coupable.

On voulait simplement le forcer, à titre de président du jury, à influencer les autres jurés pour leur arracher, malgré leurs hésitations, malgré leur doute raisonnable, un verdict de culpabilité.

C'était faisable sans doute…

Le mobile était puissant et double: la peur de l'accusé de perdre son poste si son ex-maîtresse le dénonçait et les deux millions de la police d'assurance.

Et puis, bien entendu, il y avait la présence du sperme de l'accusé sur la victime. Si l'accusé n'avait pas couché avec la victime ce soir-là, comment son sperme avait-il pu aboutir entre ses jambes? Après tout, il ne pouvait être question de génération spontanée!

Bien sûr, Lionel Hardy devrait convaincre deux des jurées les plus récalcitrantes. Ces dernières étaient convaincues de l'innocence de David Berger malgré le poids accablant des preuves contre lui. Le très digne (et très embarrassé) représentant de l'Église presbytérienne les soupçonnaient d'être secrètement amoureuses de David Berger, ou plus précisément, n'exagérons rien, d'avoir succombé au charme incendiaire de ses yeux bleus et de ses fines moustaches. Elles étaient persuadées que David était follement amoureux de Louise Eaton, car, chaque fois qu'il prononçait son nom ou évoquait sa mémoire, il paraissait totalement bouleversé: jamais il n'aurait pu commettre pareil geste. En outre, ces deux femmes croyaient à la théorie de la conspiration, soulevée par un autre juré, un homme celui-là : on pouvait peut-être l'accuser d'avoir lu trop de romans policiers, mais certes pas d'être amoureux de David Berger !

Malgré tout, le président du jury croyait pouvoir venir à bout de la résistance des deux femmes. Oui, c'était faisable.

Mais était-ce moral, à partir du moment où sa conviction intime l'inclinait à penser que David Berger était innocent ?

Non, bien entendu.

Toute sa vie, Lionel Hardy avait prêché la droiture, le retour à des valeurs morales négligées par la société moderne, des valeurs dont celle-ci avait le plus grand besoin si elle voulait éviter la fatale décadence qu'avaient connue d'autres empires passés…

Toute sa vie, il avait plaidé en faveur de la justice sociale, de la charité…

Et maintenant, on lui demandait de mettre de côté tous ses nobles idéaux…

On le lui demandait parce qu'on pouvait le lui demander. Parce qu'il avait prêté le flanc à cette attaque vicieuse. Parce qu'il avait commis une faute, une faute à répétition dont il avait cherché longtemps à se guérir. Mais le démon de la pornographie s'était emparé de lui aussi insidieusement qu'une infime dose d'arsenic quotidienne, qui aurait pu le tuer sans même qu'il s'en rende compte.

Des larmes lui montèrent aux yeux. C'étaient des larmes de remords, comme si le châtiment qu'il avait longtemps évité le frappait maintenant de plein fouet parce que la justice divine finissait toujours par rattraper les hommes, même ceux qui se croyaient les plus habiles à la déjouer.

C'était un dilemme insupportable.

On lui demandait d'envoyer à la chaise électrique un homme dont la culpabilité était tout sauf certaine…

Or, le juge leur avait bien expliqué que leur verdict devait reposer sur une certitude absolue, au-delà de tout doute raisonnable…

Car mieux valait innocenter un coupable qu'envoyer à la chaise électrique un innocent, c'était l'esprit de la loi.

Un dilemme insupportable.

C'était soit l'opprobre pour sa famille, soit le remords qui le poursuivrait toute sa vie, celui d'avoir envoyé un homme innocent à la mort.

Il se leva de la petite table circulaire sur laquelle on avait déposé son plateau, porta la main à sa poche et en tira un flacon de somnifères, que son médecin lui avait récemment prescrits car ce procès trop médiatisé le rendait nerveux. Pourquoi ne pas avaler tout le flacon et sombrer dans un sommeil dont il ne se réveillerait pas?

Pour éviter à la fois de se couvrir de honte et de devoir condamner un innocent...

Mais il y avait sa femme et ses jeunes enfants, qui seraient orphelins... et dont l'image souriante se présentait tout à coup à son esprit, emplissait tout son être...

Que faire?

Il prit la lettre et passa à la salle de bains où il la déchira et la jeta morceau par morceau dans les toilettes.

Puis, l'air torturé, il tira la chasse d'eau.

La nuit, il ne décida pas de se suicider ou de fuir la ville comme il aurait pu le faire, et le surlendemain, remplissant jusqu'au bout son devoir de citoyen, il se trouvait, à dix heures pile, assis, en compagnie des onze autres jurés, dans la salle d'audience où régnait un silence impressionnant.

Le juge venait d'arriver et la salle, de se rasseoir à sa suite, comme le veut la coutume.

Dans quelques instants, la cour connaîtrait enfin le verdict.

Confiant en l'issue du procès, le jeune Rubin affichait une mine non pas radieuse, mais passablement sereine.

David, malgré les encouragements de son avocat, paraissait soucieux: on l'eût été pour moins!

– Le jury a-t-il atteint un verdict unanime? demanda alors le juge.

Lionel Hardy, pâle comme un drap, se leva avec en main une simple feuille qu'il lut:

– Oui. David Berger a été reconnu coupable du meurtre avec préméditation de Louise Eaton.

C'était tombé d'une manière si inattendue et si extrême — meurtre avec préméditation, ce qui était le pire des verdicts possibles — qu'il y eut un remuement considérable dans la salle. Même le juge haussa un sourcil étonné comme si, malgré sa vaste expérience des affaires criminelles, il ne s'attendait pas à pareil verdict.

Meurtre avec préméditation, ça voulait dire la chaise électrique...

Cependant que le *district attorney* triomphait et que Eaton ne pouvait cacher sa satisfaction, David se tournait, affolé, vers son avocat, qui avait peine à contenir son désarroi.

– Mais c'est impossible, c'est impossible ! protesta-t-il. Pourtant, tu m'avais dit que…

Qu'importait maintenant ce qu'il lui avait dit…

Le verdict du jury était tombé.

David n'eut guère le temps de s'indigner, du moins en cour, car deux policiers s'approchaient de lui, le menottaient et l'amenaient devant une salle encore sous le choc houleux de la surprise.

Deux jours plus tard, toujours menotté, David revint en cour pour entendre le prononcé de sa sentence : la chaise électrique !

– Nous irons en appel, s'empressa de déclarer son avocat pour lui donner une lueur d'espoir.

Mais sa demande d'appel fut rejetée.

C'était la fin.

Rien désormais ne pourrait sauver David.

30

Il y eut bien des articles indignés dans la presse, des demandes publiques de révision du procès. Mais Eaton avait orchestré une cabale qui soutenait la thèse inverse et, comme ses moyens étaient considérables, le public semblait pencher en sa faveur.

Pourtant, plusieurs demeuraient convaincus qu'Eaton était inaccessible parce qu'il était riche, et David, condamné d'avance… parce qu'il ne l'était pas!

Mais la chose demeura: David resta en prison, à attendre son exécution.

À un moment donné, il parut se résigner. Il se sentait coupable de la mort de Louise Eaton, à laquelle il pensait constamment. Elle hantait ses jours et ses nuits et semblait l'appeler mystérieusement à elle, par-delà la mort, comme un fantôme, ou une fée qui peut agiter, sur la tête et le cœur des morts et des vivants, la toute-puissante baguette magique de l'amour. Oui, et dans une espèce de résignation, la pensée curieuse lui venait que justice serait faite et qu'elle serait parfaite. Sa maîtresse était morte sur un fauteuil: il mourrait sur la chaise électrique!

Mais un mois avant la date fatidique de son exécution, son humeur changea: tout à coup, comme s'il s'était libéré de l'emprise de sa culpabilité, comme si, de l'au-delà, sa maîtresse lui avait pardonné sa faute et le laissait aller, il voulut vivre.

Mais que pouvait bien valoir cette volonté contre la marche inéluctable de la justice?

Pourtant, il voulait vivre.

Pour sa fille Lydia.

Et parce qu'il savait en son for intérieur qu'il n'était pas coupable.

Il n'était pas le seul à le croire.

À la prison d'État où il était enfermé, tout le personnel, qui, comme le reste du pays, avait suivi attentivement le procès, savait qu'il était innocent et assistait avec une tristesse indignée à sa lente agonie de condamné.

Le procès n'avait été qu'une comédie, une parodie de la justice.

Le véritable assassin courait encore, c'était évident, et c'était probablement le mari lui-même qui s'était débarrassé de sa femme pour éviter de payer les cinq millions auxquels elle avait droit en raison de son entente matrimoniale. La chose était étonnante, vu sa fortune. Il valait en effet plus d'un milliard, alors qu'étaient ces malheureux millions pour lui ?

De l'argent de poche.

Mais certains hommes riches, la chose est connue, sont si pingres ! Et puis, dans bien des divorces, la loupe de la haine conjugale rend démesurées, aux yeux du mari, les sommes qu'il doit verser à sa femme, aussi ridicules soient-elles.

Enfin, si la culpabilité d'Eaton était tout sauf établie, l'innocence de David tombait sous le sens.

C'est ce que chacun convenait à la prison où David s'était attiré bien des amitiés et pas seulement celles des détenus, qui lui trouvaient de bien jolies moustaches et la taille parfaite d'un jeune sportif ! Et puis, un professionnel de golf, dans une prison, c'était une denrée plutôt rare, une nouveauté à la vérité, et, comme la nouveauté est en soi un charme, il est facile d'imaginer les succès dont ce nouveau prisonnier aurait pu se targuer s'il avait eu ces penchants et si, au premier chef, il avait été réceptif aux discrètes avances qui lui étaient faites constamment et qu'il ne voyait même pas, tout absorbé par le double chagrin d'avoir perdu sa maîtresse et sa fille. D'ailleurs, comme si l'ange de la douleur veillait patiemment sur lui, aucun prisonnier n'aurait osé toucher à un de ses blonds cheveux.

Elliot Casey, un infirmier de vingt-quatre ans, secrètement homosexuel, était un passionné des affaires criminelles et des évasions célèbres. Il s'était particulièrement intéressé au cas de David, non seulement parce que, fort tôt dans le procès qu'il avait suivi avec une assiduité maniaque, il avait acquis la certitude que le golfeur était innocent, mais aussi parce qu'il était tombé sous son charme. Il faut dire qu'il avait tout de suite vu en lui son double. Il est vrai que David, malgré une différence d'âge, lui ressemblait énormément.

Elliot n'aurait pas pu passer pour son frère jumeau, certes, et il était beaucoup moins musclé que le golfeur professionnel. Mais c'étaient les mêmes cheveux blonds, les mêmes yeux bleus, et une silhouette élancée, une sorte d'élan, de souplesse féline dans la démarche. Dès les premiers jours, comme pour accentuer davantage cette ressemblance qui l'exaltait, Elliot, en une délicatesse toute romantique, s'était empressé de se faire pousser une moustache, une première chez lui.

Quelques jours avant l'exécution, à la cafétéria de la prison, il eut avec David une conversation singulière. Il y avait peut-être une manière de s'en sortir.

Une manière peu connue, originale, inspirée du cas d'Albert Howard Fish. Ce tueur en série du début du XXe siècle avait la curieuse manie, outre celle de manger la chair de ses victimes, de se planter des aiguilles dans le corps, entre autres sous les ongles et dans les parties génitales ! Lorsqu'il fut électrocuté à la fameuse prison de Sing Sing, le 16 janvier 1936, la chaise électrique fit un court-circuit causé par les vingt-neuf aiguilles trouvées dans son corps à l'autopsie ! Il fallut une seconde décharge pour venir à bout d'un des plus bizarres cannibales du XXe siècle[1].

Pourquoi ne pas recourir au même stratagème ?

– Mais je ne suis pas pour me planter des aiguilles dans les couilles ! protesta un David prêt à tout pour s'évader. À tout, sauf à se livrer sur lui-même à pareil supplice de masochiste fini…

Des aiguilles dans les couilles, non mais quand même !

– Mais non, expliqua Elliot, j'ai autre chose en tête.

Et il exposa son plan à un David ahuri et touché. Après tout, il n'était qu'un parfait étranger pour cet infirmier : pourquoi faisait-il tout cela pour lui ? Remarquez, il n'était pas en position de faire la fine bouche. Qu'avait-il à perdre ? Si quelqu'un voulait l'aider, il ne pouvait qu'en remercier le ciel ! Ça lui donnait un petit espoir, aussi mince fût-il.

---

1. Pour plus de détails sur ce cas surprenant et pourtant tout à fait véridique, voir entre autres *Hunting Humans*, *The Encyclopedia of Serial Killers*, vol. 1, par Michael Newton, chez Avon Books, p. 120-122.

– Mais il va falloir que le médecin qui constate mon décès soit complice…, objecta David avec lucidité.

– Je m'occupe de ça, répondit Elliot, visiblement nerveux.

David demeurait sceptique.

– Il va falloir que les aiguilles produisent un court-circuit. Je ne crois pas que les prisons modernes utilisent les mêmes chaises électriques que Sing Sing.

– As-tu une autre solution ?

– Non.

Après ce triomphe logique, Elliot remit discrètement à David une petite bonbonne nécessaire à la première partie du plan.

Un des gardiens qui surveillaient les prisonniers à la cafétéria, parut surprendre le geste et s'approcha, jetant un regard suspicieux en direction des deux hommes.

Mais lorsqu'il vit que c'était Elliot, il eut un sourire en coin. Ce n'était que ça. Il avait deviné depuis longtemps les penchants de l'infirmier et il crut que celui-ci avait tenté une avance à l'endroit de David, bel homme s'il en était.

Il s'éloigna, non sans avoir dodeliné de la tête car ces pratiques, malgré leur popularité à la prison, le dégoûtaient.

Une fois le garde parti, Elliot expliqua avec précision à David ce qu'il devait faire.

Et à la fin, lorsqu'il fut certain que le prisonnier avait bien compris chaque étape de ce plan audacieux, il esquissa un sourire, qui alluma ses très grands yeux bleus.

Puis une tristesse y passa. Il savait bien, et c'est ce qui, au premier chef, lui avait valu ce procès, que David était un homme à femmes… Mais quelque cruelle fatalité ne l'avait-elle pas habitué dès l'adolescence aux amours contrariées au point d'en avoir la déplorable spécialité ?

Elliot eut une longue conversation avec Robert Norman, le médecin de la prison, un homme de cinquante-cinq ans aux cheveux grisonnants, dont le regard dégageait une tristesse pleine de bonté.

Le jeune infirmier lui parla avec fébrilité de la singulière tentative à laquelle il se livrait. Il évoqua l'étrange cas d'Albert Howard Fish.

– Si les aiguilles provoquent un court-circuit et que tu déclares que le condamné est mort, alors, ils ne remettront pas ça.

– Et s'il n'y pas de court-circuit?

– Il mourra de toute manière.

– Logique, Spock, admit le médecin. Mais est-ce que tu comprends ce que tu me demandes?

– Oui.

– Je ne suis pas sûr. Il a été jugé et condamné.

– Mais est-ce que justice a été rendue? Tout le monde sait que c'est Eaton qui a tué sa femme.

– Il y a quand même douze jurés qui l'ont trouvé coupable. Est-ce qu'ils se sont tous trompés?

– David est innocent. Il me l'a juré.

– Les condamnés à mort sont prêts à n'importe quel mensonge pour sauver leur peau. Il n'a rien à perdre. Mais, moi, si je suis complice de son évasion, je peux me retrouver en prison.

– Tu es déjà en prison, de toute manière! Ça ne fera pas une grande différence...

La plaisanterie était douteuse et pourtant — était-ce par nervosité? —, le médecin en rit. Puis il dit:

– Il faut que j'y pense, Elliot...

31

La veille de l'exécution fut une journée particulièrement chargée pour David.

Tôt le matin, il passa chez le barbier de la prison. Il fallait lui raser le crâne de près, pour des raisons d'efficacité.

Lorsque la coupe fut terminée, David demanda s'il pouvait se regarder et le barbier lui tendit une glace.

David grimaça.

– Oh! fit le barbier avec un humour à tout le moins douteux, demain, à 9 h 05, ça ne te dérangera plus beaucoup.

– C'est gentil de me le rappeler, ironisa David.

– Est-ce que je coupe aussi les moustaches?

– Non, je les garde.

Il se serait senti trop nu sans elles. Et puis, il avait vécu presque toute sa vie d'homme avec, alors il mourrait avec.

Il ajouta :

– Est-ce que je peux te demander une faveur?

– Une faveur?

– Oui, est-ce que je peux garder mes cheveux?

– Oui, mais seulement pour vingt-quatre heures, plaisanta le barbier.

– Très drôle.

Vers 10 h 30, comme convenu, il reçut un appel de son avocat. Il le prit avec angoisse, retenant son souffle.

– Et puis?

– Je n'ai pas de bonnes nouvelles, avoua d'entrée de jeu Charles Rubin, c'est non, j'ai même réussi à me rendre jusqu'au niveau du gouverneur de l'État, mais il me refuse son aide, même s'il sait que j'ai des points de droit pour fonder ma demande… Mais j'ai appris entre les branches qu'Eaton avait versé cinq cent mille dollars pour sa campagne de réélection. Il ne mordra pas la main qui le nourrit. C'est un club, David.

– Un club… Oui, je comprends.

Il disait qu'il comprenait, pourtant il aurait plutôt eu envie de hurler sa révolte. Mais à quoi bon, maintenant que le sort en était jeté…

Le sort…

Le mauvais sort, aurait-il fallu dire, car il semblait qu'il le poursuivait implacablement depuis des années…

Les deux hommes, malgré leurs différences, étaient devenus de véritables amis, même si le procès s'était soldé par un échec, comme d'ailleurs toutes les tentatives pour obtenir un appel.

Il y eut un silence embarrassé.

Car que dit-on à un homme qu'on vient de défendre sans succès?

Oui, que lui dit-on lorsqu'on sait que c'est la dernière conversation qu'on aura avec lui, parce que le lendemain il sera électrocuté? Dans son inexpérience d'avocat, le jeune Rubin aurait été bien embêté de le dire.

– Comment te sens-tu? demanda-t-il à David, de façon un peu absurde, mais choisit-on toujours ses mots en pareilles circonstances?

– Mortel! répliqua David.

Rubin éclata de rire et c'était sans doute autant parce qu'il avait trouvé la réplique de David d'une drôlerie surprenante que pour se libérer de sa nervosité.

– Par contre, poursuivit David sur la même veine, je n'ai plus besoin de faire de plans à long terme et ça me libère… Et puis, on ne sait jamais, il y a peut-être des terrains de golf de l'autre côté, et je vais pouvoir rencontrer le grand Bobby Jones.

– Je ne savais pas que tu croyais ces histoires.

– Moi non plus, mais depuis vingt-quatre heures, je trouve qu'elles ont de plus en plus de sens.

À nouveau, rire de Rubin, qui s'étonnait de la capacité de David à plaisanter en de si tragiques circonstances.

Un silence, puis David poursuivit:

– J'ai un petit service à te demander. Lorsque tu auras liquidé tout ce que j'ai et que tu auras réglé tes honoraires, j'aimerais que tu gardes ce qui reste pour acheter chaque année un petit cadeau à ma fille le jour de son anniversaire. C'est facile de s'en souvenir, elle est née un 1er janvier !

– Je... je n'oublierai pas, c'est facile, le premier jour de l'année...

L'émotion était à son comble maintenant, car cette idée, aussi charmante fût-elle, lui était insupportable.

Et Rubin se mit à sangloter.

Oui, il avait craqué, à la fin. Il n'était qu'un jeune avocat frais émoulu de l'université, un jeune avocat dont les années n'avaient pas encore tanné l'épiderme, et comme il avait une grande amitié pour David, il ne pouvait supporter l'idée de ne l'avoir pas défendu avec succès...

Il n'avait pas imaginé, lorsqu'il avait le nez plongé dans ses livres universitaires, avoir plus tard charge d'âmes, et voir un homme condamné à la chaise électrique, peut-être par sa faute.

Car cette pensée le tourmentait que c'était peut-être lui, le responsable : il n'avait pas assez d'expérience et il avait fait des erreurs, qu'un avocat plus chevronné n'aurait pas commises.

Sa culpabilité, son sentiment d'échec le tarabustaient au point même de tout lui faire remettre en question : il ne savait pas s'il pourrait continuer à exercer ce métier, qui réservait de si douloureuses déceptions.

– Mais voyons, Charles, ne pleure pas, c'est la vie...

Et en disant ces mots, David les trouva aussitôt absurdes. C'est la vie !

– Et puis, reprit-il, on ne sait jamais, il faut rester positif, il va peut-être se passer quelque chose à la dernière minute. Tu ne crois pas que s'il y a un dieu, il va empêcher qu'un innocent soit envoyé à la chaise électrique ?

– Non.

– Moi non plus.

Rubin sourit. Après Dieu, il n'y avait plus rien, car il avait tout essayé, il avait épuisé tous les recours.

– Mais tu as raison, on ne sait jamais, ajouta-t-il pour ne pas rester sur une note trop sombre. Comme on dit : *It's not over until it's over.*

– C'est vrai, renchérit David, j'ai déjà fait un coup roulé de cent pieds pour aller en *sudden death*[2].

L'exemple n'était peut-être pas le mieux choisi du monde, car c'est justement ce que David allait connaître le lendemain, une mort subite, mais son avocat comprit, et à nouveau il acquiesça :

– C'est vrai.

Un garde vint alors trouver David pour lui dire que le temps qui lui était alloué était écoulé.

– Je dois te laisser maintenant.

– Oui, bonne chance, enfin je veux dire…

Cela aussi était absurde, de souhaiter bonne chance à un condamné. Parce qu'avait-on besoin de chance pour être électrocuté ? Et pour mourir ? C'est pour vivre qu'on a besoin de chance ! Un bref silence, et Charles eut envie de dire à David qu'il avait été heureux de le connaître, de le défendre aussi, même s'il avait échoué, mais par pudeur il lui dit, à la place :

– Bon courage, David, je vais penser à toi.

– Moi aussi. Si je peux.

Son avocat raccrocha, encore bouleversé.

Puis vers 11 h, ce fut le moment tant attendu que David n'espérait plus : sa petite fille adorée qui allait le visiter, sa petite fille qui lui manquait tant et qu'il ne reverrait jamais plus…

11 h.

Le rendez-vous avait été fixé pour 11 h.

Sa femme avait promis…

Mais à 11 h, personne ne vint lui signifier qu'il avait un visiteur.

Ni à 11 h 15.

Il se décomposait petit à petit, n'avait même plus envie de vivre les dernières vingt-quatre heures qui lui restaient.

Vingt-quatre heures, il ne lui en restait en vérité que vingt-deux…

Ce ne serait pas la première fois que sa femme lui ferait faux bond. Pourtant, contre toute attente, un garde vint bientôt le prévenir que son visiteur était arrivé, et c'est en tremblant qu'il se présenta à la salle prévue pour les rencontres.

---

2. Expression de golf qui signifie « en temps supplémentaire ». Le premier joueur qui gagne le trou gagne le tournoi, l'autre « mourant » subitement.

Elle était là, dans une petite robe rose — qu'il lui avait offerte à l'occasion de son dernier anniversaire — et que, par une attention aussi délicate que surprenante, sa femme lui avait fait porter. À moins que, bien entendu, ce ne fût l'enfant qui en eût pris l'initiative. Sait-on jamais… Ce n'était qu'une enfant de cinq ans, mais elle avait de la maturité… Ses cheveux noirs étaient joliment tressés et son teint laiteux, qu'elle avait hérité de lui et non de sa mère, plutôt foncée, paraissait plus pâle que d'habitude, comme si elle était consciente de la gravité de l'instant.

Il y avait aussi dans ses yeux bleus — legs de son père — une tristesse, plus qu'une tristesse même, une rougeur qui signifiait qu'elle avait sans doute pleuré.

Qu'est-ce que sa mère lui avait dit ?

Il ne le saurait probablement jamais. Mais avait-il vraiment envie de le savoir ? D'autant qu'il n'avait que cinq minutes, cinq petites minutes pour ses visiteurs, et ensuite ce serait tout. Cinq petites minutes pour voir pour la dernière fois la joie, l'amour de sa vie.

Les derniers moments…

Il était incapable de se faire à cette idée horrible…

Les derniers moments avec Lydia, sa raison d'être…

Remarquez, il ne serait plus, alors il n'aurait sans doute plus besoin de… raison d'être !

Lydia, la petite trismégiste, trois fois grande, trois fois belle, trois fois douce, qui s'avançait vers lui, solennelle comme un enfant qui fait sa première communion, serait sa dernière rencontre…

Qui s'avançait vers lui avec un sourire imperceptible, comme si elle avait autant envie de sourire que de pleurer…

David s'était emparé du combiné mis à la disposition des prisonniers pour les conversations téléphoniques avec les visiteurs.

Lydia s'assit bien sagement en prenant soin, comme une petite femme déjà, de placer sa robe qui s'était relevée naturellement.

David lui indiqua le téléphone à côté d'elle et elle prit immédiatement le combiné.

– Comment tu vas, Lydia ?

– Bien, papa…

— Tes cheveux sont courts ? observa-t-elle.

— Oui, c'est que… c'est plus simple, je ne suis plus obligé de me peigner… Et puis, au ciel, il n'y a pas de peigne, alors ça sera plus pratique…

— Il n'y a pas de peigne au ciel ? fit-elle avec étonnement, mais, mon ange gardien, il fait comment pour se peigner ?

— Il se… Papa va le lui demander quand il va arriver au ciel…

— Au ciel, dit-elle avec un étonnement ravi, tu vas voir Jésus ?

— Oui, et je vais lui dire de bien s'occuper de toi… Si tu veux, même, je vais te donner mon adresse et tu pourras m'écrire…

— Mais non, objecta-t-elle en éclatant de rire, comme si son père avait proféré la pire des absurdités, parce que si tu me donnes ton adresse, tu n'en auras plus.

Il sourit de cette charmante logique d'enfant, puis tout de suite après il eut envie à nouveau de pleurer, parce qu'il réalisait une fois de plus, comme à répétition, qu'il se séparerait une fois pour toutes de cette enfant adorable, peut-être la seule bonne chose qu'il avait faite dans sa vie, parce que, le reste, il avait l'impression de l'avoir raté tout à fait…

Sa carrière, ses rêves de devenir professionnel sur le circuit de la PGA, il y a longtemps qu'ils s'étaient envolés en fumée, son mariage qui n'avait pas marché, une autre erreur, un rêve vite effondré, un divorce : mais il restait Lydia.

Oui, malgré ses différends, malgré sa grave incompatibilité avec son ex-femme, était sortie de leur union cette merveille : sa petite princesse Lydia… Il ne la verrait plus, certes, mais ne l'emporterait-il pas avec lui, parce que l'amour est la seule chose qui nous reste, la seule chose qu'on emporte, une fois que tout a été dit, une fois que tout a été fait ? Pour le dernier voyage, dans sa valise de raté, il n'y aurait pas de grands exploits, mais il y aurait Lydia telle qu'en elle-même l'éternité la changeait, Lydia qui riait, Lydia qui dansait, Lydia qui chantait, avec ses tresses noires et ses yeux bleus…

— Tu vas être une bonne fille, hein ?

— Oui.

— Tu me le promets ?

— Oui.

– Tu vas être toujours gentille avec maman ?

– Oui.

Un petit silence, des regards échangés, puis :

– Papa a un cadeau pour toi.

– Un cadeau ?

– Oui.

Il héla le garde qui se tenait non loin de lui.

Il parla un instant avec lui, lui montra le sac de papier brun qu'il avait apporté et qui contenait le cadeau destiné à sa petite fille. Le garde examina brièvement le cadeau, le trouva anodin, referma le sac et l'apporta à la petite Lydia qui, excitée, s'empressa de l'ouvrir. Elle en tira avec émerveillement une jolie petite poupée de chiffon que David avait fabriquée en prévision de cette ultime visite.

Il avait lui-même confectionné la redingote du charmant petit personnage, sur la poitrine duquel il avait cousu un cœur rouge. Sa tête blonde, il l'avait faite avec ses propres cheveux, coupés peu avant par le barbier de la prison.

– Oh ! merci, papa, je l'adore ! s'exclama Lydia dans le combiné. Est-ce que c'est le Petit Prince ?

– Oui…

Il savait qu'elle était folle du Petit Prince, qu'elle lui avait demandé cent fois de lui lire son histoire fabuleuse, ses aventures dans tout l'univers, avec le boa, le banquier, le renard et la rose…

– Est-ce que tu vas aller le rejoindre ?

– Euh… oui…

– Est-ce que tu vas lui dire que je l'aime ?

– Bien sûr…

– Oh ! merci, papa, ce que tu es gentil !

Cette rencontre qu'il avait espérée depuis des jours, maintenant il la trouvait trop difficile, insupportable, pour mieux dire. Alors, il fit :

– Bon, maintenant, il faut que tu partes… avec maman… parce que papa a un rendez-vous…

– Oui, je sais, mais je voulais te demander… papa, pour aller au ciel, est-ce qu'il faut mourir avant ?

– Euh… oui…

– Est-ce que ça fait mal quand on meurt ?

– Je ne…

Il allait dire : « Je ne sais pas », mais ce n'était probablement pas la meilleure réponse à donner à un enfant.

– Non, c'est… juste comme quand on s'endort le soir…

– Seulement, on ne se réveille pas, hein, papa ?

– Oui, on se réveille, mais au ciel…

– Ah !… Mais ça veut quand même dire que je ne te verrai plus…

– Pendant quelques années, mais plus tard quand tu vas être très, très vieille, tu vas venir me rejoindre… Et ensuite, on va être ensemble pour toujours. Il faut juste que tu sois patiente…

– Je vais l'être, papa, je te le promets.

Avait-elle le choix ?

Elle resta songeuse un instant.

C'était compliqué, cette histoire de vieillesse, de mort et de ciel. Elle regarda sa poupée.

Puis tout à coup, comme si elle comprenait ce qui se passait réellement, son visage se décomposa, ses beaux yeux bleus se remplirent de larmes et elle dit :

– Je t'aime, papa.

Alors, ce fut trop pour David…

David, le golfeur raté, le mari raté, qui avait fait l'erreur d'avoir une liaison avec une femme mariée à un homme puissant et riche, David dont la vie aurait été un échec complet sans sa Lydia adorée, ne put retenir ses larmes.

– Moi aussi je t'aime.

Et aussitôt, il pencha la tête pour ne pas que sa fille vît ses larmes, pour qu'elle n'emportât pas avec elle cette ultime image : son père qui sanglotait alors qu'en toute logique — du moins selon ce qu'il lui avait assuré — il aurait dû se réjouir d'aller retrouver le petit Jésus, le Petit Prince, les anges et tous ces êtres mystérieux qui peuplaient les rêves de sa fille…

Pour la vie…

Sa vie qui serait finie dans moins de vingt-quatre heures.

La petite fille appuya alors la paume de sa main blanche sur la vitre et aussitôt David mit sa main contre la sienne et il sentit comme un courant électrique qui le traversait.

– On se fait une dernière danse dans notre tête, mon petit papa d'amour ? suggéra Lydia.

– Oui…

Alors, il ferma les yeux et entendit — il était certain que Lydia les entendait elle aussi — les premières notes et les premiers mots de *Only the Lonely,* leur chanson.

When the world is ready to fall on your little shoulders
And you feel lonely and small
You need somebody there to hold you…

Et il se vit un instant tournoyer avec elle, comme il l'avait fait tant de fois, lorsque sa vie était encore belle, bien plus belle qu'il n'aurait pu le croire, il s'en rendait compte avec le recul.

La mère de la petite surprit les larmes de son enfant et pensa tout de suite que son père l'avait traumatisée par quelque parole inconvenante, alors elle voulut épargner sa sensibilité et se dirigea vers elle. De toute manière, un gardien vint au même moment pour lui signifier que le temps de la visite était écoulé et qu'elle devait récupérer sa fille et partir. Elle s'approcha, évita à dessein de croiser le regard de son ex-mari, comme s'il n'était pas là, comme s'il n'existait pas et que sa fille s'était entretenue avec un miroir. Le visage fermé, le regard dur, elle tendit la main vers son enfant.

– Viens, Lydia, il faut qu'on parte, maintenant.

La petite retira sa main de la paroi vitrée, raccrocha le téléphone, dirigea un dernier regard vers son père, lui sourit puis se détourna.

David aurait souhaité que sa femme lui consentît un ultime regard, lui sourît ou lui fît un petit signe de la main. Parce que s'il avait souffert de son divorce, il avait peut-être souffert encore plus de cette haine qu'elle n'avait cessé de lui témoigner, cette haine implacable, comme s'il était le seul responsable de leur échec conjugal, alors qu'elle et lui faisaient simplement partie de cette multitude de couples mal assortis qui n'auraient jamais dû aller plus loin qu'une brève liaison : leurs différences qui, au début, avaient exalté leur désir, les avaient ensuite éloignés aussi sûrement.

Mais non, rien, pas le moindre regard, pas le moindre sourire, un air fermé. Cette haine lui infligeait un ultime camouflet, il emporterait avec lui cette frustration, cet échec de ne s'être jamais réconcilié avec sa femme, de ne jamais avoir fait la paix avec elle.

Cette haine, si lourde à porter, si lourde à emporter, comme un inévitable excédent dans ses bagages, et le voyage qui risquait d'être si long, éternel, non ?

Cette haine, dans ce visage fermé, dans ce pas pressé, dans ce départ qui lui avait paru précipité, même si elle n'avait pas eu d'autre choix que de partir...

Oui, comme il aurait aimé un petit signe, pas grand-chose en somme, des miettes de tendresse, jetées sur le banquet de sa vie, et qu'il aurait emportées à jamais dans la mort, pour son ultime repas...

Des miettes d'elle, juste des miettes, pas la fin du monde, pas de grands serments, de grandes excuses, de grands regrets, juste des miettes...

Mais non, elle partait.

Pourtant, juste avant de s'engouffrer dans la porte derrière laquelle elle disparaîtrait à tout jamais avec Lydia, elle s'immobilisa comme si elle venait de se rappeler qu'elle avait oublié quelque chose.

Oui, elle s'arrêta, resta un instant sans bouger, puis elle se tourna vers David et son visage sembla transfiguré... Ce n'était plus la femme dure, la femme impitoyable, la femme fermée des dernières années... On aurait dit que c'était la femme des premiers jours, des jours faciles, des jours trop brefs : des jours heureux...

Elle souriait, il n'y avait plus de haine. Plutôt, il y avait de la tristesse, une réconciliation, comme si elle lui disait que la paix, enfin, était faite entre eux. Et elle voulait en cet ultime moment de partage lui manifester sa reconnaissance, parce qu'il était le papa de Lydia...

Elle se pencha d'ailleurs vers elle, posa une main protectrice sur sa tête. Il regarda cette main avec étonnement. Il avait toujours aimé ses mains, les avait toujours trouvées belles, même dans les moments les plus sombres de leur vie commune, alors qu'il ne pouvait se défendre de la trouver laide, même si elle ne l'était pas.

Oui, elle avait posé sa main aux longs doigts de pianiste si déliés dans les premiers ébats, comme pour que David comprît qu'elle prendrait soin de l'enfant pour lui, qu'elle redoublerait de tendresse, parce qu'il ne serait plus là...

Elle voulut même faire un pas en sa direction pour aller prendre le téléphone et lui dire tout ce qu'il lisait dans ses yeux baignés de larmes : que la guerre était finie entre eux, mais le garde la prit gentiment par le bras et l'emmena.

Un long moment, David resta assis sur sa chaise, le combiné inutilement dans la main, à regarder sur la vitre l'empreinte de la petite main de Lydia.

When the world is ready to fall
On your little shoulders...

32

Vers 16 h 30, David reçut dans sa cellule Roger White, un prêtre qui lui proposa la confession et la communion. C'était un homme bedonnant de soixante ans, à la tête couronnée de cheveux gris, à l'œil éteint, tandis que son énorme nez était couperosé par les secrets excès de vin rouge, dans lequel il tentait de noyer l'erreur de sa vocation de jeunesse.

Il devait bien y avoir deux décennies que David ne s'était pas confessé et presque aussi longtemps qu'il n'avait pas communié.

L'événement remontait si loin dans sa mémoire qu'il aurait été incapable d'y apposer une date. Mais pour ce que ça lui faisait…

Il était athée depuis longtemps, depuis toujours sans doute, ou pour mieux dire agnostique, et ce n'était certainement pas sa condamnation injuste qui aurait pu le réconcilier avec la foi.

David était resté assis sur le bord de son lit pour accueillir le prêtre, qui ne portait pas la soutane, mais un costume qui aurait pu le faire passer pour un simple laïc, n'eût été son resplendissant collet romain. Il s'était assis devant lui, sur l'unique chaise de la cellule.

– Qu'est-ce que vous avez à confesser, mon fils?

– Tout, répondit laconiquement David, qui ressentait encore des irritations sur son crâne fraîchement rasé, un crâne qui lui aurait donné sans doute un air monastique s'il n'avait pas décidé de conserver sa moustache.

– Tout? demanda le prêtre en haussant un sourcil broussailleux.

– Oui, vous voyez, mon père, toute ma vie est un échec, et comme on ne peut pas dire qu'elle finisse exactement comme dans un roman… Est-ce que je dois confesser autre chose ?

– Non, c'est…

La franchise pessimiste du prisonnier avait tari l'inspiration du prêtre. Ce dernier échangea un regard avec David, dont les beaux yeux bleus brillaient en ce moment d'un éclat peu commun, comme si l'approche de la mort le rendait plus lucide que tous les autres hommes, encore empêtrés dans les banales illusions de la vie ordinaire.

L'ecclésiastique fut d'abord intimidé. Mais il s'enhardit. Il avait du métier, il ne pouvait ainsi baisser les bras, même devant un « client » aussi difficile.

– Est-ce que vous croyez en la miséricorde de Dieu, mon fils ?

– Vous, mon père, si vous étiez innocent et qu'on vous condamnait à mort, est-ce que vous croiriez en la… comment avez-vous dit ?

– La miséricorde de Dieu, mon fils. Elle est infinie.

– Avec tout le respect que je vous dois, mon père, je pense que, Dieu, il a pris des petites vacances pendant mon procès.

– Je comprends votre révolte, mon fils, et j'admets que parfois il est difficile de conserver la foi.

– La foi… Et ma fille de cinq ans qui va devenir orpheline de son père, est-ce que vous croyez que la foi va la consoler ?

– Je…

Le prêtre ne sut pas quoi répondre et, malgré la gravité de l'instant, malgré sa vieille habitude des beaux discours creux, il préféra faire comme on fait souvent en pareilles circonstances, il changea de sujet et demanda :

– Êtes-vous angoissé devant la mort ?

– J'ai un peu d'expérience dans les *sudden death*, plaisanta David.

– Que voulez-vous dire ?

– Rien.

– De toute manière, mon fils, la communion va apaiser votre âme.

Et pendant que le prêtre préparait l'hostie qu'il retirait d'un petit tabernacle portatif d'argent joliment ouvragé, David détournait la tête, prenait dans sa poche la petite bonbonne que lui avait remise l'infirmier complice, en vaporisait le fond de sa gorge, la glissait subrepticement sous son matelas, puis se tournait vers le curé, tendait docilement la langue.

– *Corpus Christi*, déclara le prêtre solennellement.

L'hostie avait à peine touché la langue de David qu'il la recracha et s'effondra sur le froid plancher de sa cellule.

Aussitôt, il entra dans de violentes convulsions tandis qu'une abondante mousse blanche se formait sur ses lèvres.

Étonné par le formidable effet de la communion sur ce prisonnier révolté contre le ciel, le prêtre s'empressa d'appeler un gardien et expliqua :

– Le prisonnier fait une crise d'épilepsie.

– Il faut l'emmener tout de suite à l'infirmerie, décréta le gardien lorsqu'il vit David se convulser sur le plancher de la cellule, la bouche écumante.

33

David fit une entrée triomphale à l'infirmerie, attaché sur une civière poussée par deux gardes, dont celui que le prêtre avait prévenu. Ce dernier s'était d'ailleurs volatilisé comme s'il préférait ne pas avoir à fournir de détails sur le mystérieux déclenchement de cette étonnante crise d'épilepsie.

Le corps de David était encore agité de convulsions et, pourtant, Elliot Casey l'accueillit avec un calme surprenant, et ce fut d'une voix bien ferme, quasi autoritaire, qu'il congédia les gardes.

– Je m'occupe de tout.

Y eut-il négligence des gardes, ou un petit clin d'œil du destin, une sorte d'épuisement du mauvais sort qui s'était si durement acharné contre David jusque-là? Toujours est-il que les gardes ne protestèrent pas et quittèrent l'infirmerie, ce qui arracha un soupir de soulagement à Elliot. Les deux brutes idiotes avaient obéi comme des marionnettes.

Alors, David se calma et sourit à Elliot.

– On n'a pas beaucoup de temps, expliqua l'infirmier.

Celui-ci ouvrit un des nombreux tiroirs qui tapissaient les murs de l'infirmerie, et prit rapidement une balle de caoutchouc rouge et un sachet de plastique rempli de longues aiguilles à seringue, qu'il mit sur un plateau. Il y plaça également une bouteille d'alcool, de la pommade, un chiffon médical et une petite pince, puis il revint vers la civière.

Il déposa son arsenal sur le bord de la civière, releva la manche gauche de l'uniforme de David, versa de l'alcool sur le chiffon et prépara l'épiderme de son «patient» pour le singulier traitement qu'il lui réservait en le frictionnant. David ressentit

211

une fraîcheur immédiate, tout en se demandant, avec une perplexité croissante, pourquoi diable il avait accepté de se prêter à cette expérience, qui n'aurait peut-être pour tout résultat que d'ajouter une souffrance aux dernières heures de sa vie.

— Ce ne sera pas exactement une partie de plaisir, le prévint l'infirmier comme s'il ne s'en doutait pas déjà.

Et il lui fourra la balle de caoutchouc rouge dans la bouche :

— Mords très fort et pense à autre chose !

David suivit les singulières instructions d'Elliot qui avait au moins cette qualité de sembler savoir ce qu'il faisait. Le jeune infirmier prit une première aiguille, en planta la pointe à l'intérieur du bras, sous le muscle, à quelques pouces du poignet, puis la poussa, jusqu'à ce qu'elle atteignît l'embout, qu'il coupa à l'aide de la petite pince. Il se servit du même instrument pour pousser sous la peau la partie de l'aiguille qui dépassait. Maintenant, il n'y avait plus, comme preuve de la présence de l'aiguille, qu'une gouttelette de sang.

— Ça va ? s'informa l'infirmier.

David grommela tout en hochant la tête. L'infirmier répéta la même opération, plantant une aiguille juste à côté de la première, puis une autre jusqu'à ce qu'il fût rendu à dix. Les yeux de David étaient pleins de larmes, car sa résistance s'épuisait ou bien c'était l'effet analgésique de l'alcool sur sa peau qui se dissipait. L'infirmier éponge le bras, puis il l'examina. C'était réussi, du moins lui semblait-il. Il ne restait plus que dix petits trous rouges. Il y appliqua un peu de pommade. Le lendemain, ce serait pour ainsi dire invisible.

— Ça va toujours ? demanda-t-il.

David cracha la balle, implora :

— Est-ce qu'il en faut encore beaucoup ?

— Si on veut provoquer un court-circuit, plus on en met, mieux c'est…

David se contenta de grimacer. Mais au point où il en était, avait-il vraiment le choix ? L'infirmier lui remit la balle dans la bouche, lui sourit, comme pour lui redonner courage.

Puis, sans perdre de temps, craignant à chaque instant d'être surpris, Elliot s'attaqua à l'autre bras, y exerçant son art singulier. Il insérait la dernière aiguille lorsque, contre toute attente, quelqu'un fit son entrée dans l'infirmerie.

C'était le médecin de la prison.

– Pourquoi donnes-tu une injection à David?

Il l'appelait David, même s'il ne l'avait jamais traité et qu'il y avait peu de temps que David était incarcéré, mais son procès hautement médiatisé l'avait rendu célèbre à la prison.

– Je ne lui donne pas une injection, j'exécute la première partie du plan dont je t'ai parlé.

David demeurait silencieux, même si on discutait de son cas, de son exécution, de sa mort éventuelle. Mais que pouvait-il faire d'autre? Ne dépendait-il pas totalement du bon vouloir de ce médecin qui devrait constater son décès?

Que pouvait-il faire?

Convaincre ce médecin de son innocence, lorsqu'il lui posa la question suivante:

– Est-ce que vous avez tué cette femme?

Il aurait pu s'abandonner aux idées philosophiques qui l'agitaient depuis quelques semaines, laisser sa culpabilité parler et dire qu'en somme il avait tué Louise Eaton, parce qu'il l'avait abandonnée. Mais il voulait vivre maintenant. En tout cas, s'accrocher à la moindre chance d'échapper à son injuste condamnation. Sinon pour lui, du moins pour sa fille. Pour qu'au moins elle eût un père, un père qu'elle ne verrait sans doute guère, parce qu'il serait réputé mort... D'ailleurs, comment les choses se passeraient-elles? Quand on saurait qu'il avait échappé à la chaise électrique, ne chercherait-on pas à l'y faire passer à nouveau? Il ne savait pas et, de toute manière, il traverserait le pont quand il arriverait à la rivière, comme on dit...

Il regarda le médecin droit dans les yeux et répondit:

– Non, je vous le jure, je ne l'ai pas tuée.

Il y eut une hésitation chez cet homme solide. Il avait l'habitude de tâter le pouls de ses malades. Mais il avait aussi celle de tâter les cœurs. Il dit simplement:

– Je vous crois. Je ne vous promets rien, mais je vous crois.

Voilà, c'était fait, si bien que l'infirmier sourit. Il ne lui manquait plus qu'un complice pour que son plan ait une chance de fonctionner. Et ce complice, il venait de le trouver.

– Maintenant, il faut croiser les doigts, conclut Elliot.

– Oui, admit David.

Et il regarda les gouttelettes de sang qui se formaient encore mais fort lentement maintenant, sur l'intérieur de ses bras.

– Même si je constate son décès, vous ferez quoi après? lança le médecin dont le scepticisme était visible.

– J'ai un plan, annonça l'infirmier d'une voix confiante. J'ai un plan.

34

Elle allait d'un pas aérien, sur la plage d'or qu'éclairait le magnifique soleil d'août, ses longs cheveux noirs soulevés par la brise du matin. Elle était un oiseau, un ange, une libellule, Lydia, Lidounette, la lumière de sa vie. Elle avait soulevé les bras, courait et riait avec son maillot rouge et blanc qui moulait son petit corps parfait.

– Viens, papa, viens, cours avec moi ! On va attraper une mouette…

Et David la suivait, non sans un essoufflement, qu'il s'efforçait tant bien que mal de dissimuler dans son orgueil de sportif paresseux. Il fonçait avec elle vers des attroupements de goélands qui cherchaient sur la plage imparfaitement nettoyée quelques restes des goûters de la veille. Invariablement, les volatiles échappaient au charmant duo, ce qui ne décourageait pas la fillette de les traquer à nouveau, seulement un peu plus loin, toujours avec cet optimisme increvable, cet enthousiasme dont le cœur de David était vide depuis longtemps.

Pourquoi cette image lui était-elle revenue, ce pur enchantement, les plus belles vacances de sa vie, à Ogunquit, seul avec sa fille ?

Oui, pourquoi cette image du bonheur ?

Et pourquoi à ce moment précis ?

N'était-ce pas parce qu'à la dernière minute, le stratagème proposé par Elliot Casey lui avait paru absurde, en tout cas irréaliste et peu susceptible d'être couronné de succès ?

Lydia courait sur la plage, mais les rares spectateurs présents au moment de l'exécution ne la voyaient pas dans les yeux hallucinés de David.

Qui était assis sur la chaise électrique depuis quelques secondes.

On avait déjà mis les courroies sur son bras droit…

David chassa la vision de ses vacances idylliques avec sa fille et il vit, à travers la paroi vitrée qui séparait la chambre d'exécution des spectateurs, son avocat Charles Rubin, qui le regardait, catastrophé.

Alors, sans qu'il sût pourquoi, lui vint cette inspiration curieuse : il regarda son avocat et, de sa main libre, il tapota sa main droite, puis il fit un geste de dénégation, agitant son index gauche de manière doctorale.

Le jeune juriste esquissa un sourire étonné. Il venait de comprendre l'ultime conseil silencieux de David.

– Pas de main droite !

Oui, malgré la gravité du moment, David avait encore le sang-froid et l'amicale tendresse de lui donner ce conseil qu'il lui avait répété sur le terrain d'exercice, si du moins il voulait se débarrasser de son *slice* gênant : « Pas de main droite ! »

Le jeune avocat sourit mais une émotion insupportable monta aussitôt en lui. Il sentit qu'il allait fondre en larmes. Mais il se contint, il détourna la tête, puis, n'y tenant plus, craignant de craquer malgré tout, il se leva et quitta la pièce. De toute manière, il ne se sentait plus la force d'assister à l'exécution jusqu'à la fin. Il avait entendu tant d'histoires d'horreur au sujet de la chaise électrique : des flammes qui s'échappaient des yeux des condamnés, une odeur de chair grillée, un grésillement contre lequel la paroi vitrée ne protégeait peut-être pas parfaitement les visiteurs.

Et la chaise électrique avait beau avoir été inventée pour atténuer la barbarie de la pendaison, elle restait tout de même cruelle et inhumaine… C'était encore la loi primitive du talion, œil pour œil, dent pour dent, après des siècles de prétendue civilisation…

David comprenait. Il préférait de toute manière que son avocat quittât les lieux. Il lui était infiniment reconnaissant d'être venu. Aucun parent ou proche, personne du club de golf ne s'était déplacé. Son avocat avait été le seul à le faire, même s'il ne le connaissait que depuis quelques mois, comme si le procès avait créé entre eux des liens plus forts que tout.

David regarda autour de lui.

Il y avait le préposé à la chaise électrique, un homme d'une quarantaine d'années à la mine renfrognée, bourreau moderne, mais bourreau tout de même. Il y avait aussi les deux gardes qui l'avaient emmené de sa cellule vers la chambre d'exécution et qui le transporteraient à la morgue après l'exécution, sur la civière à côté de laquelle ils se tenaient immobiles, non sans une certaine nervosité. Ce n'était pas leur première exécution, mais s'y habitue-t-on jamais? Et puis, tout le monde à la prison savait que David était innocent et qu'il avait perdu son procès parce que son adversaire était riche, et lui, sans le sou.

Elliot Casey était là aussi, nerveux et implorant le ciel pour que son plan fonctionne même s'il n'y croyait qu'à moitié... Ce qu'on lit dans les livres... Le cannibale célèbre avait eu de la chance, et surtout il avait été condamné plusieurs années auparavant, alors que les chaises électriques étaient moins sophistiquées...

Mais sait-on jamais...

En priant le ciel, peut-être que...

Et enfin, il y avait le médecin de la prison, qui se tenait nerveusement en retrait, prêt à constater le décès.

Maintenant, les préparatifs de l'exécution étaient terminés. La main gauche de David était attachée à la chaise, comme l'avait été sa main droite et comme l'avaient été ses jambes juste avant.

David ferma les yeux.

Il se prépara à la mort.

Quelques secondes et ce serait fini...

Au fond, que valait le stratagème de l'infirmier? Les aiguilles plantées dans ses bras, et qui maintenant ne le faisaient plus souffrir, mais qu'il sentait encore, ne provoqueraient peut-être pas le court-circuit salvateur...

Et même si c'était le cas, qui lui disait que le constat du médecin serait accepté?

Il avait fermé les yeux, et l'angoisse qui l'étreignait depuis plusieurs jours disparut tout à coup.

Au moins, si du moins l'au-delà existait, il reverrait Louise... Et il ne serait plus obligé de vivre avec l'insupportable culpabilité de l'avoir «tuée»...

Une paix était montée en lui: le visage de Lydia lui était apparu. Elle le regardait et lui disait simplement:

– Je t'aime, papa.

Il esquissa un sourire intérieur, entendit un déclic, le bouton du courant qu'on activait, puis il ressentit une grande décharge à travers tout le corps, qui fut agité d'un terrible tremblement, et il perdit conscience.

35

Il y eut un son curieux dans la salle d'exécution. Une sorte de grésillement, puis des flammèches qui s'échappaient de la chaise électrique, et tout de suite le bourreau sut que quelque chose n'allait pas.

D'ailleurs son intuition fut confirmée presque aussitôt, puisque l'électricité manqua, et la salle d'exécution fut plongée dans une obscurité qui suscita un émoi gonflé de murmures variés, alternant entre la crainte et la curiosité. Mais un générateur de secours prit tout de suite la relève, et la lumière revint, éclairant des visages stupéfaits et inquisiteurs. Tous se tournèrent vers le condamné.

Le générateur n'étant pas assez puissant pour alimenter la chaise électrique, David ne recevait plus de décharge.

Était-ce nécessaire, du reste?

Le condamné avait incliné la tête et il était parfaitement immobile: la première décharge, même brève, semblait avoir fait son œuvre dévastatrice.

Tout de suite, le médecin de la prison s'avança et se pencha vers le prisonnier qu'il ausculta.

Son examen fut bref, car il se releva à peine quelques secondes plus tard, pour décréter, formel:

– Il est mort.

Dans la salle réservée aux spectateurs, Elliot Casey grimaça de douleur. Le médecin n'était pas assez bon comédien pour avoir menti: la première décharge, malgré son extrême brièveté, avait été fatale. Son stratagème avait échoué. Il s'en était douté d'ailleurs. Mais il avait une consolation: au moins, il avait tenté l'impossible. Une révolte s'exaltait pourtant en lui: un innocent une fois de plus avait été victime d'une justice aveugle, d'ailleurs pas tant aveugle qu'à la solde des riches, qui élisaient les juges et se protégeaient entre eux.

Le jugement pourtant s'était fait devant jury et il était difficile de comprendre ce qui avait pu se passer alors que l'innocence de David était si évidente…

Elliot, dont les yeux étaient allumés d'une rage sourde, regarda une dernière fois David : sa beauté l'avait ému jusqu'à la douleur, et il ne pouvait souffrir ce spectacle, comme s'il craignait de voir son idole mutilée par l'électrocution, moins civilisée qu'on ne le croit.

Il détourna la tête, mit la casquette qu'il portait invariablement, une casquette des Yankees de New York. Il passa ses verres fumés, pour qu'on ne vît pas la rougeur suspecte de ses yeux et qu'on ne se moquât pas de lui, car tout le monde à la prison avait deviné sa passion pour le beau golfeur. Il sortit de la salle. Il avait terminé un peu plus tôt son quart, un quart de nuit comme il en faisait trois fois par semaine et il pourrait quitter la prison quand il voudrait.

Dans la chambre d'exécution, le verdict immédiat du médecin avait tout de même procuré un soulagement. Malgré la panne, le condamné était bien mort. Il n'y aurait pas à remettre ça.

Le bourreau, secrètement satisfait de s'être débarrassé si rapidement de ce qui restait tout de même une corvée même si c'était son travail, détacha David, et les deux gardiens prirent son corps, le placèrent dans le sac de plastique noir qui l'attendait sur la civière.

Ils partirent en direction de la morgue de la prison, une pièce assez vaste où les autopsies étaient pratiquées. Elle comportait cinq tiroirs métalliques dans lesquels les cadavres des condamnés étaient entreposés avant qu'on en disposât, ce qui prenait parfois un peu de temps car il fallait prévenir les familles, pas toujours faciles à retracer et, de toute manière, pas toujours désireuses de se charger de l'inhumation.

Le sac de plastique qui contenait le corps de David disparut bientôt dans un de ces tiroirs.

36

Ainsi, c'était cela, la mort.

Rien que cela.

Chose certaine, c'était bien plus angoissant qu'il ne l'avait imaginé. Et presque aussi angoissant que les moments qui avaient précédé son exécution.

En tout cas, c'était bien différent de ce qu'il avait cru ou vu à la télé dans quelque émission nouvel âge traitant de l'au-delà.

À aucun moment, il ne s'était avancé dans un tunnel de lumière ou n'avait entendu de musique céleste. Et il n'y avait pas eu de comité d'accueil constitué d'anges, d'êtres lumineux ou de parents déjà trépassés, comme sa mère morte depuis tant d'années.

Non, rien de cela.

Et pas non plus les horribles flammes de l'enfer.

C'était rassurant au moins : malgré la vie ratée qu'il avait eue, il n'était pas en enfer.

Mais le lieu où il se retrouvait ne valait guère mieux.

C'était sombre, humide et froid, presque glacial à la vérité. Et... il n'y avait pas beaucoup d'air, non vraiment pas beaucoup ! En fait, David éprouvait une difficulté grandissante à respirer.

Il ouvrit les yeux, et tout à coup cela s'imposa à lui comme une révélation, une évidence : il n'était pas mort !

L'infirmier efféminé avait du génie, son stratagème biscornu avait fonctionné !

Mais peut-être rêvait-il tout simplement qu'il n'était pas mort, parce que la mort s'amuse à nous jouer des tours. Il n'avait qu'un geste à faire pour en avoir la preuve...

Les aiguilles…

Il palpa son avant-bras gauche… Il sentit avec ravissement la forme rigide et allongée des aiguilles dans sa chair. Il vivait !

Mais il était probablement à la morgue, enfermé dans un tiroir.

Comment ferait-il pour s'en sortir ?

Des gouttes de sueur froide — c'est le cas de le dire — perlèrent sur son front car l'oxygène se raréfiait de seconde en seconde. En fait, chaque bouffée d'air qu'il prenait le rapprochait du moment où… il ne pourrait plus respirer !

Combien de temps lui restait-il ?

Une minute ?

Deux au plus ?

Ensuite, ce serait l'asphyxie ou simplement un endormissement fatal.

Ce serait bête, oui, vraiment trop bête de mourir ainsi dans ce sac, dans ce tiroir, après avoir échappé miraculeusement à la chaise électrique ! Ce serait comme un homme qui aurait échappé miraculeusement à un accident d'avion et qui se tuerait à la porte de sa maison en glissant par inadvertance sur une peau de banane !

Il palpa le sac devant lui, remonta fébrilement jusqu'au niveau de sa tête, appuya sur la fermeture éclair, parvint à l'ouvrir.

Il y avait peut-être quelqu'un à la morgue, et il serait alors surpris, capturé immédiatement, mais avait-il vraiment le choix ?

Il fallait qu'il coure ce risque.

Il glissa sa deuxième main hors du sac et, lentement, en poussant la paroi au-dessus de lui, il déplaça le tiroir vers sa liberté.

L'air entrait dans le tiroir, et la lumière aussi. Enfin, il put glisser la tête hors du sac. Il jeta un regard circulaire dans la morgue : elle était déserte. Pour une fois, le destin lui accordait un répit ! Mais il n'avait pas le temps de s'attendrir sur sa bonne fortune : il sauta hors du sac, atterrit sur le plancher avec une souplesse de chat.

Mais maintenant que ferait-il ?

Comment s'échapperait-il de la prison, dans son uniforme de prisonnier et avec ce visage que tout le monde connaissait ?

Elliot avait bien évoqué une deuxième phase au plan, mais sans donner de détails, comme s'il avait peu d'espoir, comme s'il n'en voyait pas vraiment l'utilité parce que cette phase dépendait évidemment du succès de la première, plutôt incertaine.

David pensa rapidement.

Il ne fallait pas qu'on trouve vide le tiroir où on l'avait placé parce qu'alors on saurait qu'il s'était échappé.

Il ouvrit le tiroir voisin du sien : il contenait un sac de plastique qu'il ne prit pas la peine d'ouvrir. Il renfermait de toute évidence un cadavre. Qui heureusement n'était pas trop lourd, et qu'il put aisément placer dans le tiroir dont il venait de sortir, sur le sac vide qui lui avait brièvement servi de linceul.

Il refermait le tiroir lorsqu'il entendit la porte de la morgue s'ouvrir derrière lui. Il crut défaillir. Il était perdu. Dans quelques jours, il repasserait sur la chaise électrique et, cette fois-ci, on ne le raterait pas. Il se retourna, aperçut, à sa surprise, le visage amical et nerveux du médecin qui l'avait déclaré mort. David esquissa un sourire équivoque, pas trop certain de comprendre la présence du docteur Norman à la morgue. Mais tout de suite il fut rassuré.

– On n'a pas beaucoup de temps, déclara le médecin complice.

Il ouvrit un grand sac de cuir dont il tira un uniforme d'infirmier, des chaussures de sport, une perruque blonde, de même que la casquette des Yankees d'Elliot et son badge d'identification.

– Vite, dit-il, enfile ça !

David se déguisa le plus rapidement possible. Le docteur Norman parut impressionné. Avec la moustache, la perruque et la casquette des Yankees, si l'on n'y regardait pas de trop près, David ressemblait vraiment à son sauveur.

– Le badge, précisa le docteur Norman cependant qu'il fourrait le vieil uniforme de David dans son sac.

David l'épingla prestement. Il y avait une petite glace murale dans la morgue. Il y jeta un coup d'œil, ajusta un tantinet la perruque, pour ne pas qu'un simple détail le trahît.

– Vous croyez qu'on a des chances ? demanda-t-il avec inquiétude.

– On verra bien, dit le médecin. Surtout, ne parlez pas, enfin le moins possible. Votre voix et celle d'Elliot ne peuvent être plus dissemblables.

Elliot en effet avait une voix plutôt efféminée, tremblante, haut perchée, surtout lorsqu'il s'emportait, auquel cas elle devenait presque une voix de castrat, tandis que David jouissait d'une voix métallique et grave, qui n'était d'ailleurs pas étrangère à ses succès féminins.

– Elliot est taciturne, et de toute manière tout le monde sait qu'il est bouleversé par votre mort. Ils vont lui foutre la paix. Nous allons tenter de sortir ensemble de la prison.

Il ouvrit la porte, jeta un regard dans le corridor, qui semblait libre.

– Allons, dit-il.

Les trois minutes qu'il fallut pour quitter la prison furent sans doute les plus longues de la vie de David. Si l'on excepte, bien entendu, le moment où il attendait son électrocution sur la chaise électrique.

Le docteur Norman avait vu juste. Tout le monde compatissait avec le chagrin de l'infirmier, et on lui foutait la paix, se contentant de lui souhaiter « bonne journée », « à demain, Elliot », des trucs du genre auxquels David se contentait de répondre par un simple hochement de la tête ou un plissement des lèvres.

Enfin la dernière étape, le dernier poste de garde avant la porte de la prison. Le docteur Norman que tout le monde connaissait et respectait, reçut un simple salut, le « bonjour, doc » habituel, et l'on réserva le même traitement à David. Mais à la dernière seconde alors qu'il n'était qu'à dix pas de la porte électrique, le garde qui était chargé de la désactiver, lança :

– Elliot…

David, qui n'était évidemment pas habitué à se faire appeler ainsi, ne répondit pas tout de suite. Le garde, qui croyait ne pas avoir été entendu, répéta à voix plus haute, mais sans impatience, au courant comme tout le monde du dépit amoureux de l'infirmier :

– Elliot ?

Ce fut le médecin qui signala silencieusement à David, d'un mouvement de la tête accompagné d'un haussement de sourcils, qu'il devait répondre au garde. David eut un sourire embarrassé : il avait eu une distraction.

Il s'immobilisa, se tourna vers le garde, se demandant ce que diable il pouvait lui vouloir. Ne l'avait-il pas reconnu sous son ridicule déguisement ? Son cœur maintenant battait si fort qu'il semblait sur le point de sortir de sa poitrine. Il sentait ses pulsations dans ses tympans, tant sa pression sanguine était élevée.

– Ton lacet ! se contenta de dire le garde.

Dans sa hâte, en effet, David avait noué mollement le lacet de sa chaussure gauche, qui s'était presque aussitôt défait.

Il adressa un sourire au garde, le remercia d'un simple hochement de tête.

En s'agenouillant pour rattacher son lacet, pourtant, il commit une gaffe. Il oublia qu'il portait une perruque. Et une casquette. Toutes deux un petit peu trop grandes pour lui. En les voyant tomber ensemble devant lui, à ses pieds, il resta interloqué. Que faire ?

Témoin de l'incident, le médecin lui jeta un regard consterné. Qu'attendait-il pour récupérer sa perruque et sa casquette ? Que le garde les voie et comprenne ce qui se passait ? Mais heureusement, l'attention de ce dernier fut providentiellement retenue par la sonnerie du téléphone, auquel il répondit. David en profita pour récupérer la perruque et la casquette et les enfiler. Il poussa un soupir, échangea un regard avec le médecin. Il était sauvé.

Il avait négligé de renouer son lacet et se remit en marche en direction de sa délivrance : la porte de sortie.

Lorsqu'il raccrocha, le garde se tourna à nouveau vers le faux Elliot, vit qu'il n'avait pas attaché son lacet ou qu'il l'avait attaché incorrectement si bien qu'il s'était encore défait, mais il ne prit pas la peine d'insister, se contentant de hausser les épaules avec un plissement compatissant des lèvres.

Le docteur poussa la porte devant lui. David, qui croyait rêver, sortit à sa suite.

Trente secondes plus tard, il se retrouvait dans la voiture du médecin, une luxueuse Lexus.

Maintenant, il ne lui restait plus qu'à franchir la guérite de la prison. Mais la vue du docteur apaisait en général toute suspicion, et le garde ne nota pas la présence de David dans la voiture.

David n'en revenait pas. Malgré son invraisemblance, le plan d'Elliot avait réussi !

Il était enfin libre !

Les deux hommes roulèrent quelques secondes en silence. Puis le docteur Norman pénétra dans le stationnement d'un centre commercial et immobilisa son véhicule à côté d'une modeste Honda Civic noire.

– C'est ici que nos routes se séparent.

Il lui tendit une enveloppe blanche qui n'était pas cachetée. David y jeta un coup d'œil. Il y avait de l'argent, des billets de cent, une bonne dizaine, selon l'estimation de David. « C'est ma petite contribution », dit le médecin qui lui remit ensuite un trousseau de clés.

– Ce sont les clés de cette Honda noire, à côté de nous. Elle appartient à Elliot. Si vous êtes pris, vous direz que vous avez volé la voiture, pour ne pas qu'il ait d'ennuis.

Décidément, Elliot et le médecin avaient pensé à tout. Et pourtant, il n'était qu'un étranger pour eux.

– Pourquoi faites-vous ça pour moi, doc ? demanda David.

– Pour des motifs purement égoïstes. Je crois que vous êtes innocent… Est-ce que j'ai tort ?

Et en posant cette question décisive, il regarda David droit dans les yeux.

– Non.

– Et je veux voir si Dieu existe.

– Ah ! dit David, un peu étonné par une réponse aussi métaphysique, et sans pouvoir déterminer avec certitude si le médecin plaisantait ou non.

Il y eut un bref silence embarrassé entre les deux hommes, et le médecin ajouta, ce qui était sans doute la vraie réponse à la question de David :

– J'ai un fils qui est mort il y a quelques années parce que personne n'a voulu lui donner une deuxième chance, moi y compris. Je pense que vous avez droit à une deuxième chance.

– Merci, dit David.

– Bonne chance, se contenta de dire le médecin.

David sortit de la voiture et monta tout de suite dans la Honda, qui démarra du premier coup.

Il pensa à nouveau, avec exaltation: «Je suis libre!» C'était encore irréel pour lui, d'autant que son évasion avait été rocambolesque, c'est le moins que l'on puisse dire.

Oui, il était libre…

Mais pour combien de temps? Combien de temps en effet faudrait-il pour que l'on découvre qu'il s'était échappé?

Une heure? Un jour? Une semaine?

Il ne savait pas.

Mais ce qu'il savait, en revanche, c'est qu'il utiliserait chaque seconde, chaque heure, chaque jour de cette liberté inespérée pour tenter de rétablir la justice et de prouver son innocence.

Alors, il pensa à sa situation exceptionnelle…

Pendant un certain temps, il jouirait d'une liberté dont peu d'hommes vivants pouvaient se vanter: parce que lui, justement, était considéré comme mort…

Mais d'abord, par prudence, modifier son apparence.

Vingt minutes plus tard, il sortait d'un magasin avec tout ce qui lui était nécessaire pour avoir à nouveau l'air d'un citoyen normal. Il se trouva des vêtements, les plus courants possible, pensa aussi à acheter un couteau et une trousse de premiers soins.

Et deux demi-douzaines de canettes de bière.

Il eut vite fait de trouver une chambre dans un motel plutôt minable de la banlieue de New York. C'était déprimant sans doute et, pourtant, il éprouva une sorte d'exaltation, malgré la précarité du décor: un vieux lit, des meubles qui dataient et une sorte d'odeur non pas nauséabonde, mais humide et douteuse: il fallait avoir été un jour emprisonné pour savoir que tout était mieux que la meilleure cellule du monde!

Il ouvrit la télévision avec une certaine appréhension, s'étonna un instant qu'elle fonctionnât puis pensa: en Amérique, dans une chambre de motel, tout pouvait ne pas fonctionner hormis la sacro-sainte télé! Il n'en avait pas eu dans sa cellule et il aurait sans doute été excité de pouvoir la regarder un peu, car il en était un assez vorace consommateur. Mais là, il voulait surtout couvrir le bruit qu'il risquait de faire en se livrant à l'opération qui venait. Mais avant, usant de la télécommande, il passa rapidement d'une chaîne à l'autre pour vérifier si on faisait mention de son évasion. Mais non, rien. C'était rassurant.

Mais maintenant le pensum auquel il ne pouvait se dérober.

Il avait acheté un couteau de chasse, d'une taille assez impressionnante, dont il fit bientôt luire la lame en le retirant de son étui de cuir.

Il haussa le son de la télé, s'assit au bord du lit, couteau en main, et il releva la manche gauche de l'uniforme d'infirmier qu'il portait toujours. Il appuya la pointe du couteau sur l'intérieur de son avant-bras. Celui qui l'aurait surpris dans cette pose, avec cette arme en main et cette expression appréhensive sur le visage, aurait tout naturellement pensé qu'il entendait mettre un terme à ses jours.

Mais il voulait tout simplement se débarrasser des aiguilles que, la veille, Elliot lui avait astucieusement fichées dans les bras.

Il n'en revenait pas encore : le stratagème d'Elliot avait fonctionné ! Il y avait eu, c'était évident, un court-circuit causé par les aiguilles. Grâce à la complicité du docteur Norman, tout le monde avait été dupé ! David serra les dents, pratiqua une première incision. Le sang jaillit tout de suite. Il toucha la pointe de la première aiguille, parvint à dégager suffisamment de chair autour d'elle. Puis, formant une pince de fortune avec la pointe du couteau et l'ongle de son index, il parvint à la retirer, non sans grimacer de douleur.

Soulagé, il laissa tomber l'aiguille sanguinolente dans un verre, souffla un peu, puis s'attaqua résolument à la deuxième, se demandant pourquoi diable Elliot, dans son génie si inventif, avait cru bon de lui en insérer autant dans les bras. Mais peut-être ne serait-il pas là pour se plaindre si Elliot avait agi différemment ? Alors, pouvait-il vraiment se plaindre ?

Il lui fallut dix bonnes minutes pour retirer les aiguilles du bras gauche, le plus facile, car il était droitier. Lorsque vint le tour du bras droit, après une brève pause, la tâche fut plus ardue, les dégâts un peu plus considérables, mais il finit par en venir à bout.

L'opération terminée, il contempla quelques secondes les aiguilles rougies de sang dans le verre. Combien y en avait-il ? Vingt ? Vingt-cinq ? Il préférait ne pas les compter ! Il s'était un peu massacré les bras, mais comment faire autrement, puisqu'il n'était pas médecin ou infirmier et ne disposait pas des instruments appropriés? Enfin, le plus important était qu'il s'était débarrassé de ces foutues aiguilles!

Il se leva, alla à la salle de bains, lava ses bras sous l'eau tiède du lavabo, les essuya, les pansa. Puis il passa sous la douche. Comme pour effacer toutes les angoisses, toute la terreur des derniers jours. Et pour réfléchir aussi à son plan d'attaque.

Que devait-il faire en premier?

Contacter son avocat, Charles Rubin?

Non, c'était trop risqué...

Louise Loria... Oui, elle connaissait sans doute la vérité...

Et elle pourrait l'innocenter en venant témoigner qu'elle avait passé la nuit avec lui au Plaza. Mais comment la retrouver?

Il n'avait pas son numéro de téléphone et elle n'était sans doute pas assez idiote pour remettre les pieds au Plaza. Et puis, Louise Loria, ce n'était probablement pas son vrai nom.

Non, la meilleure manière de la retrouver était d'avoir une petite conversation avec celui qui l'avait mis en contact avec elle: Paul Loria...

Il sortit de la douche, se sécha, tout en se regardant nerveusement dans la glace. Il n'en revenait pas encore tout à fait. Il était encore vivant même s'il était passé sur la chaise électrique. Ce n'était pas banal!

Il se rasa et, par prudence, il se résolut à contrecœur à sacrifier sa moustache. Cela lui fit drôle lorsqu'il vit sa lèvre supérieure nue, ce qui n'avait pas été le cas depuis...

Il ne se souvenait même plus de la dernière fois où il n'avait pas porté de moustache... Il lui semblait qu'il en portait une depuis qu'il avait de la barbe, depuis le sortir de l'adolescence. Mais c'était plus prudent. C'était la bonne chose à faire, parce que la simple disparition de sa moustache le changeait considérablement, faisant pour ainsi dire de lui un autre homme.

Il enfila le chandail de golf — habitude oblige! —, la veste de jean et le pantalon de toile beige qu'il venait tout juste d'acheter, passa les verres fumés et la casquette des Yankees.

Il se regarda dans la glace, il était méconnaissable.

Et par-dessus tout, ce qui le rendait plus difficile à reconnaître que tout homme vivant, c'est précisément qu'on le croyait mort.

Il pensa que cela lui conférait un statut tout particulier. Il pouvait commettre le crime parfait. Supprimer une vie, parce que tout le monde croyait qu'il avait perdu la sienne. Comment en effet accuser un homme déjà mort, qui est déjà passé sur la chaise électrique?

Maintenant, il ne lui restait plus qu'à attendre.

Qu'il fasse noir.

Pour qu'il pût rendre visite à celui qui l'avait si lâchement trahi.

Mais avant de se livrer à ce travail singulier, comme il lui restait plusieurs heures à tuer, il avait une autre tâche, un autre besoin, tout aussi important, lui semblait-il.

Une heure plus tard, il gara sa voiture devant la cour de la maternelle que fréquentait Lydia.

Il savait qu'il ne pouvait pas lui parler, qu'il ne pouvait courir le risque de lui révéler que son papa n'était pas mort, que finalement il n'était pas allé retrouver le Petit Prince ou les anges mais qu'au moins il pourrait la voir. La cour de la maternelle était vide. Il attendit. Sa patience fut bientôt récompensée. En effet, les enfants se mirent à sortir et, parmi eux, celle qu'il avait cru ne pouvoir jamais revoir, la lumière de ses jours, Lydia, qui sautillait vers une des balançoires.

Ah! ce qu'elle était ravissante, avec ses tresses noires enrubannées de rouge, son petit pantalon mauve et son t-shirt rose! Et comme cet instant était doux, surtout après le désespoir sans borne qu'il avait vécu lorsqu'il avait eu la certitude de ne jamais la revoir!

Son plaisir fut de courte durée.

Une voiture de police s'avançait lentement en sa direction comme si elle patrouillait dans le secteur…

Recherchait-on un pédophile?

David aperçut sa propre image dans le rétroviseur, et force lui fut d'admettre qu'avec sa casquette des Yankees et ses lunettes fumées, il n'avait pas l'air très rassurant… D'autant qu'il était garé devant une cour de maternelle, à ne rien faire d'autre qu'attendre… ou guetter sa proie! Non, il n'avait pas tout à fait l'air du parent typique venu chercher son enfant.

De surcroît, il était seulement un peu passé une heure de l'après-midi, ce qui était un peu tôt pour venir récupérer sa progéniture…

Mais peut-être, supposition plus vraisemblable, avait-on déjà découvert sa disparition, et en quel endroit était-il le plus logique de venir le chercher, sinon aux abords de la maternelle de sa fille adorée?

On n'en parlait pas à la télé bien entendu, mais c'était peut-être une simple astuce, une tactique de l'administration de la prison, qui préférait pour le moment garder sous silence son étonnante évasion, de manière à endormir sa méfiance…

Si c'était le cas…

Il ne pouvait courir ce risque, et même s'il aurait aimé rester des heures à contempler les jeux de sa petite fille qui maintenant se balançait avec énergie, il préféra s'éloigner après lui avoir jeté un dernier regard ému.

Reviendrait-il, ce temps heureux où il pourrait la voir, non pas à sa guise, c'eût été trop beau, mais au moins quelques jours par mois? C'était peu, bien sûr, parce que c'était tous les jours qu'il aurait aimé la voir ou au moins, comme certains parents divorcés plus favorisés par le destin (ou la cour!), une semaine sur deux… Mais quelle fête seraient ces quelques jours maintenant qu'il avait échappé miraculeusement à la mort!

Si on le rattrapait avant qu'il n'eût eu le temps de prouver son innocence, tout serait perdu et cette fois-ci, bien entendu, son bourreau ne se laisserait pas abuser, on l'électrocuterait jusqu'à ce qu'il grille comme un vulgaire poulet et qu'il ne reste plus de lui qu'un paquet fumant de chair…

37

Il était 23 h 30 et Paul Loria nettoyait son bar avec une hâte agacée. Normalement, les jours de semaine, le club fermait ses portes à 23 h, mais il y avait de vieux membres qui s'étaient attardés, incapables de s'arracher à une grosse partie de cartes. Ils avaient souvent donné au barman de généreux pourboires même si la chose était strictement interdite en vertu de la charte du club, alors Paul ne pouvait aisément leur signifier que le club était fermé et que... Le gérant, qui était déjà parti, aurait pu le faire, s'il n'avait craint de nuire au renouvellement de son contrat...

Paul Loria était particulièrement las ce jour-là. Bien sûr, il avait comploté contre David, mais la conclusion de sa trahison l'avait accablé d'un remords inattendu. Il ne savait pas que le simple petit service qu'avait exigé de lui Eaton aurait de si terribles conséquences. En vérité, il avait été plongé dans des remords qui l'avaient privé de sommeil, la veille de l'exécution.

Et son cœur, déjà fragile, avait tout de suite accusé le coup, si bien que, toute la journée, il avait été ennuyé par des accès d'arythmie, des palpitations parfois si douloureuses que trois fois il s'était demandé s'il ne valait pas mieux se faire remplacer. Même ses comprimés, de coutume si efficaces, n'avaient pas suffi à supprimer toutes ses douleurs ni à contenir ses crises.

Dans son pragmatisme, il se répéta que cette crise de conscience serait passagère : dans trois jours, une dizaine tout au plus, il n'y penserait plus et les choses reviendraient à la normale. Sinon, bien entendu, il serait plus sage de consulter son cardiologue, obligation qui le déprimait au plus haut point : superstitieux, il avait toujours détesté les médecins, convaincu qu'au lieu de lui procurer le soulagement de ses maux, ils lui apprendraient de mauvaises nouvelles qui ruineraient sa vie. Il avait déjà assez de sa femme, pessimiste s'il en était, qui lui rebattait constamment les oreilles de tous les malheurs du monde, réels ou inventés !

Enfin, les membres mirent fin à leur partie de cartes dans un grand éclat de rire, les perdants se montrant beaux joueurs en ne protestant même pas de leurs pertes, qui s'élevaient tout de même à plus de mille dollars. De l'argent de poche pour ces millionnaires !

Aussitôt qu'ils furent sortis, Paul Loria nettoya prestement leur table. C'était une corvée qui normalement ne lui incombait pas, mais il avait laissé partir la dernière serveuse à 23 h. Il finit de ranger son bar, puis, non sans une certaine lassitude, il quitta le club. Au moment où il franchissait le seuil de la porte, il s'avisa qu'il avait oublié ses comprimés dans un des tiroirs du bar. Il se frappa le front. Il allait rebrousser chemin, mais il pensa qu'il gardait toujours un flacon de secours dans la boîte à gants de sa voiture. Alors, s'il faisait une autre crise, il n'aurait qu'à tendre la main…

Il arriva bientôt au stationnement : le service de valet était fermé depuis longtemps, il devrait donc récupérer lui-même son véhicule. Parmi les employés, il était un des rares, avec le pro (qui avait été remplacé par intérim par son assistant) et le gérant à bénéficier de ce privilège : les autres employés devaient se garer eux-mêmes.

Dans le stationnement, il n'y avait plus que sa voiture, une Intrepid noire. Il y monta, chercha la clé dans le contact. Elle ne s'y trouvait pas, ce qui était curieux, car Jim, le préposé au stationnement, avait coutume de l'y laisser. Son front se plissa. Il abaissa le pare-soleil, où Jim avait peut-être placé les clés. Mais non, rien. Décidément….

– Tu cherches quelque chose ? demanda une voix derrière lui.

Loria crut défaillir. Il y avait quelqu'un assis sur la banquette arrière, un homme qui s'était brusquement redressé et qui agitait sous son nez les clés de sa voiture.

Il n'y avait pas que cette surprise qui le troublait : il lui semblait avoir déjà entendu cette voix, qu'elle lui était familière même. Mais il n'arrivait pas à placer un nom sur elle… Son esprit était trop agité ou, encore, le nom qu'il associait à cette voix, c'était…

Non, c'était impossible, c'était une idée absurde…

Il se retourna et il allait sans doute appeler à l'aide lorsqu'il vit briller dans la pénombre la lame menaçante du long couteau de David. Il crut qu'il avait affaire à un déséquilibré ou à un voleur, venu rôder au prestigieux club de golf dans le but de détrousser un de ses riches membres.

— Si c'est mon argent que vous voulez, prenez-le, proposa-t-il de la voix la plus calme possible, malgré son effarement, et il s'empressa de fouiller dans sa poche, d'en tirer son portefeuille qu'il tendit à David.

Ce dernier émit un grognement plein de mépris et, au lieu de répondre à la question du barman, il jeta les clés sur la banquette arrière, et demanda :

— Pourquoi m'as-tu fait ça ?

On aurait dit que c'était la voix de sa conscience qui lui parlait, que le fantôme de sa culpabilité s'était soudain incarné pour venir le torturer, comme s'il n'avait pas déjà eu sa dose de remords toute la journée avec ses interminables crises d'angoisse. Et à nouveau cette voix, dont la ressemblance avec une voix connue s'affirmait. Son intuition se précisait… mais non, il était impossible que ce fût…

Il y avait la pénombre bien entendu, et cet accoutrement, cette casquette des Yankees, ce crâne qui paraissait chauve et ces lunettes fumées…

— Qu'est-ce que j'ai fait ? demanda Loria de l'air le plus innocent possible.

— Tu le sais…

Torturé, le barman se mit à avoir des élancements dans la poitrine et craignit une autre crise d'arythmie. À coup sûr, c'était un dérangé, un paranoïaque qui le prenait pour un autre et cherchait une bizarre vengeance. Mieux valait agir avec doigté, ne pas contrarier ce demi-fou dangereusement armé, tenter par tous les moyens de l'amadouer…

— Mais je ne vous ai rien fait, je vous le jure.

— Tu ne me reconnais pas, Paul ? demanda David d'une voix calme et non dépourvue d'amertume, comme si toute la tristesse d'avoir été trahi par un ami remontait en lui.

Paul ! Le malade mental avait prononcé son nom. Donc, ils se connaissaient. Pourtant, il ne parvenait pas à le reconnaître.

— C'est moi, ton ami…

Alors, David retira ses lunettes et, malgré la demi-obscurité, Loria put apercevoir ses yeux, ses yeux bleus habituellement fort doux, mais qui ce soir-là brillaient d'un éclat terrible.

– David? s'écria Loria qui croyait devenir fou, et qui voyait l'ancien pro du club se dresser devant lui comme une apparition, un fantôme.

– Mais tu es… tu es mort, David!

– Oui, je suis mort, c'est vrai, et c'est toi qui m'as tué.

Alors, un instant, un bref instant, Loria crut à une hallucination. Car comment expliquer autrement la présence de ce revenant? David ne pouvait tout de même être là sur la banquette arrière de sa voiture, pointant vers lui la lame menaçante d'un poignard! Il avait été électrocuté le matin même, et son corps en ce moment devait reposer à la morgue de la prison.

– Mais, David, tu… je ne comprends pas.

– Dieu a déjoué tes plans!

Cette fois-ci, c'en était trop. La douleur tout à coup dans la poitrine de Loria devint insupportable, son teint, déjà mauvais, pâlit encore, comme si tout le sang, pompé par un cœur de plus en plus affolé et faible, s'était retiré de son visage. Il tendit la main vers la boîte à gants. David le regardait faire, à la fois amusé et plein de mépris.

Il le laissa fouiller la boîte à gants, qu'il retourna à l'envers, de plus en plus désespéré de n'y pas trouver ce qu'il cherchait. Bientôt, son visage se couvrit de sueur et ce n'était pas seulement parce que la nuit était chaude. Il grimaça dans un mélange de surprise et de terreur, comme si tout se défaisait non seulement dans son corps mais autour de lui… Où étaient donc ses foutues pilules? Elles ne pouvaient quand même pas avoir disparu par magie. Et s'il ne les trouvait pas, il risquait de mourir là, stupidement, dans sa voiture… Et cette perspective l'affolait encore davantage, alors que ce dont il aurait eu besoin en ce moment, c'était de calme. Et de ces satanées pilules!

Maintenant — et c'était plus douloureux, plus angoissant que les palpitations! —, une barre lui traversait toute la poitrine, et un écœurant goût de sang, qu'il connaissait trop bien, hélas! emplissait sa bouche. Ce n'était pas la première fois que le phénomène se produisait, et il n'en avait jamais parlé à son médecin de crainte qu'il ne lui apprît qu'il s'agissait… Il préférait ne pas savoir…

Que lui arrivait-il? Était-ce la crise cardiaque fatale qu'il avait toujours appréhendée depuis qu'il en avait fait une première, plusieurs années auparavant?

Maintenant, la boîte à gants était vide, tout son contenu de cartes routières, de papiers d'assurance, de mouchoirs de papier était éparpillé sur la banquette. Loria s'était immobilisé, impuissant, effaré de n'avoir pas trouvé le flacon salvateur.

– Est-ce que c'est ce que tu cherches? lui demanda David qui l'avait laissé s'enfoncer, savourant le début de sa terrible vengeance.

Loria se tourna et arrondit les yeux de stupéfaction en apercevant le flacon que David lui présentait sous le nez. Il tendit une main tremblante. Mais David retira lestement le flacon lorsque le barman fit mine de le prendre.

– David, j'ai besoin de mes comprimés, dit-il d'une voix suppliante, il faut que tu me les donnes tout de suite, sinon tu vas me tuer, est-ce que tu te rends compte?

– Je suis déjà mort, fit ironiquement David, comment pourrais-je te tuer?

Loria grimaça, excédé par cette logique. Il se savait impuissant, à la merci de David. Il aurait pu hurler, appeler à l'aide, mais le club était désert à cette heure, personne ne viendrait l'aider et, de toute manière, David aurait le temps de lui trancher dix fois la gorge avec son poignard. Ce n'était pas un homme violent. Mais c'était un homme dévoré par un désir bien légitime de vengeance et qui bénéficiait, de surcroît, d'une sorte d'immunité, puisqu'il était réputé mort. Ce fait exaltait davantage la rage impuissante de Loria. Une rage d'autant plus frustrante qu'il ne pouvait s'expliquer comment diable David avait pu en arriver là...

– Combien Eaton t'a-t-il payé? demanda David d'une voix dure.

– Il ne m'a rien donné, je te le jure... je... et je ne savais pas que sa femme serait assassinée, je ne sais d'ailleurs pas comment c'est arrivé...

– Tu mens...

– Non, laisse-moi au moins te dire les faits... Un soir, alors que je fermais le bar, Eaton est venu me trouver, je ne l'avais jamais vu comme ça, il était dans un état... Il avait l'air d'un homme vraiment désespéré, il m'a dit: «Ce que je vais te dire, il faut absolument que ça reste entre toi et moi… Ma femme me trompe avec le pro du club.» Je n'en revenais pas, je me suis dit: «David a une aventure avec la femme du président du club? Mais il est complètement fou, il va perdre son emploi…» J'ai demandé à Eaton ce qu'il comptait faire, s'il allait te congédier… Alors, il m'a surpris avec sa réponse, il m'a dit: «Ce ne serait pas juste pour David, je suis sûr que c'est ma femme qui l'a entraîné dans cette histoire… J'ai pensé à autre chose, regarde…» Et alors il m'a montré la photo que je t'ai montrée. J'ai été surpris, au début j'ai pensé que c'était sa femme… Il m'a dit: «Non, c'est une call-girl, je l'ai engagée pour qu'elle séduise David, mais pour qu'il ne sache pas que c'est une pute, dis-lui que c'est ta nièce qui arrive à New York ou un truc du genre…» Il voulait que tu sois vu avec elle, dans un hôtel, il avait engagé un photographe, et il montrerait les photos à sa femme, pour qu'elle voie que tu la trompais et alors elle te quitterait et le scandale serait évité…

— Tu mens, jeta David. Je sais que tu mens. Ça ne tient pas debout, cette histoire.

— Puisque je te dis que c'est ainsi que ça s'est passé!

Et disant ces mots, il porta à nouveau la main à sa poitrine, car la douleur devenait intolérable et il eut un premier vertige comme s'il n'y avait plus suffisamment de sang qui lui montait au cerveau. Il arrondit les yeux, il sentait que la fin était proche, ou qu'en tout cas, il s'évanouirait, et si personne ne lui portait secours, comme la chose était vraisemblable à cette heure, alors…

— David, je t'en supplie, il faut que tu me donnes les pilules, sinon je ne…

— Tu m'as menti et, à cause de cela, j'ai été condamné à mort!

— Je… je ne pensais pas que les conséquences seraient aussi graves, il ne m'avait pas dit qu'il parlerait à sa femme de ton rendez-vous avec Louise Loria, il était juste censé lui montrer les photos, mais il a peut-être voulu qu'elle vous surprenne en flagrant délit… Enfin, je ne sais pas ce qui a pu se passer. Moi, je trouvais même que c'était une bonne idée, parce que ça te sortirait du pétrin, et puis, j'étais obligé de rendre ce service à Eaton…

— Parce que c'est le président du club et qu'il est riche à craquer!

– Parce que c'est le président du club, oui, et que je ne suis qu'un employé, malade du cœur, et loin d'être millionnaire, mais aussi parce qu'Eaton m'avait déjà rendu un grand service, il y a longtemps, et je ne me sentais pas capable de lui en refuser un…

Il fit une pause pendant que le visage de David se décomposait. Ce dernier n'avait jamais pensé en effet que Louise Eaton avait pu se présenter de son propre chef à la chambre du Plaza le soir du meurtre. Et si effectivement, prévenue par son mari ou par un de ses complices, elle s'était précipitée au Plaza et l'avait surpris, lui, dans les bras de la jeune femme qui, insulte suprême, lui ressemblait comme deux gouttes d'eau ? Qui sait si, dans sa colère, elle n'avait pas sauté à la gorge de la call-girl qui, en état de légitime défense, l'avait tuée ? Ou encore, c'était peut-être lui qui l'avait tuée, peut-être par accident, en la poussant pour se défendre, parce que, folle de rage de se voir remplacer si rapidement par une autre femme, plus jeune qu'elle de surcroît, elle avait voulu le tuer…

– Il y a plusieurs années, poursuivit Loria d'une voix essoufflée, en fait à ma deuxième année ici, au club, j'ai… (l'aveu lui coûtait, c'était évident) enfin, j'ai commis une erreur, j'avais bu, et j'ai… j'ai tué une femme, ici, dans le stationnement du club, une serveuse, il faisait noir, j'étais fatigué, et j'ai reculé sur elle, l'accident le plus bête du monde, et si ce n'avait pas été d'Eaton, je me serais retrouvé en tôle pendant des années… Il s'est servi de ses contacts pour étouffer l'affaire…

Il avait dit cela de manière désespérée. Et il regardait David d'un air implorant.

– Je ne crois pas un mot de ce que tu dis. Tout ce que je sais, c'est que tu m'as menti et qu'à cause de ça, j'ai été accusé de meurtre et condamné à la chaise électrique. Et si je ne réussis pas à faire la vérité là-dessus, ma vie est finie… Tu me donnes envie de vomir.

Loria tendit la main en direction de David.

– David, les pilules, il me faut les pilules, maintenant.

– J'ai besoin du numéro de téléphone et du nom de la call-girl. Elle est la seule qui peut me servir de témoin.

– Elle s'appelle Patricia, articula péniblement le barman. Je ne connais pas son nom de famille. Mais j'ai un numéro de téléphone.

Il s'empressa de tirer un petit bout de papier plié en quatre de son portefeuille, le défit, et le tendit à David qui le lui arracha d'un geste impatient.

Sans céder à la demande du barman, David quitta le véhicule, ne prenant même pas la peine de refermer derrière lui la portière arrière, tant il était dégoûté par ce qu'il venait d'apprendre.

Il glissa le couteau dans une des poches de sa veste en jean, le flacon dans l'autre et il marcha d'un pas rapide en direction de sa voiture qu'il avait prudemment garée dans un petit boisé situé non loin de l'entrée du club.

Et pourtant, il s'immobilisa bientôt. Bien sûr, Loria l'avait trahi. Mais il avait ses raisons sans doute. Et si ce qu'il disait était vrai, il avait été manipulé par Eaton, ce qui n'aurait pas été étonnant, car le milliardaire avait la réputation d'utiliser tout le monde autour de lui pour arriver à ses fins.

Eaton était le véritable coupable, au fond, pas le barman. Oui, Eaton avait tout manigancé, apparemment pour rendre sa femme jalouse et provoquer une rupture.

Mais comment les choses avaient-elles pu tourner aussi mal ? Si Eaton n'avait eu pour véritable motif que de pousser sa femme à rompre avec son amant en faisant en sorte qu'elle le surprît au lit avec une autre femme ? Alors…

Alors, ce pourrait être terrible car tout avait pu arriver ce soir-là, y compris que ce fût lui qui avait étouffé sa maîtresse avec un oreiller. Et ensuite, horrifié par son crime, il aurait été frappé d'amnésie, comme cela arrive à tant de criminels qui ne sont pas de véritables criminels, mais seulement des hommes ordinaires poussés, sous l'impulsion de la passion, à faire des gestes extraordinaires…

Alors, pris d'un élan de mauvaise conscience, David rebroussa chemin. Il donnerait ses comprimés au pauvre barman. Il ne méritait pas de mourir après tout, surtout si ce qu'il avait dit était vrai… Il lui avait menti bien sûr, mais sans savoir ce qui attendait vraiment David, alors…

Il retourna rapidement vers l'Intrepid noire. La portière du conducteur était ouverte, et l'auto, vide. Mais Loria, qui avait sans doute tenté d'aller récupérer ses pilules dans son bar, n'était pas allé très loin. De toute évidence terrassé par une crise cardiaque, il s'était effondré dans le stationnement, à dix pas de sa voiture, et, les yeux grands ouverts, il paraissait regarder pour l'éternité le magnifique vert du trou numéro un.

David, un peu imprudemment mais il était dans un état second, jeta le flacon dans les bosquets avoisinants. Tout de suite, il pensa que c'était un geste stupide. Il aurait dû se débarrasser autrement de cette bouteille qui portait ses empreintes digitales. Il y avait peu de chances qu'on la retrouvât dans les bosquets, certes, mais sait-on jamais? Il revenait sur ses pas lorsqu'il entendit au loin le son d'une voiture. Il ne pouvait courir le risque d'être vu au club. Il résolut de quitter immédiatement les lieux: personne ne trouverait le flacon...

38

– Quand allons-nous nous marier, mon chéri ?

Cette question, c'était Sylvia Gere qui l'avait posée, une plantureuse fille de vingt-neuf ans, aux longs cheveux noirs et aux yeux bleus, enveloppée dans un déshabillé rose fort vaporeux. Elle venait de tremper un bout de croissant dans son grand bol de café au lait, car elle prenait son petit-déjeuner au lit avec son amant, Joseph Eaton, très élégant dans son pyjama ivoire.

La question parut agacer suprêmement le milliardaire. Est-ce parce que ce n'était pas la première fois que la jeune femme la lui posait et qu'il était las de l'entendre ? À moins que ce ne fût la voix un peu haut perchée de sa maîtresse à laquelle il ne s'habituait pas ? Sa défunte femme avait des défauts, certes, mais au moins sa voix n'avait pas la faculté de lui taper royalement sur les nerfs et elle lui foutait la paix, la plupart du temps. Évidemment elle avait un amant pour la divertir, mais enfin…

Pourquoi sa maîtresse ne comprenait-elle pas que tout ce dont il avait envie, en ce moment, c'était de siroter son premier café en écoutant les nouvelles en paix, comme il le faisait depuis quelques minutes sur le téléviseur géant qui tapissait un pan de son immense chambre ? Bon, il fallait bien qu'il répondît à cette question, sinon Sylvia, têtue comme une mule, reviendrait à la charge jusqu'à l'épuisement !

– Pourquoi me demandes-tu ça ?

– Tu m'avais promis que dès que tu obtiendrais ton divorce, on se marierait.

– Mais je n'ai pas obtenu de divorce.

– Ça revient au même, ta femme est morte !

– Ça ne revient pas au même. Si nous nous marions tout de suite, ça va éveiller les soupçons de la police.

– Quels soupçons? L'homme qui a tué ta femme est passé sur la chaise électrique.

Ce qu'elle pouvait être agaçante, à la fin, avec sa manie de lui tenir tête! Ne pouvait-elle pas réaliser que c'était la chose au monde qui l'irritait le plus, surtout lorsqu'il s'agissait de lui arracher une promesse de l'épouser alors qu'il venait juste de sortir d'un mariage qui avait failli lui coûter les yeux de la tête et le tourner en ridicule parce que sa femme avait eu l'audace de prendre un amant?

– Oui, je sais, je sais, mais je veux laisser retomber la poussière…

– Mais, mon chou, que tu aies obtenu le divorce ou que ta femme ait été tuée, ça ne change rien au fait que tu es libre maintenant, et tu m'avais promis que dès que tu aurais retrouvé ta liberté…

Il avait envie d'ajouter : « … je serais assez stupide pour la perdre à nouveau! »

Il se reprochait de l'avoir prise pour maîtresse, au fond. Il s'en débarrasserait dès que… Pas tout de suite, ça ne serait pas prudent, parce que même si elle ne possédait pas un doctorat en physique nucléaire, elle avait peut-être découvert des choses…

Non, il aurait dû prendre une maîtresse plus jeune, parce qu'elle, à vingt-neuf ans, elle avait cette obsession qui les frappait toutes à l'approche de la trentaine : les enfants…

– Ma chérie, sois patiente, dit-il, même si tout à coup il avait plutôt envie de l'envoyer promener pour de bon.

– Sois patiente, sois patiente! Ça fait presque deux ans que je suis patiente, protesta-t-elle en jetant son croissant sur le plateau : le mufle lui avait coupé tout à fait l'appétit. Est-ce que tu penses que c'est une vie pour une femme de ne jamais savoir sur quel pied danser?

Il n'eut pas à répondre à cette nouvelle attaque.

– Attends! lui ordonna-t-il en levant la main.

Et il tendait le doigt vers l'écran de télévision.

Un reportage spécial avait commencé.

Une mort suspecte avait été rapportée.

Dans un lieu qu'il connaissait bien : le club de golf Hamptons!

Et le mort aussi, il le connaissait bien : c'était Paul Loria !

Des images le montraient allongé dans le stationnement du prestigieux club.

Le corps avait été découvert par Jim, le préposé au stationnement, qui était toujours un des premiers à arriver.

Interrogé, il avait appris à la police et aux journalistes dépêchés sur les lieux que le barman était depuis longtemps cardiaque et que son décès était sans doute naturel.

Quelques détails paraissaient étranges tout de même, pour une mort naturelle : deux des portières de la voiture avaient été laissées ouvertes. Celle du conducteur, ce qui n'avait rien de mystérieux, mais aussi celle du passager arrière, du côté du volant.

Comme s'il y avait eu un témoin, un autre passager au moment de la mort.

À moins que ce ne fût l'assassin qui avait occupé la banquette arrière sur laquelle, autre fait curieux, on avait retrouvé le trousseau de clés de Loria.

– Merde ! maugréa Eaton.

– Qu'est-ce qu'il y a, mon chéri ? demanda sa maîtresse, qui ne comprenait pas trop ce qui se passait.

– Rien, rien, prétendit-il.

Son instinct, qui l'avait tant de fois servi en affaires, lui disait que ça ne sentait pas bon. Bien entendu, il connaissait les ennuis de santé de Loria et il n'ignorait pas qu'il avait déjà fait une première crise cardiaque quelques années plus tôt, mais quand même…

L'enjeu était trop grave. Il voulait en avoir le cœur net.

Et si…

Et si cet enfoiré de Berger…

Mais non, c'était impossible, il avait été électrocuté !

Alors, qui diable avait pu vouloir le venger ?

Quelqu'un qui connaissait la vérité.

Mais qui ?

Ce n'était pas dans ses habitudes de prendre les choses à la légère, en tout cas pas dans une affaire aussi délicate et aussi dangereuse pour lui.

Aussi, même s'il n'était pas beaucoup passé huit heures, il appela tout de suite l'inspecteur More, au poste de police.

39

Dès qu'il l'eut en ligne, Eaton s'ouvrit à More de son inquiétude.

– Est-ce que vous pensez que c'est un meurtre ?

– Je ne sais pas, monsieur Eaton, il est trop tôt pour le dire. Nous commençons seulement notre enquête.

More était nerveux au bout du fil, il savait à qui il parlait. Joseph Eaton, le milliardaire qui avait des entrées partout, autant dans les milieux judiciaires que politiques. Il ne voulait surtout pas le contrarier, ou exalter, par un commentaire malheureux, l'impatience qu'il sentait dans chaque inflexion de sa voix : il faut dire qu'il n'avait pas la réputation d'être un homme patient, et comme la mort suspecte s'était produite au club Hamptons…

D'ailleurs, d'entrée de jeu, le policier ignorait si Eaton souhaitait qu'il étouffât commodément l'affaire en échange de quelque faveur future ou si au contraire…

Mais Eaton ne tarda pas à éclairer sa lanterne et d'une manière qui laissait peu de place au doute :

– Je veux que vous fassiez toute la lumière sur cette affaire et le plus rapidement possible.

– Oui, monsieur Eaton, je comprends. Mais dites-moi, j'ai déjà posé la question aux premiers employés qui arrivaient : est-ce que Loria avait des ennemis ?

– Tout le monde l'aimait au club. Un parfait gentleman. Enfin, la seule personne qui…

Mais il s'interrompit.

More, dans un vieux réflexe de limier, osa le questionner même s'il faisait peut-être preuve d'indiscrétion. Avec un autre interlocuteur qu'Eaton, ç'aurait été sans importance mais avec un homme de cette influence…

– Vous alliez dire…

– Non, c'est sans importance, je ne…

– Mais dites toujours, on ne sait jamais…

– Son seul ennemi, enfin la seule personne avec qui il ne s'entendait pas vraiment, elle est morte, c'était David Berger.

Bon, ce n'était guère une très bonne piste. Un mort !

– Écoutez, monsieur Eaton, je vous remercie de m'avoir appelé. Dès que j'ai du nouveau, je vous passe un coup de fil.

Du nouveau, il en eut rapidement. En début d'après-midi même. Au technicien qui avait examiné les différentes empreintes prélevées dans la voiture de Paul Loria, More avait dit, en plaisantant, que le seul ennemi qu'on connaissait à la victime était mort, puisqu'il s'agissait de David Berger.

Or, il se trouvait que ce technicien avait travaillé sur le cas de David. Et l'idée lui passa par la tête de prendre au sérieux la plaisanterie de More. Il agrandit les empreintes prélevées sur la boîte à gants de la voiture de Loria, sur une des clés (elle était incomplète mais tout de même) et sur le flacon de pilules retrouvé dans les bosquets avoisinants, et les compara, sur l'écran de son ordinateur, à celles de David.

Mais non, c'était impossible…

Il fit quelques commandes : l'ordinateur confirma un *match*, une coïncidence parfaite : les empreintes fraîchement prélevées correspondaient à celles, déjà emmagasinées, de David Berger !

Comment la chose pouvait être possible, c'était une autre histoire. Restait que l'ordinateur ne pouvait se tromper, pas avec un échantillonnage d'empreintes aussi important et pas avec des empreintes aussi parfaites.

Il communiqua ses surprenants résultats à More.

Qui, ahuri par la révélation, se perdit en différentes conjectures.

Bien sûr, David avait travaillé pendant des mois au Hamptons et il n'était pas impossible qu'il fût monté à quelques reprises dans la voiture de Loria et eût laissé ses empreintes sur la paroi extérieure de la boîte à gants.

Mais était-il vraisemblable que Loria n'eût pas fait laver son auto en…

Combien de mois David avait-il passé en prison ?

Non, un détail clochait…

Et dans un club aussi huppé que le Hamptons, c'était absolument invraisemblable que le barman eût travaillé avec une auto sale…

Et le plus bizarre, le plus inexplicable, c'était que, de l'avis formel du technicien, qui n'avait quand même pas l'habitude de déconner, surtout en des matières aussi sérieuses, les empreintes étaient en fort bon état, pour ne pas dire fraîches…

Et pourtant, ça ne pouvait tenir debout…

Encore sonné, More ne fit ni une ni deux et téléphona illico au directeur de la prison, pour lui poser quelques questions.

– Écoutez, c'est de la science-fiction, le rabroua vivement le directeur de la prison, David Berger a été électrocuté. Si vous avez du temps à perdre, moi je n'en ai pas.

– Les empreintes ne peuvent pas mentir. Il y a quelqu'un qui n'a pas bien fait son travail et je ne crois pas que ce soit mon technicien !

Le directeur de la prison ne daigna même pas lui répondre et lui raccrocha le téléphone au nez.

Mais la question le chiffonna le reste de la journée, à tel point qu'il ne voulut pas rentrer chez lui sans en avoir le cœur tout à fait net et surtout sans pouvoir clore le bec de More, un petit arrogant s'il en était. S'il lui faxait le certificat de décès, il se la fermerait une fois pour toutes.

Il appela sa secrétaire, lui demanda de lui produire le certificat de décès de David Berger. Elle fut incapable de mettre la main dessus, et puis, il était presque cinq heures et elle devait cueillir sa fille à la garderie.

Il pesta. Il le ferait lui-même, le constat de décès, le signerait et l'enverrait à l'imbuvable More.

Il manda le garde qui avait conduit David à la morgue, s'y rendit avec lui, lui demanda de lui montrer son cadavre. Le garde se demanda pourquoi. Mais le patron était le patron et il avait la réputation d'être excentrique et tyrannique. Et aussi de ne pas aimer justifier ses décisions.

Le garde consulta le registre. David, ou plutôt son cadavre, se trouvait dans le tiroir numéro trois. Il l'ouvrit.

Le directeur de la prison regarda le sac. Le garde haussa les sourcils. Cela lui suffisait-il ? Mais non.

– Ouvrez-le ! ordonna le directeur.

Le garde trouva le directeur bizarre, mais puisqu'il insistait…

Il fit descendre la fermeture éclair. Le directeur se pencha sur le sac.

Ce n'était pas David Berger !

– Je ne sais pas ce qui a pu se passer, s'empressa de s'excuser le garde.

– Ouvrez les autres tiroirs !

Le garde s'exécuta, mais en vain.

Et les deux hommes furent sans doute aussi surpris que les disciples qui avaient découvert le tombeau vide de Jésus, trois jours après sa crucifixion !

Quelqu'un avait volé le cadavre de David…

Ou encore — mais c'était absolument invraisemblable — il n'était pas mort et s'était évadé !

Le seul homme qui fut plus sonné que More, lorsqu'il apprit l'étonnante nouvelle, ce fut Eaton.

Blême, il remercia laconiquement l'inspecteur de police pour la troublante information, le pria de le rappeler lorsqu'il retrouverait le corps — si jamais il le retrouvait, dans cette prison bordélique ! — et se hâta de téléphoner au seul homme qui pouvait lui prêter main-forte.

Avant qu'il ne soit trop tard.

Si du moins — et la chose était quasiment impossible — David Berger avait survécu à la chaise électrique et avait pu s'échapper de cette prison de haute sécurité…

40

Tout de suite, au bout du fil, David avait reconnu sa voix. Reconnaîtrait-elle la sienne? La chose était improbable, après tant de mois, et surtout après une seule rencontre passablement arrosée. Au bout de quelques mots, il avait compris qu'elle ne le reconnaissait pas, qu'il n'était pour elle qu'un client comme tant d'autres.

Assuré de son anonymat, en quelque sorte, il lui avait donné rendez-vous, à 21 h, au Road Warrior, le motel minable où il était descendu. À la porte, le chauffeur qui avait amené la jeune femme attendait en fumant un cigarillo.

— Tu as appelé pour une fille? demanda la prostituée.

— Oui, entre, dit David.

Lors de leur première rencontre, au Plaza, ils s'étaient vouvoyés mais, avec un client, il semblait que la familiarité fût de mise.

Avant d'entrer, en quelques secondes capitales pour sa propre survie, la jeune femme évalua la tête de son client. Il avait l'air un peu bizarre, avec sa casquette des Yankees qu'il portait même à l'intérieur — pas complètement idiot, il avait tout de même cru bon de retirer ses verres fumés pour ne pas effaroucher la demoiselle. Bizarre, mais pas vraiment dangereux.

— Je dois faire un appel, dit-elle alors qu'elle s'avançait davantage dans la chambre et que David refermait la porte derrière elle.

La jeune femme tira son cellulaire de son immense sac à main, véritable fourre-tout où elle transportait aussi son petit arsenal constitué surtout de préservatifs de tout acabit.

251

– Ça va, Bob, tu es libre.

C'était à son chauffeur qu'elle venait de passer un coup de fil. Elle avait avec lui une petite convention : si elle ne lui donnait pas son « congé » dans les trois minutes suivant son arrivée chez un nouveau client, il rappliquait en quatrième vitesse. David l'observait avec une haine difficile à contenir : c'était en bonne partie à cause d'elle qu'il s'était retrouvé dans ce foutu pétrin ! Pourtant, force lui était d'admettre qu'il n'était pas complètement insensible à son charme. Il faut dire qu'elle n'était pas tout à fait vêtue comme le jour de leur rencontre, où elle devait passer pour une ex-dentiste en mal de gloire littéraire. Fardée, les lèvres incandescentes, les paupières bleutées, les pommettes rosies, elle portait un t-shirt vert pomme qui laissait voir son nombril, tandis que ses jambes étaient moulées dans des leggings noirs.

Ses cheveux, contrairement au soir de leur première rencontre, elle les avait attachés au-dessus de la tête, un peu à la mode des années où l'existentialisme sévissait en France. De courtes bottes à haut talon la grandissaient et lui conféraient encore plus l'air du métier qu'elle pratiquait, c'est-à-dire celui d'une professionnelle.

Après avoir libéré son chauffeur, Patricia referma son cellulaire et s'avança vers David, la main tendue, très sûre d'elle, comme une représentante de commerce se présentant à un rendez-vous.

– Moi, c'est Patricia…

– Patricia…, dit-il en lui serrant la main avec un sourire et il avait plutôt envie de lui serrer la gorge.

– Oui, et toi ? demanda-t-elle avec un sourire.

– Moi, c'est David, osa-t-il dire.

– David ?

– Tu as déjà connu un David ?

– Non, non, assura-t-elle, mais elle gardait un trouble, semblait-il, comme si ce nom lui rappelait…

Et il y avait cette voix aussi, cette voix qui tout à coup lui disait quelque chose, mais c'était trop flou, et puis, depuis sa rencontre avec David, le soir fatidique, elle avait vu tellement d'autres clients. Alors, elle n'aurait pu dire… C'était comme trouver une aiguille dans une botte de foin, enfin pas tout à fait, car elle ne faisait pas dix clients par jour, plutôt un ou deux tout au plus, mais quand même…

– C'est pour une heure ou deux heures ? demanda-t-elle.

– Je pense que je vais avoir assez d'une heure, grommela-t-il et il y avait quelque chose d'inquiétant dans sa voix ou, en tout cas, dans le léger sourire qui avait fleuri sur ses lèvres.

– C'est cent cinquante dollars. Et il faut payer d'avance. Et je te préviens : pas de sadomasochisme, pas de baisers sur la bouche et tu dois porter un préservatif.

– Et je dois porter un préservatif… Un parapluie, comme on dit.

Patricia éprouva un malaise. «Un parapluie », c'était son expression. Enfin, elle ne détenait évidemment pas une exclusivité, ni un copyright, mais tout de même ce n'était pas tout le monde qui l'utilisait. On aurait dit que ce client la connaissait, qu'il avait déjà eu recours à ses services. Mais elle n'aurait su dire ni quand ni où. Elle esquissa un sourire embarrassé que David lui rendit.

Il se dirigea vers le lit. Sur la table de chevet, il y avait l'enveloppe que le docteur Norman lui avait remise. Il y avait aussi une petite radio, dont il haussa le volume, comme pour créer une ambiance, ou rendre plus discrets leurs ébats. Il prit ce qui lui restait de l'argent, une grosse liasse de billets, et la jeta sur le lit. La jeune femme trouva sa façon de faire un peu curieuse, mais il était peut-être timide ou nerveux, car c'était sa première expérience avec une professionnelle.

Elle s'approcha du lit, sur le bord duquel elle s'assit pour compter les billets. Une ride de perplexité traversa son beau front. Il y avait bien plus que le compte, en fait près de huit cents dollars.

– Pourquoi me donnes-tu tout ça ?

– Tu demandes combien pour dire la vérité ?

– La vérité ? Je ne… je ne suis pas sûre que je comprends…

Une inquiétude naissait en elle, car il y avait quelque chose de menaçant dans la voix de ce client aux manières un peu bizarres. Et elle commençait déjà à regretter d'être restée. Elle avait eu une sorte d'intuition en entrant dans cette chambre, elle aurait dû écouter son petit doigt, qui ne la trompait pour ainsi dire jamais.

David retira sa casquette et la laissa tomber à terre. La vue de son crâne rasé ne fut certes pas pour rassurer la jeune femme.

– Tu ne me reconnais pas ? fit-il, le regard dur, l'air fermé.

– Euh… non…

Elle eut peur de le froisser, parce que c'était peut-être un homme qui avait déjà fait appel à ses services dans le passé, un ancien client en somme. Mais ce n'était pas sa faute. Elle n'avait jamais eu la mémoire des visages et comme, de surcroît, elle pensait en général à autre chose pendant qu'elle prodiguait ses faveurs, par exemple… à l'épicerie qu'elle devrait faire ou au film qu'elle avait vu la veille ! À moins que le client ne fût vraiment mignon et, même là, mieux valait user de sa petite schizophrénie de circonstance, être ailleurs pendant que ça se passait et garder seulement assez de présence d'esprit pour émettre l'ultime gémissement de reddition au moment approprié, pour conforter le client dans ses illusions d'irrésistible Casanova…

Il y avait le ton de David, il y avait cet éclat vindicatif dans ses yeux : elle sentit un danger.

Elle abandonna les billets sur le lit et, d'un geste vif, prit son cellulaire pour rappeler son chauffeur. Mais David fut plus rapide qu'elle, le lui arracha des mains, le jeta sur le plancher et, dans un même mouvement, il tira son poignard de l'arrière de sa ceinture.

– Si tu cries, je te tranche la gorge ! la menaça-t-il.

Malgré l'avertissement, la vue soudaine de l'arme arracha un cri à Patricia.

– Maintenant, tu vas me dire la vérité. Pourquoi m'as-tu piégé comme ça ? Qui te payait ?

– Je… mais qui es-tu ?

– Tu ne m'as pas encore reconnu ? Je suis l'homme que tu as envoyé à la chaise électrique, David Berger.

Elle blêmit. Elle le replaçait maintenant. Elle parut s'affoler.

– Ce n'est pas ce que tu penses, tenta-t-elle de rectifier. Je n'ai jamais pensé que tu irais en prison à cause de cela, ni même que…

Elle allait dire : qu'une femme serait tuée. Mais elle était terrorisée à l'idée de mentionner la chose, parce que l'assassin était peut-être là, devant elle. Et qui a tué une fois… Bien sûr, une erreur judiciaire n'était pas exclue. Mais ne dit-on pas qu'il n'y a pas de fumée sans feu ?

– Je veux les faits ! trancha David sur un ton péremptoire et il n'avait pas l'air d'un homme qui accepterait des atermoiements.

– Les faits, je ne suis pas sûre de les connaître, parce que si j'avais su qu'une femme mourrait ce soir-là...

Elle osait le dire, enfin. Mais avait-elle vraiment le choix ?

– Tout ce que je sais, poursuivit-elle, le regard voilé, c'est qu'avant notre rendez-vous au Plaza, je suis allée rencontrer un client dans un motel. Il m'a dit tout de suite : « Je ne veux pas coucher avec toi. » J'ai dit : « Je ne te plais pas ? » Il a dit : « Non, au contraire, tu es parfaite. Encore mieux que ce qu'ils m'avaient promis à l'agence. Il ne faut pas que tu changes quoi que ce soit. » Alors, il m'a expliqué qu'il avait un petit travail à me proposer, un travail facile et très payant, justement le genre de travail que j'aime comme quatre-vingt-dix-neuf pour cent de la population active, et même l'autre moitié des gens qui ne foutent jamais rien et se laissent vivre... aux crochets des autres. Il m'a donné une photo de toi, avec ton nom, et il m'a dit que je devais te séduire, un soir, à l'hôtel Plaza... Et surtout, c'était très important, que je devais prélever un échantillon de ton sperme...

– D'où le parapluie.

– D'où le parapluie. Qu'une fois plein à craquer, je devais livrer tel quel, sans perdre une seconde ou échapper une goutte, à la suite communicante à la nôtre.

Tout se tenait. David se rappela vaguement car il somnolait déjà que, après l'amour, la jeune femme avait retiré elle-même le préservatif, qu'elle lui avait d'ailleurs enfilé avec une facilité qui aurait dû lui mettre la puce à l'oreille : mais comment aurait-il pu savoir que c'était son métier !

Un autre détail lui revint. Le soir du meurtre, alors qu'il voulait aller à la salle de bains afin de prendre un verre d'eau pour la jeune femme trop grisée de bière, il avait tenté d'ouvrir la mauvaise porte, celle qui menait à la suite voisine, mais sans succès. Or, le matin, en voulant s'échapper, il avait à nouveau tenté de sortir par cette porte et, à son étonnement, la poignée avait tourné : une fois le sperme récupéré et le corps de Louise Eaton transporté dans la chambre 747, l'assassin avait négligé ou oublié de la fermer à clé.

– J'ai fait ce qu'il a dit, poursuivit la jeune femme, qui ne semblait pas très fière d'elle, j'ai frappé à la porte communicante. Le type a ouvert.

– Est-ce qu'il était seul dans la chambre ?

– Non, il y avait un autre homme avec lui. Et une femme.

– Est-ce que tu as vu la femme? Est-ce que c'était Louise Eaton?

– Je ne sais pas, ça s'est passé aussi vite qu'un éclair. Et la femme était couchée.

David serra les dents et un mouvement de rage monta en lui: à n'en pas douter, c'était sa maîtresse qui était allongée dans ce lit et elle était déjà morte!

– J'ai remis le parapluie débordant à l'homme, et il m'a demandé mes vêtements. Je suis retournée à la chambre illico presto. J'ai eu de la chance. Tu dormais pieds et poings liés. Remarque, après ce que je venais de te faire pendant une demi-heure même si ça a eu l'air de durer seulement cinq minutes, parce que c'était vraiment cosmopolite comme expérience... Mais malheureusement pour nous, il n'y a que les choses chiantes qui prennent tout leur temps avant de finir, c'est la vie. Je sais que je devrais pas penser comme ça, je suis trop philosophe, ça nuit à mon moral et à ceux qui écoutent mes conversations à cœur ouvert. Ouais, où en était ma tête? Oui, c'est ça, je viens de retrouver mon fil dans ce foutu labyrinthe. J'ai pris mes vêtements, je les ai donnés à l'homme, excepté bien entendu mes espadrilles Coco Chanel. Ça, pas question de les lui donner! De toute manière, il s'en est pas rendu compte, les hommes, la mode, c'est comme les sentiments, ils font juste semblant de s'intéresser à ça pour nous faire rêver. Ouais, voilà que je me remets à philosopher sans que personne s'en rende compte. Finalement, pour résumer l'histoire, il m'a donné un sac avec d'autres vêtements, il m'a dit de les porter, il m'a donné le fric et c'est tout. Je me suis habillée et j'ai filé à l'italienne.

– Ça ne t'est pas venu à l'esprit de leur demander ce qu'ils voulaient faire avec mon sperme?

– Euh... honnêtement, non je... j'ai pensé que c'était peut-être pour un test de paternité ou un truc du genre... Dans mon métier, tu sais, on n'a pas l'habitude de poser trop de questions, nos clients apprécient plutôt la discrétion, grande qualité très recherchée, même si jamais personne est capable de garder un secret. Et puis, pour trois mille dollars, ce qu'ils voulaient faire avec ton sperme, excuse ma liberté d'expression, mais je m'en branlais! La seule question que je lui ai posée, c'est: «Quand est-ce que je commence?»

– Et tes vêtements? Tu n'as pas trouvé étrange qu'il veuille garder tes vêtements?

– Oui et non. Les hommes sont si bizarres. Il y a un type qui a même volé les souliers de Sharon Stone parce qu'il s'excitait à les respirer ou un truc comme ça. Je ne suis pas Sharon Stone, c'est sûr. Remarque, je serais certainement prête à décroiser mes jambes avec pas de slip sous ma jupe juste pour devenir célèbre comme elle, mais ça, c'est une autre histoire. Et de toute manière, j'ai arrêté de tenter de comprendre ce qui se passait dans le cerveau d'un homme quand j'ai compris que c'était un job à temps plein.

Elle paraissait dire la vérité. Et puis, que ce fût volontaire ou non, elle était drôle, devait admettre David, même s'il n'avait pas particulièrement envie de rire.

– Est-ce qu'il t'a dit son nom?

– Non.

Le contraire aurait été étonnant, mais il devait bien poser la question, sait-on jamais…

– De quoi avait-il l'air?

– Oh! moi, les visages…

– Fais un effort, c'est vraiment important. Est-ce qu'il était plutôt gros, environ soixante ans?

– C'était pas Joseph Eaton, répliqua-t-elle de manière un peu surprenante, faisant preuve d'une perspicacité qui dérouta David.

– Tu le connaissais? s'étonna-t-il.

– Non, mais comme tout le monde, j'ai vu sa photo dans les journaux.

– Alors, il ressemblait à quoi, le type? Tu dois quand même avoir une vague idée.

– Oui, une trentaine d'années, les cheveux noirs, courts, un air pas commode… et aussi…

Elle s'arrêta, parut réfléchir.

– Oui? implora David.

– Une mauvaise peau. Il avait une mauvaise peau, comme quelqu'un qui a eu une crise d'adolescence plutôt majeure, si je peux me permettre le jeu de mots.

– Est-ce que tu serais capable de l'identifier?

– Il faudrait que tu commences par le trouver. Et si tu veux mon avis, il va être plus difficile à trouver qu'un type réglo à New York!

– Peut-être bien, mais quoi qu'il en soit, je veux que tu m'accompagnes chez mon avocat : nous allons nous rendre à la police avec lui, et tu vas témoigner que tu étais effectivement avec moi au Plaza le soir du meurtre, comme je l'ai dit en cour, au procès.

– Moi, aller à la police avec toi ? Es-tu devenu complètement fou ? Je n'ai peut-être pas le quotient intellectuel d'Einstein et je suis peut-être un peu suicidaire sur les bords, parce que certains de mes clients ont fait des trous dans mon ego de la grandeur du Grand Canyon, et parfois, pour te dire toute la vérité, rien que la vérité sur ma personnalité, j'ai envie de sauter dedans, mais aller à la police, il n'en est pas question !

– Il va falloir que tu le fasses quand même. Tu es ma seule chance de redevenir un homme libre.

– Mais tu ES un homme libre ! Tout le monde pense que tu es mort et tu ne l'es pas.

– Ils vont le découvrir un jour ou l'autre.

– Mais tu ne te rends pas compte que je peux pas me rendre à la police. Je suis une call-girl.

– Et alors ?

– Ils sont déjà à pieds joints sur mon cas. J'ai un client qui m'a vraiment traitée comme une traînée. Il m'a manqué du respect élémentaire que tu devrais apprendre à l'école du même nom. Il a essayé de me faire des choses vraiment pas catholiques et surtout des choses qui n'étaient pas dans le contrat — que je n'avais, par ailleurs, jamais signé avec lui avant, parce que je ne suis quand même pas le gouvernement des États-Unis (même s'il nous fait la même chose que mes clients). Je me comprends très bien sur cette question. En tout cas. Ce client savait très bien que ce n'était dans aucune clause, les suppléments dégoûtants qu'il m'a faits sans autorisation et que ça aurait coûté de cinq à six fois plus cher, alors je me suis donné une petite augmentation à même son portefeuille. Malheureusement pour lui, et heureusement pour moi, et vice et versa, il avait mille beaux dollars bien comptés dans son portefeuille.

– Tu les as volés ?

– Je me suis remboursée. De toute manière, c'était juste un gros dégueulasse, moi, un homme qui couche avec une prostituée, je peux pas respecter ça, c'est plus fort que moi. Et mille dollars de plus ou de moins dans son foutu portefeuille, qu'est-ce que ça pouvait bien faire? Il m'a dit qu'il était président de sept compagnies qui font des profits, le rêve pour lui, mais as-tu pensé à ses employés? En tout cas, le gros porc m'a livrée à la police en disant qu'il m'avait levée dans un bar. Évidemment il ne voulait pas dire que j'étais une pute... Alors, tu comprends que je ne peux pas aller chez ton avocat, pour des raisons évidentes, comme ils disent.

— Il va falloir que tu y ailles. C'est toi qui m'as foutu dans ce merdier, c'est toi qui vas m'aider à m'en sortir!

Elle se mit à trembler tout à coup. Mais était-ce pour de vrai ou de la comédie?

— Tu n'aurais pas de la bière, hein?

— Assied-toi là! ordonna David, en indiquant la petite table avec les deux chaises au fond de la chambre.

Elle obtempéra. Avait-elle vraiment le choix? David marcha vers le mini-frigo à l'entrée de la chambre et revint non pas avec une bière, mais avec l'emballage de plastique de six canettes. Il le posa sur la table. De même que son couteau de chasse. Patricia le regarda avec nervosité et prit une bière. Elle tenta de l'ouvrir un peu trop vite et brisa la bague.

— Merde! pesta-t-elle.

Et sans demander à David la permission, elle lui emprunta son couteau pour ouvrir la canette, comme si c'était la chose la plus naturelle du monde. Un seul coup précis et le houblon apparut. Patricia sourit et regarda David, le couteau toujours en main. Il y eut un moment d'hésitation comme si elle s'apprêtait à commettre un acte stupide. Mais finalement, elle posa sagement le couteau et cala la bière aussi vite que durant la fameuse soirée au Plaza.

— J'ai arrêté de boire complètement il y a vingt-quatre heures, en fait (elle regarda sa montre) il y a seulement dix-neuf heures et trente minutes, mais là, réellement c'est un peu trop pour mes nerfs. Je suis habituée à mener une vie plus rangée, métro, boulot, dodo, si tu vois ce que je veux dire...

Métro, boulot, dodo! Et elle exerçait le plus vieux métier du monde!

Elle engloutit coup sur coup deux autres bières, comme s'il s'agissait d'une médecine nécessaire. David buvait aussi, mais plus lentement, et l'observait comme un petit animal curieux. Il savait qu'elle disait la vérité : elle ignorait ce qui allait vraiment se passer au Plaza. Elle n'était qu'une pauvre fille — en fait peut-être pas si pauvre si l'on considérait son tarif horaire ! — qui tentait de gagner sa vie. D'une manière peu orthodoxe sans doute, mais elle avait certainement son histoire. Ses raisons. Comme tout le monde. Peut-être un peu plus que tout le monde.

Elle commençait à être pompette, maintenant.

Elle se calmait aussi.

Elle devait oublier ce qui se passait.

Elle se trouvait dans une chambre de motel avec un client qui n'était pas un client.

Un homme qui ne voulait pas coucher avec elle, même s'ils avaient déjà couché ensemble.

Remarquez, il y avait plein d'hommes qui ne pouvaient coucher deux fois avec la même femme : ils n'aimaient que la première fois, bonne ou pourrie. (Et la plupart du temps, c'était pourri !)

Et ensuite, on se demandait comment il se faisait que tant de femmes détestaient les hommes.

Ou préféraient les femmes !

Oui, c'était une situation à tout le moins curieuse.

Elle se trouvait dans une chambre de motel avec un homme qui était censé être mort, mais qui ne l'était pas et qui lui demandait quelque chose de suprêmement risqué.

Qu'avait-elle à en tirer ?

Rien, si ce n'étaient des ennuis.

Bien sûr, elle était partiellement responsable des ennuis de David. Mais elle avait des ennuis elle aussi et qui lui avait jamais offert de l'aider depuis qu'elle était née ? Personne. La seule chose que les gens avaient essayé de lui faire, c'était de la flouer. Alors, pourquoi jouer du jour au lendemain à la mère Teresa pour ce parfait étranger ? Bon, d'accord, il n'était pas un parfait étranger. Ç'avait été rigolo, en fait, au Plaza. Et puis, il était mignon. Ou plus exactement, elle se souvenait qu'il avait déjà été mignon, parce que maintenant avec son crâne rasé et ses belles moustaches envolées… Évidemment, il avait encore ses yeux bleus, sa voix et ses mains, oh là là…

Mais elle devait rester de marbre.

Et s'en tenir à sa philosophie.

Ne coucher avec les mecs que pour le fric.

Pour le sentiment, pour l'exaltation, elle avait sa carrière.

Pas en tant que call-girl, bien entendu. Mais l'autre, la vraie.

— Si je peux me permettre, demanda alors David, tu as l'air d'une femme pleine de ressources, pourquoi avoir choisi ce métier ?

— À seize ans, c'était un enfer à la maison. Le conjoint de ma mère me répétait que lorsqu'il me regardait, c'est ma mère qu'il voyait. Je trouvais ça mignon, même si je ne lui faisais pas vraiment confiance. Mais lorsqu'il m'a offert de l'argent pour me voir nue, parce qu'il n'avait plus envie de voir maman nue, j'ai su que je devais faire quelque chose pour éviter le drame conjugal, alors, sans dire pourquoi, je me suis tirée à New York. Ça a fait de la peine à maman, mais elle en aurait eu encore plus si je lui avais dit pourquoi je partais. Mais à seize ans à New York, sans famille et sans amis, c'est pas évident, à moins que tu gagnes à la loterie vite fait. Je faisais toutes les auditions que je pouvais, et les types me promettaient toujours de petits rôles, surtout si j'étais gentille avec eux, mais une fois qu'ils refermaient leur braguette, ils ne me trouvaient plus autant de talent. Ça finit non seulement par te laisser un goût amer dans la bouche, si je peux dire sans jeu de mots, mais ça te déprime le système nerveux en deux temps et en cinquième vitesse. C'est pire qu'un cercle vicieux. Puis un jour, une copine que je m'étais faite au cours d'une audition… Faite, je veux dire pas comme un client, mais d'amitié vraie parce qu'elle me remontait toujours le moral quand je l'avais dans l'estomac ou plus bas encore dans les talons, enfin elle était comme moi une actrice qui pouvait encore se promener à New York sans lunettes fumées, eh bien, elle m'a présenté un de ses clients réguliers, parce qu'elle partait en voyage et ne voulait pas se le faire piquer par une vraie pro et ça a commencé comme ça… Au début, ça m'a choquée, puis je me suis dit : « Tant qu'à coucher avec des hommes pour rien, aussi bien coucher avec eux pour de l'argent, ça va faire une moyenne et ça va être ma petite revanche sur les salauds qui se servent de moi. » Je sais, j'aurais pu devenir secrétaire si j'avais su la dactylo, l'orthographe et la ponctualité, mais, moi, me lever à six heures tous les matins et vendre mon temps à un con pour le salaire minimum, j'aime mieux me lever à l'heure que je veux et vendre mon corps pour le salaire maximum. Au moins, ça me donne le temps de suivre des cours de perfectionnement de ma personne et de rêver en couleurs à ma carrière…

— Je vois…, dit David avec un petit sourire, car il ne s'habituait pas encore à sa manière bien à elle de s'exprimer.

— Et puis, faut pas croire que je couche avec n'importe qui, précisa-t-elle avec empressement, comme si elle avait lu un soupçon de reproche dans son regard alors qu'il n'y avait qu'un amusement charmé. Je me respecte, moi. Ça fait partie de ma philosophie positive de la vie. Il y a plusieurs clients qui sont des types bien, des types fort bien, souvent leur seul problème psychologique, c'est qu'ils sont mariés. Et de toute manière, je choisis. Quand ils sont trop dégueulasses, au lieu de leur dire de se rhabiller, je leur dis de se déshabiller en attendant que j'aille chercher des cigarettes au coin, et je joue les filles de l'air, si tu me passes le jeu de mots. Dans la vie, si tu ne te respectes pas, à la fin tu fais n'importe quoi. En tout cas, c'est ce que je me dis.

Il pensa que c'était un peu ce qu'elle faisait, n'importe quoi, mais elle était touchante à la fin avec toutes ses théories. Et ses rêves.

— Ce n'est pas toujours facile, mais quand je suis déprimée, je m'enfile une boîte de pâtisseries, je prends une bonne douche et une grosse bière, puis je me dis que demain est une autre journée et que je vais finir par m'en sortir. Remarque, j'ai calculé qu'il va falloir que ça arrive dans un avenir plutôt rapproché parce que j'ai déjà trente-deux chandelles, comme ils disent sur les gâteaux d'anniversaire, et la télé, pour une femme, c'est presque aussi dur que le métier de pute: après quarante ans, tu ne vaux plus rien, ce qu'ils veulent, c'est de la chair fraîche. Enfin, comme tu peux voir, rien n'est simple.

Tout cela dit à sa manière habituelle, c'est-à-dire comme une véritable logorrhée. Une pause, puis elle poursuivait, le regard voilé de tristesse:

— Des fois, je me dis que si je ne réussis pas, ce n'est pas juste parce que je n'ai pas de chance, c'est parce que je n'ai pas de talent… Mais comment prouver que tu as du talent lorsqu'ils ne t'en donnent pas la chance? Remarque, je n'ai pas jeté la serviette, comme ma mère qui voulait être chanteuse et qui a fini serveuse. Tous les soirs, même si j'ai un client, je me visionne mentalement mes propres cassettes de motivation positive, je fais semblant que je suis à *Oprah*, et je raconte aux gens tout ce que j'ai dû faire pour en arriver à mon heure de gloire. Enfin, pas exactement tout, parce que *Oprah*, ce n'est pas coté dix-huit ans, mais tu vois ce que je veux dire.

Oui, il le voyait. Ce qu'elle était étourdissante! Et puis, non seulement ce qu'elle disait n'était pas orthodoxe, mais elle le disait à une vitesse phénoménale. Comme le premier soir. Où elle l'avait tant charmé. Dommage que ça n'avait été que par jeu, que parce que c'était son travail.

La jeune femme se rendit compte qu'elle avait beaucoup parlé et vite et que, par conséquent, elle avait peut-être dérouté son interlocuteur et qu'elle ne lui avait pas dit ce qu'elle voulait vraiment lui dire.

— Dans le fond, dit-elle, on a quelque chose en commun, tous les deux.

— Hein? fit-il, intrigué.

— Oui, on est tous les deux des professionnels.

— C'est vrai, admit-il en souriant, amusé par l'observation.

David n'avait aucune expérience des call-girls, en fait, lorsqu'il avait couché avec la jeune femme, au Plaza, il ne savait même pas que c'en était une, mais il se dit qu'au fond Patricia était une fille comme une autre. Seulement un peu plus originale. Seulement un peu plus paumée. Qui avait trouvé le moyen de justifier à ses propres yeux ce qu'elle faisait, comme tout le monde sans doute. Et une manière pas très conventionnelle de subventionner ses rêves.

Patricia (était-ce l'alcool ou la fatigue de la journée?) réprima un bâillement.

— Si tu n'as pas d'objection, lança-t-elle, je vais me jeter dans les bras de Morphée et vice versa, maintenant, j'ai un petit coup de barre...

Elle regarda en direction du lit. David se montra élégant.

— Tu peux dormir dans le lit, dit-il, moi, je vais coucher sur le sofa.

Il y avait effectivement un sofa dans la chambre, un vieux sofa dont David ferait son bonheur, lui qui avait été habitué depuis quelques mois à dormir dans une cellule!

La jeune femme marcha d'un pas lent vers le lit, comme si elle était encore hésitante, se débarrassa de ses bottes et se glissa sous les couvertures, encore tout habillée.

– Tu ne vas pas me prendre de force, n'est-ce pas ?

– Pourquoi me demandes-tu ça ?

– Eh bien, tu as été emprisonné depuis…

– Trop longtemps. Et puis, je n'ai pas besoin de te prendre de force, tu es une pro, j'ai payé.

– Je n'ai pas pris l'argent. Alors, tu ne peux pas me prendre. Ce soir, je suis une fille comme une autre. D'accord ?

– D'accord.

Elle le crut. Et pour le lui prouver, elle se dévêtit rapidement sous les couvertures. Elle jeta un à un ses vêtements sur le plancher : le haut sexy, le soutien-gorge noir — elle en portait un ce soir-là — et les leggings. Elle garda son slip. Ou peut-être n'en portait-elle pas, comme le premier soir. David ravala sa salive et eut un sourire embarrassé.

– Bonne nuit, murmura-t-elle.

– Bonne nuit.

Et elle ferma les yeux.

David s'allongea sur le sofa et garda un œil sur la jeune femme.

Il la trouvait charmante, touchante même et, en tout cas, originale. Mais pouvait-il lui faire confiance ? Il regarda le couteau laissé sur la table. N'était-ce pas négligent de ne pas le ranger en lieu sûr ? Non, elle n'utiliserait jamais cette arme contre lui. Et quant à jouer les filles de l'air, non, il lui faisait confiance. Et puis, déjà elle dormait à poings fermés, comme en témoignait le ronflement sonore qui provenait de son mignon petit nez. Il ferma les yeux.

41

Sinclair ne pensait pas avoir à remettre un jour les pieds à l'agence d'accompagnement Biarritz, même si, à la vérité, certaines tentations étaient parfois venues hanter ses nuits solitaires, car il avait été plutôt impressionné par le catalogue de beautés vénales que lui avait présenté le propriétaire de l'agence.

Mais, bon, le coup de fil catastrophé de Joseph Eaton ne lui avait guère laissé le choix.

Il s'agissait d'une urgence.

Il fallait questionner et, le cas échéant, éliminer tous les témoins gênants.

Sollers avait été écarté, par sa faute bien entendu...

Loria était mort...

Mais il restait la fille, qui ne savait pas tout, bien entendu, mais qui en savait assez pour que la police pût éventuellement remonter la filière et qui avait peut-être décidé de les faire chanter. N'avait-elle pas tenté de faire chanter Loria personnellement ou par personne interposée et le pauvre en était mort de peur?

Il ne fallait pas prendre de risque. Il ne fallait jamais prendre de risque lorsqu'on avait des millions durement acquis et qu'on risquait de tout perdre juste en raison d'une petite erreur ou d'un stupide manque de précaution élémentaire. Eaton n'avait pas dit tout cela à son homme de main. Mais ce dernier était assez intelligent pour deviner ce que son patron lui avait tu.

L'agence Biarritz n'avait de prestigieux que le nom, car elle occupait des bureaux pour le moins minables, dans un minuscule local ayant pignon sur rue sur la 42e Avenue à New York, juste à côté de Times Square. Elle vendait officiellement des forfaits-voyages et les murs étaient tapissés de plages exotiques et de filles affriolantes en bikini. Cette pseudo agence de voyages avait des heures d'ouverture bien plus longues qu'une véritable agence, puisqu'elle était carrément ouverte vingt-quatre heures par jour, trois cent soixante-cinq jours par année.

Aussi William Jones ne parut-il pas trop surpris lorsqu'il vit entrer Sinclair à une heure aussi matinale que 8 h. Ce qui ne voulait pas dire qu'il était ravi de sa présence. Assis au comptoir où il recevait les clients, il lisait son *New York Post* en sirotant son premier café dans un gobelet de styromousse, bénéficiant d'une accalmie téléphonique fort appréciée, car les jours de semaine, le matin, c'était plutôt calme, même s'il y avait parfois les *early birds*, ces hommes qui se levaient avec des envies irrépressibles de sexe. Il y avait aussi, bien entendu, les travailleurs de nuit pour qui le matin était le soir…

Jones, qui se vantait de ne jamais embaucher des filles qui auraient pu faire la rue, mais seulement des filles de classe, était un homme de quarante-cinq ans, mais sans rides pour ainsi dire, car il était extrêmement gras et la peau de son visage était tendue et luisante (il avait presque toujours chaud, même avec l'air conditionné!). Il portait des lunettes, derrière lesquelles ses yeux fort petits brillaient d'un éclat singulier. Était-ce de voir défiler tous les jours des filles sculpturales dans l'arrière-boutique où il évaluait, mais sans jamais les toucher, leurs qualités?

Il ne put réprimer une grimace lorsqu'il vit entrer Sinclair. Il n'avait pas l'air commode. En fait, il avait une tête de flic. Ou de tueur.

Lorsque Sinclair arriva au comptoir, Jones eut l'impression de le connaître. Oui, il l'avait déjà eu comme client, lui semblait-il. Quand? Il n'aurait su le dire, il en voyait tellement défiler, mais…

– Bonjour! Qu'est-ce que je peux faire pour vous aider?

– Je veux voir Patricia.

– Laquelle? La blonde ou la rousse?

– Celle-là!

Et ne courant pas de risque, il posa la photo de Patricia sur le comptoir, cette même photo que lui avait fournie Jones plusieurs mois auparavant, et dont il avait fait faire des copies…

– Oui, je vois, c'est la blonde. Et c'est pour quand?

– Je veux la voir tout de suite.

– Un instant, je vais vérifier. Si je me souviens bien, elle voyait quelqu'un hier soir. Attendez un instant…

Il vérifia sur son ordinateur.

– Oui, elle voyait quelqu'un hier soir, je pense que c'était pour la nuit, mais elle sera sûrement libre un peu plus tard dans la journée. Est-ce que vous tenez absolument à ce que ce soit elle ? Nous avons des tas d'autres jolies filles, vous savez ! Et si j'ai bonne mémoire, Patricia n'est pas une fille très zélée le matin.

– Non, il faut que ce soit elle !

– Je comprends ça, dit Jones avec un air embarrassé.

Il était évident que cette urgence érotique ne pouvait être guérie que par cette fille : mais bon, les goûts (et les fantasmes) des clients ne se discutaient pas, puisque c'étaient eux qui le faisaient vivre, et assez bien !

– J'aimerais bien vous dire que je vais la joindre sur son cellulaire, mais en général elle ne prend pas ses appels avant midi.

– Alors, donnez-moi son adresse, je vais aller la réveiller, moi.

– Je ne l'ai pas.

– Comment ? Vous ne l'avez pas !

– Écoutez, ce n'est pas un bureau de placement du gouvernement, ici ! Nous avons seulement le cellulaire des filles, leurs mensurations et leurs spécialités, le reste, on s'en fout.

– Hier soir, où était-elle ?

– Avec un client, je vous l'ai déjà dit. Je ne sais pas si elle a passé la nuit complète avec lui, mais, de toute manière, je ne peux pas vous donner le lieu de leur rendez-vous, c'est confidentiel.

Sinclair n'avait pas le temps de discuter. Il tira son revolver de sa poche, un revolver neuf, muni d'un silencieux, car il avait dû à regret laisser l'autre à côté du cadavre de Sollers, le pointa en direction du tenancier de l'agence.

– Bon, on recommence. Où a-t-elle passé la nuit ?

– D'accord, d'accord, on reste calme, bafouilla Jones en tentant d'apaiser Sinclair d'un geste de la main, car il se rendait compte qu'il avait affaire à un cinglé de la pire espèce. Je vous demande juste de me promettre que vous ne lui direz pas qui vous a donné le renseignement.

– Promis, dit Sinclair avec un sourire en coin. Ça vous rassure ?

Le propriétaire de l'agence, qui, maintenant, suait encore plus que d'habitude, appuya sur quelques touches de son clavier, entra dans le dossier de Patricia et nota sur un bout de papier l'adresse et le nom du motel où elle avait rendez-vous la veille. Il le tendit à Sinclair qui le lui arracha littéralement des mains, égal à lui-même. Ce geste lui aurait peut-être sauvé la vie, s'il avait eu la sagesse de se taire. Mais la mémoire lui revint tout à coup, funeste s'il en était. Oui, il replaçait ce type qui braquait son pistolet sur lui. Et comme il était trop bavard, il ajouta étourdiment :

– Hé, je sais qui vous êtes, c'est vous qui cherchiez une fille qui ressemblait à la femme qui a été tuée !

Sinclair s'était en effet présenté à lui avec une photo de Louise Eaton et une requête bien particulière. Il avait prétendu être inconsolable de la mort de sa femme et chercher une fille qui lui ressemblait. Jones avait eu la main plutôt heureuse en lui dénichant Patricia. Quelque temps plus tard, le tenancier de l'agence avait déchanté lorsqu'il avait vu la photo de Louise Eaton dans les journaux, assassinée, et il s'était tout naturellement dit que ce ne devait pas être tout à fait net, cette pseudo histoire sentimentale, et que peut-être...

Sans le savoir, Jones venait de signer son arrêt de mort. Si Sinclair avait un temps conservé des doutes à son sujet, maintenant il savait qu'il était trop dangereux. Il se rappelait trop de choses. Sinclair ne crut pas avoir d'autre choix que de lui loger une balle entre les deux yeux.

Jones s'effondra sur le comptoir.

« Une autre bonne chose de faite ! pensa Sinclair. Un témoin vivant de moins, qui aurait pu tenter de monnayer ses connaissances ou de compromettre Eaton !... »

Il poussa l'ordinateur qui se fracassa sur le plancher.

Il regarda le numéro de cellulaire de Patricia avec un demi-sourire : il s'en servirait pour se faire passer pour un client et lui fixer un rendez-vous mortel. Ou encore pour retrouver son adresse. C'était un jeu d'enfant pour lui, à partir du moment où il connaissait son numéro de cellulaire. Une fois qu'il aurait éliminé la petite chienne, Eaton pourrait dormir sur ses deux oreilles : les deux seules personnes au courant de ce qui s'était vraiment passé — en qui il pouvait avoir une totale confiance —, ce seraient lui-même et son homme de main...

Et puis, bien entendu — il ne fallait pas l'oublier, celui-là —, il y avait David Berger lui-même, si du moins, aussi invraisemblable que la chose pût être, il était encore vivant...

42

Une demi-heure plus tard, Sinclair se présentait à la réception du motel Road Warrior et posait sur le comptoir une photo de Patricia.

– Est-ce que vous avez vu cette femme ici, hier soir?

Avant de répondre, comme il n'était pas tenu de le faire, le propriétaire de l'établissement, Jay Edward, un sexagénaire chétif avec des cheveux tout gris séparés sur le côté gauche par une raie parfaite, crut bon de demander, non sans une certaine timidité, car Sinclair avait quelque chose d'imposant, pour ne pas dire de menaçant :

– Vous êtes de la...

– De la police, oui, trancha Sinclair. Est-ce que vous voulez que je vous montre mon pistolet?

Il avait dit «pistolet» au lieu du conventionnel «insigne», mais Edward ne protesta pas.

– D'accord...

Mais encore fallait-il qu'il mît ses lunettes, de grosses lunettes que supportait un nez fort large.

Il considéra la photo, haussa des sourcils broussailleux que venait séparer une ride profonde, juste au milieu du front.

– Euh... non.

– Vous ne l'avez pas vue dans les parages?

– Non.

Moue de déception de Sinclair. Évidemment, ç'aurait été trop facile! Mais il ne devait pas baisser les bras. Il y avait peut-être quelque chose à tirer de cet homme...

– Elle n'est pas venue rencontrer un client, hier soir?

– Écoutez, ce que les clients font une fois qu'ils ont loué la chambre…

Le motel était minuscule et ne comptait que huit unités. Mais une fois qu'ils étaient enregistrés, les clients pouvaient accéder à leur chambre directement, depuis le stationnement, sans devoir passer par la réception. Si bien que le propriétaire ne pouvait avoir une idée très précise de leurs allées et venues… Pour autant qu'ils payaient, qu'ils n'étaient pas trop bruyants et laissaient la chambre en bon état!

– Mais est-ce que vous avez eu des hommes seuls comme clients, hier?

Drôle de question! Comme s'il y avait des familles qui avaient envie de descendre dans son petit motel de troisième ordre ou des couples en voyages de noces! Mais Edward devait admettre qu'il avait souvent des couples de passage. Il en avait eu deux, la veille, en fait, et un camionneur, plutôt corpulent qui aurait pu recevoir la visite de la femme de la photo.

Parce que, comme il n'était pas né de la dernière pluie, cette femme, il avait deviné ce qu'elle faisait pour gagner sa vie, c'était une pro, non? Edward n'avait pas posé la question mais la chose paraissait évidente, à la manière dont elle était fardée et aux vêtements suggestifs qu'elle portait sur la photo…

Et puis, il y avait eu ce client un peu bizarre, enfin, bizarre, le mot était un peu fort. Disons peu loquace, pressé, et comme suspicieux, qui semblait se cacher derrière sa casquette des Yankees et ses lunettes fumées… Oui, suspicieux, comme s'il craignait quelque chose… C'était peut-être lui qui avait fait venir une call-girl et comme il n'avait pas l'habitude, et qu'il était peut-être marié, eh bien, ça le rendait nerveux, sur ses gardes, comme s'il craignait que sa femme ne débarquât d'un moment à l'autre!

Le sexagénaire consulta son registre:

– Euh… attendez, dit-il.

Brûlant d'une impatience grandissante, Sinclair lui arracha le registre des mains, le consulta. Il eut un choc. Il aperçut un nom étrange: David Eaton!

David Eaton!

Ce ne pouvait être un hasard! C'était lui, Sinclair en était sûr! Et par-dessus le marché, il se payait la tête de son patron ou il versait dans un sentimentalisme de mauvais aloi en utilisant son nom, ou celui de sa femme. David Eaton…

Le bâtard était encore en vie et, pire encore, en liberté ! Et donc dangereux !

L'ahurissement de Sinclair était sans borne. Il s'était rendu à ce motel pour retrouver la fille et voilà qu'en prime il retrouvait la trace du mec ! Petit clin d'œil de la chance qu'il n'allait certes pas bouder !

Il n'en revenait pas…

Si c'était vrai que ce David Eaton était en fait David Berger…

Mais bien entendu que c'était vrai !

Si ce n'était qu'une simple coïncidence, le nom de ce David Eaton sur le registre ne pouvait être un autre hasard…

Parce que tout se tenait, au fond.

Il y avait une logique dans ces hasards, qui n'en étaient pas.

Parce que la première chose que David Berger avait faite, lorsqu'il s'était échappé, c'était de retrouver la fille qui l'avait piégé pour se servir d'elle comme témoin…

S'il avait eu un doute jusque-là, il n'en avait plus : il devait la supprimer !

Et il devait supprimer David avant qu'il ne soit trop tard.

– Ce David Eaton dont je vois le nom ici, est-ce qu'il est encore ici ?

– Euh… non, il a remis sa clé il y a quelques minutes.

– Merde !

– Quelle marque de voiture conduisait-il ? demanda Sinclair.

Impatient, il vérifia lui-même sur le registre : une Honda noire. Il y avait même le numéro de plaque. Au lieu de le noter, il arracha la page du registre. C'était plus simple et plus rapide. Le propriétaire, outré, voulut protester contre la brutalité du procédé : mais l'homme avait l'air peu commode… Mieux valait ravaler sa salive et attendre qu'il disparût. Il ne put pourtant se retenir de lever un doigt d'honneur dans son dos, dès qu'il eut tourné les talons !

Dans le stationnement du motel, derrière le volant de sa voiture, Sinclair alluma une cigarette et réfléchit. Il le fallait pour la suite des événements. Parce que lorsqu'il annoncerait à son patron qu'il avait toutes les raisons de croire que David Berger était bel et bien vivant et en fuite, eh bien, son patron

271

mettrait sur ses épaules une pression terrible. Il lui donnerait vingt-quatre heures pour retrouver et éliminer David et cette petite putain qui mordait la main qui l'avait nourrie! Et dire qu'il avait donné trois mille dollars à la petite salope au lieu de la buter et de laisser son cadavre au Plaza, dans la chambre voisine de celle où David avait été piégé. Mais non, cela aurait bousillé tout le plan.

N'empêche, il savait que c'était une emmerdeuse et qu'elle était prête à tout pour de l'argent... De toute manière, elle ne perdait rien pour attendre: lorsqu'il lui mettrait la main au collet, juste avant de la supprimer, pour allonger son plaisir, il lui ferait comprendre à quel point elle l'avait fait chier et que faire chier Sinclair, ce n'était pas une chose à faire!

Raisonner...

Il lui fallait raisonner.

Et vite.

Se mettre dans la peau de David.

Comme il avait retrouvé la fille qui pourrait lui servir de témoin, quel serait son premier soin, son premier réflexe?

Aller trouver la police?

Non, c'était trop risqué.

Il risquait d'être coffré illico et de ne jamais pouvoir s'échapper.

Alors, que ferait David Berger, en toute logique, si du moins la logique pouvait encore animer un homme en pareille situation?

Tenter de s'évader du pays?

Non, ses chances seraient trop minces. Il n'avait sûrement pas de passeport, et puis, la police préviendrait probablement tous les aéroports, toutes les gares...

Non...

Parce que, de toute façon, si ç'avait été son plan, il ne se serait pas embarrassé de retrouver la fille...

Non, il la voulait pour témoin et qui dit témoin...

Bingo!

Il venait de trouver! Mais oui, c'était évident, il était allé trouver son avocat, ce blanc-bec de Rubin!

Sinclair ne fit ni une ni deux, jeta sa cigarette et fonça en direction du bureau de Rubin dont il retrouva sans peine l'adresse dans un annuaire.

43

– Qu'est-ce qu'il fait? demanda Patricia. Il commence à me rendre nerveuse.

Ils étaient garés depuis quelques minutes devant le bureau de Rubin. Qui n'était toujours pas arrivé.

Elle fit le geste de s'allumer une cigarette, mais rata son coup avec la première allumette. David la regarda avec un drôle d'air. Elle s'interrompit, le dévisagea:

– Ton auto est non-fumeur? demanda-t-elle.

– Non, ce n'est pas mon auto et je m'en fous. Seulement, je ne pensais pas que tu fumais…

– Je ne fume pas. Seulement, quand je suis nerveuse, ça me prend quelque chose dans les mains, et là, je te dis, je suis nerveuse, j'ai comme un pressentiment qu'il va se passer quelque chose…

Il ne releva pas la remarque, la laissa allumer sa cigarette. Elle était unique, avec ses paradoxes, ses idées.

David regarda l'heure sur l'horloge de la voiture: 9 h 22.

– Décidément, il prend son temps le matin…

– Les avocats…, laissa-t-elle tomber après avoir exhalé une longue bouffée qui semblait avoir apaisé en partie son insupportable nervosité.

Elle prit un autre bouffée puis, soudain, les yeux arrondis de surprise, elle lança:

– C'est lui!

David ne voyait pas son avocat, il ne comprenait pas.

– Mon avocat?

– Non, le type qui attendait dans l'autre chambre pendant que nous faisions l'amour au Plaza. Dans la Buick, là.

273

David se tourna, vit, de l'autre côté de la rue, à une centaine de mètres, la Buick qui s'avançait. Il n'avait jamais vu Sinclair, alors il ne pouvait le reconnaître, mais il lui trouva l'air sinistre. Et puis, il roulait lentement, en regardant vers le trottoir comme s'il était à la recherche de quelqu'un : lui ?

– Merde ! Ils se sont rendu compte que je me suis évadé…

David rentra la tête dans les épaules, démarra pendant que Patricia se coulait si bien dans son siège qu'on ne pouvait plus du tout voir sa tête depuis la rue.

Aussi Sinclair ne put-il l'apercevoir, et il ne réagit pas tout de suite en voyant David avec sa casquette et ses verres fumés. Mais tout à coup, il se réveilla : l'homme conduisait une Honda noire ! Il ne put voir dans son rétroviseur s'il s'agissait de la bonne plaque. Mais pourquoi son conducteur accélérait-il soudain, depuis qu'il l'avait croisé, si ce n'était qu'il s'agissait du fugitif ?

Mais la chance ne pouvait toujours servir Sinclair comme elle l'avait servi au Road Warrior. La circulation était si dense en ce matin de semaine que, même s'il appuya comme un forcené sur son klaxon, cette salve ne lui valut que des doigts d'honneur et d'autres coups de klaxon des New-yorkais. Il n'allait quand même pas se servir de son pistolet pour obtenir gain de cause !

Lorsqu'il put enfin trouver un trou dans le ruban ininterrompu de véhicules qui roulait en direction inverse, il effectua un rapide virage en U. Mais la Honda noire avait disparu. David lui avait échappé !

– Qu'est-ce qu'on va faire, qu'est-ce qu'on va faire ? s'écria Patricia, qui avait jeté sa cigarette par la fenêtre, ses vertus lénifiantes s'étant visiblement épuisées en quelques secondes. C'est un tueur sanguinaire, il va nous tuer.

Il y avait une logique dans ce raisonnement, devait admettre David : cet homme était un tueur, il allait les tuer.

– On va parler à mon avocat.

– Il faudrait commencer par le trouver, objecta Patricia.

– Je crois que j'ai une idée de l'endroit où il démarre ses journées, dit David comme s'il était sûr de son fait.

Les lèvres de Patricia se déformèrent en une moue sceptique et sa main nerveuse trouva aussi naturellement le chemin de son paquet de cigarettes que si elle avait été une fumeuse invétérée.

44

– Avez-vous déjà pris des leçons ?

Charles interrompit son mouvement. Il était plutôt impoli, du moins pour qui possédait les moindres notions d'étiquette du golf, d'oser adresser la parole à un joueur alors qu'il entamait son élan arrière. Rien de plus efficace pour lui faire rater son coup. Et en tout cas, pour lui faire monter la moutarde au nez.

La scène se passait sur le terrain d'exercice où, quelques mois plus tôt, David avait donné sa première — et dernière — leçon de golf à son avocat. Le fugitif observait le jeune juriste depuis quelques secondes, sans rien dire, comme s'il ne savait comment l'aborder, ou qu'il préparait son effet.

À ses côtés, Patricia s'impatientait et fumait furieusement — surtout pour une femme qui ne fumait pas — même si elle trouvait Charles plutôt joli garçon, encore qu'elle estimât qu'il était ridicule de frapper des balles de golf avec un pantalon fraîchement pressé, une chemise blanche et une cravate. Pourquoi ne pas garder la veste, tant qu'à y être !

La jeune femme jetait constamment des regards inquiets en direction du stationnement, car elle ne pouvait se débarrasser de la pensée que Sinclair les retrouverait d'une minute à l'autre, même si David était persuadé de l'avoir semé. Sinclair, elle le savait, du moins son petit doigt le lui disait, était un homme plein de ressources, un tueur « sanguinaire » selon ses propres mots, et il serait sans pitié…

« Avez-vous déjà pris des leçons ? » La question de David, non pas énigmatique, mais pouvant avoir toutes sortes de ramifications et, parmi elles, certaines insultantes —, était pour le moment restée sans réponse.

Charles s'était tourné et considérait ce couple pour le moins insolite.

Il y avait cette femme plutôt voyante, pour ne pas dire carrément provocante, avec ses leggings qui gainaient ses longues jambes et son t-shirt qui laissait voir son nombril. Et il y avait son compagnon, un homme vêtu fort simplement, avec une casquette des Yankees et des verres fumés.

Pourquoi diable cet étranger lui posait-il cette question ?

– Est-ce que j'ai l'air de quelqu'un qui en a besoin ? répliqua enfin Charles.

– Oui, répliqua un peu brutalement David. Et si vous me permettez un conseil, je crois que vous utilisez un peu trop votre main droite.

Une émotion curieuse monta en Charles et des frissons s'élevèrent le long de son épine dorsale. Ces mots lui rappelaient quelque chose. Ou plutôt quelqu'un, pour être plus précis. La dernière personne qui lui avait prodigué ce conseil était…

– David ? C'est toi… tu…

David ne répondit pas, se contenta d'esquisser un léger sourire. Des larmes baignèrent les yeux de Charles. Il laissa tomber son bâton, courut en direction de David et le serra dans ses bras. Les deux hommes s'étreignirent longuement, sans rien dire, tout à l'émotion de ces retrouvailles pour le moins inattendues.

Émue, Patricia avait cessé de surveiller le stationnement. La dernière fois qu'elle avait vu deux hommes se serrer ainsi tendrement dans les bras l'un de l'autre, c'était dans un vieux film que son amie call-girl lui avait suggéré de louer : *Benhur*. Elle avait toujours pensé — ou en tout cas répété à qui voulait l'entendre — qu'elle était tout sauf sentimentale. Remarquez, vous pouvez difficilement le devenir lorsque votre père pelote ses innombrables maîtresses à la maison devant votre mère et lorsque votre beau-père joue les voyeurs dans votre chambre à coucher ! Mais là, elle ne pouvait retenir ses larmes.

Deux hommes qui s'embrassaient.

Elle croyait qu'il n'y avait que les femmes pour faire ça.

C'était beau à voir. Parce que c'était rare. Deux hommes qui ne craignaient pas de montrer leurs sentiments. Évidemment, ils étaient entre hommes. Avec une femme, ils redeviendraient naturels vite fait : fermés comme de foutues huîtres !

Mais elle savourait le moment présent, elle souriait à la scène touchante.

Oui, c'était un spectacle attendrissant.

Après tout, peut-être y avait-il des hommes de valeur.

Seul ennui, bien entendu : ils étaient comme des ovnis. Toutes les femmes en parlaient, mais jamais aucune n'en avait vu un en chair et en os ! Au moins un qui restait aimable après quelques folles — ou pas si folles ! — nuits de sexe !

Charles repoussa enfin David mais le tint par les épaules et, toujours sous le choc de la surprise, lança :

— Mais comment est-ce possible ? Je t'ai vu sur la chaise électrique ! Tu devrais être mort au moment où on se parle !

— Je te raconterai…

Et il se tourna vers la jeune femme qui se reprochait son indéracinable sentimentalisme en séchant ses larmes et en tirant encore nerveusement sur sa cigarette, sa dixième de la journée et il n'était même pas midi !

— Charles, je te présente Patricia, c'est avec elle que… que j'ai passé la nuit au Plaza, et elle est prête à venir témoigner.

— Génial ! s'exclama Charles. Mais ne restons pas ici. Allons à mon bureau.

Et Patricia se contenta de dodeliner de la tête, avec un sourire équivoque, comme si elle se demandait encore si elle devait oui ou non prêter son concours à cette affaire, surtout avec ce malade de Sinclair qui était à leurs trousses. Pourquoi ne pas faire ses valises et filer à l'anglaise ? Elle avait quelques milliers de dollars, non pas à la banque mais chez elle — vu la nature de ses activités professionnelles, elle préférait garder ses sous à la maison, dans une petite cachette… Elle pourrait se tirer au Mexique, sur une plage et se prélasser au soleil en attendant que les choses se tassent. Personne ne viendrait l'embêter là-bas et, de toute manière, elle avait bien besoin de vacances. Son agent n'avait rien en vue, malgré les promesses qu'il lui faisait toujours et qui n'aboutissaient jamais, et, les clients, eh bien, ils se farciraient une autre poire pendant son absence et s'ils trouvaient mieux qu'elle, eh bien, elle n'aurait pas de mal à trouver mieux qu'eux à son retour !

— Non, objecta David, on ne peut pas.

Et il expliqua à un Charles étonné que l'homme de main d'Eaton les pourchassait et qu'il n'était pas spécialement animé de sentiments altruistes à leur endroit.

— Alors, suivez-moi, je connais un petit restaurant tranquille pas loin d'ici.

45

Quelques minutes plus tard, Patricia et les deux hommes étaient assis à la table la plus discrète du Milky Way, un petit restaurant sympa, et sirotaient un café.

Les premières questions de Rubin portèrent tout naturellement sur la surprenante évasion de son ami. David lui expliqua l'originale astuce d'Elliot, l'infirmier, la complicité du docteur Norman, qui l'avaient aidé à s'évader...

Il lui montra les cicatrices laissées par les aiguilles sur ses bras (il s'était rapidement débarrassé de ses pansements). Il était si pris par son récit qu'il ne remarqua pas la présence de la serveuse qui venait réchauffer leur café, une Noire corpulente d'une cinquantaine d'années. Elle haussa un sourcil indigné en voyant le nombre considérable de petits trous à l'intérieur du bras de David.

« Un autre drogué ! » pensa-t-elle immédiatement.

En voyant la serveuse, David s'empressa de redescendre sa manche, eut un sourire embarrassé, regarda ses compagnons. Il était bien entendu passé pour un narcomane fini, mais cette réputation valait mieux que celle d'évadé, non ? Alors, il n'allait tout de même pas se justifier auprès de la serveuse, qui d'ailleurs en avait sûrement vu d'autres à son âge et à New York, la ville de tous les excès ! Elle resservit du café, puis s'éclipsa.

David sourit, puis demanda :

– Qu'est-ce qu'on doit faire, maintenant ?

– Il va falloir qu'on parle à la police.

– La police ? fit Patricia, qui n'aimait certes pas ce mot.

– Oui, on n'a pas le choix, répondit Charles.

– Ils vont me foutre à nouveau en prison, objecta David.

279

— Patricia est prête à témoigner, non ? vérifia le jeune avocat.

— Oui, mais…

— Mais quoi ? demanda l'avocat cependant qu'une ride d'inquiétude traversait le front de David : Patricia voulait-elle le lâcher, alors qu'elle était son seul témoin, sa seule chance de s'en sortir ?

— Je ne sais pas si ton ami sait ce que je fais pour gagner ma vie, lança Patricia. Mais quand je vais le dire à son altesse le juge, il va bien voir que ce n'est pas comme si j'étais médecin. Quoique si vous voulez mon avis, la plupart de mes clients sont des malades et, à ma façon, je suis médecin, enfin, je me comprends…

— Vous êtes une…, dit Charles sans oser achever sa question.

— Oui, je suis une…

Charles ouvrit la bouche, se pencha en direction de la jeune femme. Et ses lèvres se mirent à remuer comme s'il prononçait silencieusement le mot horrible qu'il avait en tête.

La serveuse revint au moment précis où Patricia dit, d'une voix forte qui trahissait une certaine impatience :

— Oui, je suis une prostituée, une putain, une call-girl !

La serveuse fut ébranlée à nouveau. Elle souleva un sourcil incrédule. Quelle équipe ! Un drogué et une prostituée ! Et un type qui avait l'air trop honnête pour l'être vraiment, probablement un avocat ! Elle avait deviné juste ! Elle préféra ne pas s'arrêter à leur table cette fois-ci. Mais elle se dit qu'elle devrait les garder à l'œil. C'était certainement le style à partir sans payer. Quant au pourboire, elle ferait aussi bien d'en faire son deuil immédiatement.

— Elle est aussi actrice, précisa David par amabilité.

— Le juge va s'en foutre éperdument. Comme tous les producteurs à la con que je rencontre. Une professionnelle est quelqu'un que vous payez pour ses services. Il va croire que vous m'avez payée pour témoigner.

— Peut-être mais ça rend aussi crédible le fait que vous ayez passé une nuit au Plaza avec David, objecta le jeune avocat.

— C'est elle aussi qui a remis au tueur le préservatif rempli de mon sperme, expliqua David.

La serveuse qui passait près de leur table pour retourner à la caisse entendit aussi cela et ses yeux s'agrandirent encore plus. Diable, c'était un joli trio !

– Super! s'exclama Charles. Maintenant, le juge va comprendre comment il se fait que le sperme de David a été retrouvé sur la victime. Le portrait est complet. Il faut ABSO-LUMENT que vous témoigniez!

– Oui, pour me retrouver en prison comme une idiote!

– Ne vous en faites pas pour cela. Je vais vous négocier une entente avec la cour.

– Oui, comme si je ne connaissais pas le genre d'ententes que négocient entre eux les hommes lorsqu'ils veulent se tirer de leur merde. Puis une fois que David sera libre, oups! on a oublié la petite putain, bah! ce n'est pas grave, elle n'aura qu'à passer quelques années en prison!

– Ne soyez pas si pessimiste! protesta Charles, étonné par son aplomb.

– Quel âge avez-vous? lui demanda-t-elle.

– Pourquoi me demandez-vous ça?

– Je pense que vous allez encore voir trop de films de Walt Disney.

Charles eut un sourire contraint. David aussi tenta de sourire. Décidément, Patricia n'avait pas la langue dans sa poche. Elle poursuivit, enfonçant bien le clou:

– Comme je disais à David, mon dossier n'est pas impec-cable. Les policiers sont après moi.

– Elle... elle a soulagé un client de l'argent qu'il ne voulait pas lui payer pour des petits extras, précisa David.

– Et j'ai aussi été condamnée pour faux témoignage il y a quelques années, ajouta Patricia.

– Merde! dirent à l'unisson les deux hommes.

Et avec un synchronisme parfait, comme s'ils avaient besoin d'une urgente médecine, ils prirent une longue gorgée de café.

Faux témoignage...

Pas brillant!

Patricia comprit leur réaction mais haussa les épaules, comme pour dire: «Que voulez-vous? Je suis qui je suis!»

Soudain, David parut fort déprimé, comme si toutes ses chances venaient de s'envoler en fumée.

– Je crois qu'il va falloir jouer le tout pour le tout, conclut Charles.

– Mais j'en tire quoi, moi? protesta Patricia. Je veux dire... si je témoigne, tout ce que je risque, c'est de me retrouver avec trois choses : des emmerdes, des emmerdes et des emmerdes !

— Vous voulez de l'argent ? lui demanda l'avocat de but en blanc.

— Pourquoi me demandez-vous ça ? s'indigna la jeune femme. Parce que je suis une prostituée ?

— Non, non, je…, mais il ne termina pas sa phrase.

Un silence de plomb à la table. Un malaise, comme si la discussion piétinait pour de bon. Patricia s'absorba dans ses pensées. Son visage était très pâle. Elle était complètement absente.

À quoi pensait-elle, au juste ?

À sa carrière qui n'allait nulle part ?

À son métier au sujet duquel elle fanfaronnait mais dont au fond elle n'était pas très fière ?

Au pétrin dans lequel elle se trouvait avec ces deux hommes qui tentaient de lui faire faire quelque chose qu'elle ne voulait pas faire ?

— OK, vous gagnez, je perds, dit-elle enfin.

— Qu'est-ce que vous voulez dire ? demanda Charles.

— Je vais témoigner. C'est probablement la chose la plus stupide que je puisse faire. Mais je vais le faire. Pas pour vous, pas pour David, mais à cause d'elle.

— Elle ?

— Oui, Louise Eaton. La pauvre femme qui a été tuée juste parce que son porc de mari ne pouvait pas supporter qu'elle se fasse enfiler par un autre homme (David baissa la tête avec un sourire embarrassé) alors qu'il se farcissait probablement toutes les petites dindes qui étaient impressionnées par son sale fric. Il faut que ce salaud paie.

— Bravo ! s'exclama David en se tournant vers Patricia.

Il savait que, malgré son métier particulier, elle était une bonne personne. Avec des principes, à sa manière. Il pensa aussi : « Peu importe pourquoi elle accepte pourvu qu'elle accepte ! »

— Je crois que vous faites la bonne chose, renchérit Charles. Et pour les charges contre vous, ne vous en faites pas, je m'en occupe.

— Comme vous vous êtes occupé du cas de David ? ironisa-t-elle.

Charles eut un sourire équivoque.

– Touché! dit David.

Mais aussitôt après, il posa sa main sur l'épaule de Charles pour le rassurer: il ne le considérait pas comme un mauvais avocat, c'était juste la malchance...

– Ne t'en fais pas, le rassura-t-il, je sais que le procès a été injuste...

– Je vais faire en sorte que le prochain ne le soit pas.

46

Un détail continuait de chiffonner Charles, même si le procès était terminé depuis longtemps.

– Il y a quelque chose qui m'ennuie dans toute cette histoire, dit-il, toujours assis avec Patricia et David à la table du petit café.

– Vous ne faites pas confiance aux call-girls? demanda Patricia.

– Je ne connais pas grand-chose aux call-girls.

– Vraiment?

– Vraiment.

– Alors, je suppose que vous n'êtes pas marié.

David ne put s'empêcher de rire. Cette fille était vraiment marrante. La preuve, Charles aussi, beau joueur, rit, même s'il faisait les frais de la plaisanterie. Chose certaine, Patricia n'était pas une blonde stupide. Loin de là, pensa le jeune avocat. Elle avait vraiment l'esprit de répartie. Peut-être parce qu'elle avait connu tant d'hommes, et pas dans les circonstances les plus romantiques, qu'à la fin elle s'était aguerrie.

Elle ferait un bon témoin, il en était certain. Il la préparerait de manière à ce qu'elle dise exactement ce qu'elle devait dire et David serait innocenté.

Bien entendu, elle devrait porter des vêtements différents, parce que ceux qu'elle portait étaient… comment dire? si distrayants! Elle avait vraiment le physique de l'emploi! Bien sûr, il ne sortirait jamais avec une fille pareille parce que justement, c'était… une fille! N'empêche, elle était unique en son genre!

– Non, je ne suis pas marié, admit enfin Charles, mais je… Si toutes les filles qui font votre métier sont comme vous… enfin ce que je veux dire, c'est que vous êtes quelqu'un de bien.

Il paraissait sincère. Le compliment enchanta visiblement Patricia qui adressa un large sourire au jeune avocat. Il lui rendit son sourire. Comme s'il éprouvait à l'endroit de la jeune femme des sentiments dont il n'était même pas conscient, David sentit monter en lui une vague soudaine de jalousie. Cette conversation ne lui plaisait guère. Une idylle n'était-elle pas en train de naître entre la jeune femme et son avocat? David se hérissa. Mais n'était-ce pas puéril?

Tout ce qui comptait, n'était-ce pas que Patricia fût prête à témoigner?

Du moins jusqu'à nouvel ordre.

Parce qu'elle semblait être le genre de fille qui pouvait changer d'idée aussi vite qu'elle enfilait un condom sur un amant de fortune!

Il savait de quoi il parlait, parce qu'il en avait fait la triste, ou plutôt catastrophique expérience. Oui, elle s'était bien moquée de lui avec son histoire de parapluie qu'il avait trouvée si charmante.

Maintenant, tout ce qu'il lui restait à faire, c'était croiser les doigts! Et espérer que la série noire de sa vie prît fin!

Toujours ennuyé par la complicité naissante entre Patricia et Charles, David se consola en se disant que probablement la jeune femme ne cherchait qu'à ajouter un nouveau client à sa courte — ou longue! — liste. Après tout, Charles était plutôt appétissant. Jeune, grand et beau bonhomme, avec ses cheveux foncés, ses dents étincelantes et ses yeux verts lumineux, il ne ferait pas un client désagréable.

Évidemment, il était avocat.

Mais personne n'est parfait, quoi!

– Qu'est-ce qui te tracasse? demanda enfin David à Charles comme pour faire diversion.

– Eaton vaut un milliard, alors pourquoi ne s'est-il pas contenté de payer à sa femme les cinq millions prévus dans l'entente matrimoniale? Cinq millions, qu'est-ce que c'est pour un homme aussi fortuné?

Il y eut une expression embarrassée sur le visage de David, comme si son avocat avait posé une question qu'il n'aurait pas dû poser.

– Plus ils sont riches, plus ils sont radins! clama Patricia. Je le sais, j'ai des clients qui valent leur pesant d'or et, quand tu ne leur donnes pas exactement ce qu'ils demandent, ils ne veulent plus payer, les salauds, ou ils te réclament des rabais. Est-ce que je leur demande des rabais, moi, même s'ils ont un zizi de nain et s'ils baisent comme des pieds!

– Patricia a un point, déclara Charles en riant.

Il aimait vraiment la manière dont elle parlait. Elle n'était jamais ennuyeuse. Et il aimait vraiment ce qu'elle venait de dire. La jeune femme continuait à parler, semblant donner le cours 101 sur les hommes riches:

– Eaton était furieux et il voulait donner une petite, enfin une grande leçon terminale à sa femme. Il s'est dit: «Je ne donnerai pas un sou à cette chipie. C'est elle qui va payer!» Typique des hommes: c'est toujours la faute des femmes!

– Tu sais, Charles, dit David, je crois que Patricia a vu juste. C'est une chose de consentir à une entente matrimoniale lorsqu'on est amoureux par-dessus la tête, mais lorsque vous réalisez que vous êtes sur le point de devenir la risée de votre club parce que votre femme se tape le pro, alors vous n'avez plus envie de jouer les bons gars.

– Alors, enchaîna Patricia comme si elle partageait totalement l'opinion de David, vous vous débarrassez de votre femme et, ce faisant, vous faites d'une pierre deux coups: vous économisez cinq millions et vous sauvez votre honneur.

– J'ai encore de la difficulté à comprendre pourquoi un homme risquerait tout, simplement pour économiser cinq millions. Évidemment s'il est aussi riche qu'Eaton.

– Vous dites ça parce que vous n'êtes ni marié ni riche, suggéra finement Patricia.

– Touché une fois de plus! s'exclama David.

– Vous avez peut-être raison, concéda Charles.

– Et puis, ajouta David, il y a plein de gens qui ont tué pour bien moins que cinq millions.

– Juste, admit Charles.

La réplique de Patricia avait beau avoir été amusante et juste, et David avait beau avoir soulevé un argument valable, n'empêche, Charles demeurait sceptique. Son cerveau gauche — si développé chez lui, et si utile dans son métier — se rebiffait et l'avertissait que quelque chose clochait. Eaton n'était pas seulement immensément riche, il était aussi un personnage public, du moins dans les Hamptons. Tout ce qu'il faisait était scruté à la loupe.

Quoique, à la réflexion...

Charles se rappela tout à coup avoir lu, dans le *New York Times*, la recension d'un livre (un autre sur le sujet!) affirmant que Lyndon Johnson, alors vice-président, avait soudoyé la mafia pour faire assassiner Kennedy, de manière à devenir président. Alors, si on pouvait s'en tirer avec le meurtre du président des États-Unis, se débarrasser impunément d'une femme infidèle était la chose la plus simple du monde. Et puis, il ne fallait pas oublier que les gens riches, comme les célébrités, se croyaient souvent au-dessus des lois. Et ils n'avaient pas toujours tort!

Mais le cerveau de Rubin continuait de fonctionner comme s'il était sur pilote automatique.

Pourquoi David avait-il paru embêté lorsqu'il avait parlé de ses doutes au sujet des motifs d'Eaton?

Et pourquoi avait-il dit: «Il y a plein de gens qui ont tué pour bien moins que cinq millions.»?

Ne s'était-il pas trahi, à la vérité?

N'était-ce pas LUI qui avait tué Louise Eaton?

Peut-être que, contrairement à ce qu'il avait déclaré en cour, il SAVAIT que sa maîtresse avait contracté une assurance-vie de deux millions en sa faveur.

Deux millions...

C'était en effet beaucoup moins que cinq millions, mais c'était plus d'argent qu'il n'en avait jamais gagné ou même qu'il n'avait jamais espéré pouvoir gagner, surtout comme simple pro.

Deux millions...

Et si...

Une pensée horrible se présenta à son esprit, horrible mais pourtant pas si folle que ça, plausible même!

Et si la jeune femme qui était assise devant lui était la complice de David?

Après tout, elle était call-girl de métier. Elle était amusante, certes, et n'avait pas la langue dans sa poche; en fait sa langue devait rendre fou un homme (oups, il s'égarait ici et devait cesser illico de contempler les merveilleuses lèvres rouges de la jeune femme!). N'empêche, elle restait une prostituée. Ce qui voulait dire qu'elle était une femme prête à faire pour l'argent ce que la plupart des femmes n'étaient pas prêtes à faire. Et si elle s'était entichée de David, elle était peut-être prête à aller encore plus loin avec lui et à l'aider à commettre le crime parfait.

Rubin laissa un instant cette hypothèse flotter dans son esprit, mais il se ravisa bientôt. Elle avait beau être séduisante, plausible en tout cas, non, il ne pouvait la retenir. Il était peut-être jeune et inexpérimenté, mais il n'était pas si mauvais juge du caractère d'un homme. Non, ça n'avait aucun sens. David n'était pas un assassin. Il était trop honnête et surtout pas assez tordu pour avoir mis au point un plan aussi machiavélique.

Non, il avait été victime d'un coup monté. Quelqu'un d'autre que lui avait commis le meurtre.

Eaton. Ou peut-être un amant.

Parce que même si l'idée n'avait jamais effleuré David, peut-être Louise Eaton avait-elle eu d'autres amants. Si elle avait été infidèle à son mari avec David, pourquoi s'arrêter là ?… D'autant que David ne voulait pas faire ce qu'elle voulait, partir avec elle. Elle avait peut-être cherché ailleurs, et était malheureusement tombée sur un assassin.

Et puis, Charles ne devait pas oublier une chose : David l'avait approché pour qu'il soit son avocat. Pour qu'il puisse le défendre. Pas pour le confondre et jouer le rôle du procureur. Il DEVAIT penser que David était innocent.

Que c'était lui, la VICTIME.

Celui qui avait été piégé.

Et il devait le défendre. Ce qui, du reste, ne serait pas de la tarte.

Il y eut un silence et un malaise aussi, comme si tout était compromis, comme si Charles n'était plus du tout certain que David allait pouvoir s'en sortir, parce que le motif du meurtre n'était pas établi.

– Alors, qu'est-ce qu'on fait, maintenant ? demanda David.

Le premier procès n'avait pas bien tourné, même si tout le monde était persuadé qu'il serait innocenté, alors rien ne lui prouvait que le deuxième serait couronné de succès, malgré les faits nouveaux et la présence de Patricia, qui lui servirait de témoin.

— Avant que j'en parle à la police, expliqua l'avocat, j'aime-rais me donner vingt-quatre heures pour peaufiner ma stratégie et, aussi, vérifier certaines choses sur le plan juridique. Demain matin, vous allez revenir à mon bureau, je vais faire répéter à Patricia sa déposition pour être certain qu'elle ne sera pas trop nerveuse, et puis, nous allons nous rendre à la police.

— Répéter, j'adore ça…

— Vous adorez répéter ? demanda Rubin d'un air intrigué.

— Écoutez, je fais ça à longueur de journée, je suis actrice.

— C'est vrai, où avais-je la tête !

— Qu'est-ce que je fais en attendant ? lança David.

— Tu ne peux pas aller chez toi, c'est évident. Ni chez vous, mademoiselle. Je t'hébergerais volontiers, mais tu me dis que le tueur sait où sont mes bureaux, il va trouver où j'habite, c'est trop risqué. Alors, allez n'importe où. Dans un petit motel, pas trop loin. Est-ce qu'il y a une manière dont je peux vous joindre ?

— Euh…

— J'ai un cellulaire, dit Patricia.

Et elle griffonna son numéro de téléphone sur une serviette en papier. Rubin la glissa dans sa poche.

— C'est parfait, fit-il. Je vous reparle un peu plus tard dans la journée. Et surtout, soyez prudents.

— C'est promis, assura David.

Dans la petite Honda, aux côtés de David, Patricia dit :

— Allons chez moi.

— Chez toi ? Mais c'est risqué.

— Personne ne sait où j'habite. Ils ne le savent même pas à l'agence d'escorte. Et même mon enfoiré d'agent ne le sait pas parce que je déménage trop souvent. De toute manière, le tueur ne connaît pas mon agent ou alors je donne ma langue au chat.

— Tu es certaine ?

— Oui et j'en ai marre de porter les mêmes vêtements. Et puis, je n'ai pas le choix : il faut que je m'occupe d'Old Blue Eyes.

— Tu ne vis pas seule ?

— Non, j'ai une vieille chatte. Elle doit d'ailleurs commencer à se demander ce que je fais à cette heure.

— Je ne suis pas certain que ce soit une bonne idée…

– Écoute, il y a des priorités dans la vie. Si tu ne veux pas venir avec moi, tu n'es pas obligé. J'ai les moyens de prendre un taxi.

– Non, non, ça va.

Il ne voulait pas la quitter d'une semelle, de crainte qu'elle ne changeât d'idée et qu'elle ne disparût du décor alors qu'elle était son témoin, son passeport vers la liberté.

47

Dans sa voiture, alors qu'il retournait au bureau, Charles ne pouvait faire taire son cerveau. À la vérité, il n'aimait guère les idées qui venaient le hanter.

Parce qu'il aimait David.

Et les théories qui se bousculaient dans son esprit n'étaient pas exactement flatteuses pour lui.

Voilà de quelle farine elles étaient faites : David savait qu'il devait faire quelque chose pour régler la situation avec sa maîtresse, d'autant qu'elle l'avait menacé de dire la vérité à son mari.

Il avait commencé à voir Patricia et y avait tout de suite vu un double avantage : elle était jeune et surtout pas mariée à un homme qui pouvait le congédier en un tournemain !

Alors, David pouvait faire d'une pierre deux coups, pour employer l'expression de Patricia.

Trois coups en fait…

Primo : il se débarrasserait d'une maîtresse qui était devenue un fardeau, parce que la dernière chose qu'il voulait après son divorce difficile, c'était de se laisser mettre la corde au cou.

Secundo : il conserverait son emploi. Si du moins il le désirait parce que…

Tertio : dernier avantage mais non le moindre, il mettrait la main sur deux millions de dollars et ne serait plus obligé de donner des leçons et de rester pro au Hamptons ou ailleurs. Il aurait enfin de l'argent. Pas autant que les membres du Hamptons, mais assez pour les envoyer promener si bon lui semblait.

Sentiment délicieux, en fait.

Peut-être David avait-il convaincu Patricia que si elle était prête à l'aider, elle ne serait jamais plus obligée de coucher avec un homme pour de l'argent. Elle pourrait consacrer tout son temps à sa carrière d'actrice. Plus de clients bizarres, pervers ou radins (ou les trois à la fois) à satisfaire. Elle aurait la liberté de faire ce qu'elle voudrait. Lorsqu'elle le voudrait.

Avec David à ses côtés, bien sûr.

David, l'homme dont elle était tombée follement amoureuse dès le premier jour.

Par amour, elle avait accepté d'être sa complice, non ?

Parce qu'il n'aurait pas eu le courage d'agir seul.

Il avait eu besoin d'elle à ses côtés.

Ce serait facile…

Et voilà quelle avait été la mise en scène.

Ils s'étaient rencontrés au Plaza. Ils y avaient pris un verre au Palm Café. Patricia s'était montrée délibérément bruyante et détestable avec les clients pour qu'ils les remarquent, David et elle, et puissent par la suite témoigner en leur faveur.

Ensuite, ils étaient montés à la chambre et David avait téléphoné à Louise Eaton pour lui demander de venir passer une dernière nuit avec lui avant le retour de son mari de Las Vegas et, pendant l'étreinte, Patricia et lui avaient appuyé l'oreiller fatidique sur son visage…

Pour le sperme…

Oui, ce n'était pas très brillant !

Mais peut-être David était-il persuadé que la police ne remonterait jamais jusqu'à lui.

Et peut-être avait-il cru que le sperme ferait croire à un meurtre passionnel, perpétré par un des nombreux amants de cette femme négligée par son mari toujours en voyage d'affaires.

Évidemment, c'était risqué, pour ne pas dire suicidaire, parce qu'avec l'ADN, aujourd'hui, la police disposait d'une arme redoutable pour incriminer un suspect…

Mais dans des situations inhabituelles, on ne fait pas toujours ce qu'on devrait faire et aurait fait en temps normal.

En fait, la vérité était peut-être beaucoup plus simple.

Souvent ce n'était que notre esprit — surtout lorsqu'il s'agissait de l'esprit d'un avocat, il était le premier à l'admettre avec une lucidité qui l'honorait ! — qui compliquait les choses. Lorsque les choses sont trop simples, parfois on ne les voit pas.

Peut-être, ce qui était arrivé était tout simplement ceci: Paul Loria avait donné à David le numéro de téléphone de Patricia. Ébranlé par sa rupture avec Louise Eaton, il avait appelé la jeune femme, l'avait rencontrée au Plaza, où ils s'étaient immédiatement plu. Ils n'avaient pas tardé à monter à la chambre pour faire l'amour. Mais Louise Eaton, amoureuse obsessive s'il en était, avait suivi David jusqu'au Plaza, puis avait suivi les deux amants jusqu'à leur chambre, avait fait une scène, avait menacé David. Qui, pour la faire taire, avait appuyé un oreiller sur son visage.

Un peu trop longtemps.

Mais il restait le sperme...

Non, ça ne marchait pas.

Pourquoi badigeonner les cuisses de sa maîtresse de son sperme?

Ça ne tenait pas debout.

C'était absurde.

David était innocent.

C'était la seule chose sensée.

Et surtout, c'était la seule chose qu'il devait croire s'il voulait défendre son client avec succès.

48

C'était le soir maintenant, il devait être 18 h 30, peut-être un peu plus tard. Rubin n'avait appelé qu'une fois pour dire que tout allait bien et qu'il les attendait le lendemain à son bureau, à 9 h. Patricia s'était douchée, avait enfilé des vêtements propres, mais un peu moins spectaculaires en fait : un simple jean et un t-shirt blanc, et elle ne s'était même pas maquillée, un luxe qu'elle s'offrait chaque fois qu'elle le pouvait et qui la changeait du fard un peu excessif qu'elle devait porter lorsqu'elle travaillait, c'est-à-dire lorsqu'elle rencontrait des clients et non lorsqu'elle se présentait à des auditions où elle ne voulait pas passer pour... ce qu'elle était justement !

David lui aussi s'était douché, et n'avait eu d'autre choix que de remettre les mêmes vêtements, mais au moins il se sentait un peu mieux. Encore que l'issue de toute cette aventure le tarabustât.

Ils étaient tous deux assis sur le canapé du salon, le salon qui était la même pièce que la salle à manger et l'unique chambre à coucher, car Patricia louait dans Soho un studio non pas minuscule mais exigu, enfin le mieux qu'elle avait pu s'offrir dans ce quartier qu'elle adorait parce qu'y vivaient de jeunes artistes comme elle. L'appartement n'était pas extraordinairement bien aménagé, mais il possédait quand même un certain charme, malgré le désordre qui y régnait. Un peu partout au mur, et c'étaient à peu près les seules décorations, étaient affichées des photos de comédiennes célèbres, les idoles de Patricia, Merryl Streep, Julia Roberts, Susan Sarandon et quelques autres.

Sur le canapé, Patricia avait préféré garder prudemment ses distances, et se protégeait encore de David avec sa grosse chatte

Old Blue Eyes, lovée sur ses genoux. Un homme restait un homme et même si elle avait déjà couché avec lui, c'était pour le travail, alors c'était comme si elle ne l'avait jamais fait… enfin presque !

— Si ça continue, je vais m'évanouir de faim ! pesta-t-elle en consultant sa montre. Qu'est-ce qu'ils peuvent bien faire ? Le type m'avait dit : une heure au maximum.

Ils avaient commandé des mets chinois parce que le frigo de Patricia était passablement dégarni, pour ne pas dire carrément vide, si ce n'était la bière dont elle avait toujours de bonnes réserves, même si elle avait soi-disant arrêté de boire… Enfin, elle était plutôt difficile à suivre à ce sujet…

— Ça ne devrait pas tarder, voulut la rassurer David, même si au fond il n'en savait rien.

Lui aussi avait faim. Le midi, Patricia avait préparé des sandwichs maigrelets avec un reste de jambon et de fromage, mais il y avait longtemps que David avait l'estomac dans les talons.

— Bon…

Une pause puis Patricia reprenait avec un petit sourire ambigu sur les lèvres, comme si elle avait une idée derrière la tête :

— Quand on passe plusieurs mois en prison, ça doit faire un effet étrange sur un homme, je veux dire : pas de sexe…

— C'est moins difficile pour un homme qui a déjà été marié, parce qu'il a un entraînement, mais en effet, ce n'est pas évident.

Patricia rit tout doucement. David avait de l'humour. Il lui plaisait, à la fin. Elle avait bien aimé la journée qu'elle avait passée avec lui, malgré les circonstances un peu bizarres. Il était gentil avec elle, prévenant. Et les hommes n'avaient pas l'habitude de l'être avec elle… Mais n'était-ce pas uniquement parce qu'il avait été privé de femme pendant si longtemps et qu'il faisait tout pour rentrer dans ses bonnes grâces et obtenir d'elle quelque faveur ? Avec les hommes, on ne savait jamais…

Pourtant non, elle le trouvait sympa…

Et il avait quelque chose en commun avec elle. Il était blessé par la vie. Il était un écorché. Un peu un raté comme elle, mais ça ne l'avait rendu que plus touchant, plus humain. Et aussi, même si tout semblait contre lui, il conservait un espoir.

Et puis, il y avait quelque chose en lui qu'elle trouvait beau, très beau même et plutôt rare chez un homme, en tout cas chez ceux qu'elle avait rencontrés : c'était l'amour extraordinaire qu'il vouait à sa fille Lydia. Il lui en avait parlé une bonne partie de la journée. Les yeux humides d'émotion, il lui avait raconté ses gentillesses, ses minauderies, ses mots... Il lui avait raconté comment elle adorait le Petit Prince, sur sa planète lointaine, avec son boa, son renard et sa rose solitaire.

– Moi, dit Patricia, je peux passer des semaines sans faire l'amour, je veux dire : le vrai amour, pas les acrobaties étudiées que je fais pour les conduire le plus vite possible à la porte, et heureusement que la plupart sont précoces, je veux dire : pas du cerveau, mais du machin. D'ailleurs c'est une ironie de mon métier, je vais t'expliquer : personne ne pense à ce qu'il fait vraiment pendant l'acte ; les hommes, ils pensent à autre chose pour ne pas venir trop vite et, moi, je pense à autre chose pour que ça passe plus vite...

David sourit. Elle le charmait et ce n'était pas seulement parce que, physiquement, elle lui rappelait sa maîtresse.

– Mais il y a une chose, reprit Patricia, quand je suis trop nerveuse, si je ne veux pas fumer, il faut que je fasse l'amour. Et mon copain a intérêt à ne pas me dire qu'il a une réunion ou un truc du genre.

– Je... je ne t'ai pas même pas demandé : est-ce que tu as un copain en ce moment ?

– Non. C'est moche. Chaque fois que je rencontre quelqu'un qui me plaît, il faut que je mente pour le garder, je sais que je ne devrais pas en faire une maladie nerveuse, de mentir comme je respire, parce que la plupart des hommes sont des menteurs chroniques ou pire encore, mais à la fin tu finis toujours par vouloir te faire aimer pour ce que tu es vraiment et non pas pour le sosie préfabriqué de toi-même, si tu vois ce que je veux dire. Tu veux jouer cartes sur table avec ta personnalité profonde, alors lorsque je leur dis ce que je fais pour gagner ma vie en attendant de signer mon premier contrat d'un million comme actrice célèbre, ça foire comme la Bourse le jour du krach de 29.

Puis, sans transition, elle tempêta, exaspérée :

– Mais qu'est-ce qu'il fait avec son foutu riz ? Est-ce qu'il est allé le cueillir grain par grain en Chine communiste ?

En Chine communiste ! Et grain par grain ! L'hilarité de David éclata à nouveau. Il avait envie d'elle, tout à coup, même si elle était un peu paumée, même si elle faisait le métier qu'elle faisait. Lui aussi à sa manière, il se vendait, en donnant des leçons à des gens pour la plupart sans talent et qui ne le respectaient pas vraiment parce qu'il n'était qu'un de leurs employés. Et qu'il était sans le sou. Du moins comparativement à eux, tous cousus d'or. Oui, il avait envie d'elle.

Parce qu'elle lui rappelait Louise Eaton bien sûr.

Et parce qu'elle lui donnait envie de ne pas se jeter par la fenêtre.

Et c'est peut-être pour ça qu'on fait l'amour parfois, pour ne pas se jeter par la fenêtre.

Parce que le reste de notre vie n'est pas exactement comme on avait rêvé. C'est même exactement le contraire. C'est un cauchemar, une longue émission archidéprimante de télé-réalité, avec parfois, brièvement, comme un petit pan de ciel dans les épais nuages, une pause publicitaire providentielle : les bras d'une femme.

« Bien sûr, pensa David, Patricia a déjà fait l'amour avec moi. Mais c'était pour son travail. » Accepterait-elle de le faire à nouveau, juste pour le plaisir ou pour calmer ses nerfs, à défaut de pouvoir fumer ? Ou à la place, le repousserait-elle ? Elle lui avait pourtant posé une question qui était peut-être une invite. Au sujet de la terrible privation des hommes en prison. Mais oui ! Il devait se réveiller. Et puis, elle venait de lui avouer qu'elle n'avait pas de copain et que lorsqu'elle était nerveuse, elle ressentait l'envie irrépressible de faire l'amour. Or, elle devait être nerveuse, non ?

Il pensa à jouer la carte de la simplicité : lui avouer carrément l'envie qu'il avait d'elle. Mais non, ça ne se faisait pas. En tout cas, il ne s'en sentait pas capable. Non, à la place mieux valait agir.

D'abord tenter un petit rapprochement, bien physique...

Il se leva, alla prendre un verre d'eau à la cuisine, revint au salon mais, au lieu de s'asseoir au bout du canapé, il s'assit plus près d'elle, subtilement. Elle remarqua le geste, ne s'en formalisa pas, ordonna plutôt à son chat, en prévision des grandes manœuvres :

– Grippe-sou (c'était un autre nom qu'elle lui donnait), va te coucher dans ton petit lit. Maman va discuter de philosophie avec un ex-détenu.

Le chat, obéissant, avait sauté du canapé et marchait d'un pas lent vers sa petite couche.

– Ce qui est bien avec lui, affirma Patricia, c'est qu'il comprend tout de suite, je ne suis pas obligée de lui envoyer un rapport en trois exemplaires comme avec certains hommes.

David pensa : « Elle me donne le feu vert, non seulement elle me le donne, mais elle me met au pied du mur ou en tout cas au défi. »

Il se pencha vers elle pour l'embrasser mais, au même moment, la sonnerie de la porte retentit. C'étaient les mets chinois, bien entendu. David réprima un sourire de déception, mais se déclara enchanté de l'arrivée du livreur et se leva pour aller le régler.

Il entrouvrit la porte et aperçut, dans le corridor, un des pieds du livreur, qui avait été assommé par Sinclair. Ce dernier avait réussi à retrouver l'adresse de Patricia grâce à son numéro de cellulaire, était monté chez elle en même temps que le livreur de mets chinois qui, chance inouïe, allait au même endroit.

David tenta de refermer la porte mais Sinclair fut plus rapide : il poussa violemment la porte, et pointa vers lui son revolver, muni d'un silencieux. David eut le réflexe de le saisir au poignet, de repousser l'arme, et un combat féroce s'engagea. Tueur professionnel, Sinclair était doté d'une force peu commune, mais David était tout de même un sportif et était bien décidé à défendre chèrement sa peau. Mais le combat fut bref.

Sinclair avait entraîné David en direction d'une fenêtre entr'ouverte et il le poussait de toutes ses forces, dans l'intention bien évidente de le jeter du haut du troisième étage où habitait Patricia.

La jeune femme se porta courageusement à la défense de David, faisant pleuvoir les coups de poing sur le tueur.

Sinclair commit une erreur.

Agacé par les efforts de Patricia, il la frappa et elle s'affala sur le plancher du salon.

C'en fut trop pour son chat qui, alerté par le bruit, avait rappliqué illico au salon, et qui sauta au visage du tueur en crachant sa hargne.

Il l'éborgna littéralement d'un coup de griffes précis.

Fou de douleur, le tueur laissa tomber son arme, arracha le chat de son visage et le jeta avec violence sur un mur.

Nouvelle erreur.

Le tueur avait malmené le chat de Patricia. Or, personne, non, personne n'avait ce droit et ce n'était pas parce que Sinclair était un tueur « sanguinaire » qu'il faisait exception à la règle.

— Espèce de chien! cria-t-elle, personne ne touche à mon chat!

Elle se leva d'un bond et, sans se soucier de sa propre vie, elle fonça vers le tueur qui, le visage grimaçant de douleur, tenait son œil sanguinolent. La rage insuffla à la jeune femme une telle force qu'elle parvint à pousser Sinclair par la fenêtre. La surprise se peignit dans son œil unique lorsqu'il comprit qu'il avait perdu pied et qu'il ne pourrait plus empêcher sa chute.

Il laissa échapper un cri, et s'écrasa une seconde plus tard sur le trottoir.

— Je pense qu'il va être tranquille pour un bout de temps, dit Patricia.

Elle se tenait à la fenêtre avec David et regardait le corps sur le trottoir. Puis, tout de suite, elle enchaîna :

— Mon chat, mon chat!

Elle se tourna, et vit qu'il était sain et sauf. Elle l'appela, il s'empressa de sauter dans ses bras, elle le flatta tout en vérifiant s'il n'avait pas été blessé par cette brute stupide qui gisait sur le trottoir, trois étages plus bas.

— Le livreur, fit David.

Il se précipita vers le corridor. Heureusement, le livreur n'était pas mort. En fait, il était déjà assis et il se massait le crâne, se demandant encore ce qui diable avait bien pu lui arriver. Car il n'avait pas vu venir le tueur, ni le coup.

— Ça va? demanda David.

— Euh… oui, je crois.

Patricia vint les rejoindre à la porte, son chat dans les bras.

— On ne peut pas rester ici, dit David, la police va rappliquer dans quelques minutes.

— C'est vrai, partons.

Ils se hâtèrent vers l'ascenseur, mais David, tout à coup, revint sur ses pas, donna un billet de vingt dollars au livreur et prit le sac de mets chinois.

Vingt minutes plus tard, dans un petit motel, ils mangeaient enfin, sous le regard attentif d'Old Blue Eyes, qui n'attendait qu'une distraction de leur part pour participer à ce festin dont il avait été égoïstement banni même s'il venait de leur sauver la vie!

Lorsqu'ils eurent terminé, Patricia demanda, avec un demi-sourire :

– Qu'est-ce qu'il y a pour dessert ?

David regarda dans le sac, en tira des biscuits aux amandes.

– Hum, se plaignit Patricia, pas terrible.

Et elle le regarda droit dans les yeux, avec un drôle de sourire, dont on n'aurait pu dire s'il était triste ou gai.

– Je me trompe probablement à ton sujet, parce que ma moyenne en amour est presque autant dans le rouge que mon compte en banque comme actrice célèbre, mais je pense que je pourrais te détester moins que les autres hommes.

C'était un compliment un peu curieux, différent en tout cas des compliments habituels. Mais tout était différent chez cette jeune femme, alors… N'était-ce pas une invitation à faire l'amour ?

Il éprouva tout à coup un sentiment de culpabilité. Il venait de penser à Loulou… Il la revoyait qui s'avançait vers lui, qui lui ouvrait les bras, qui dansait avec lui sur leur air préféré… Et des paroles remontaient dans sa mémoire… *Nobody gets much love anymore…*

C'était vrai, mais l'excentrique jeune femme semblait lui en proposer tout à coup une dose…

Pas dans des circonstances idéales… Mais les circonstances idéales, est-ce que ça existait, sauf dans les romans à cinq sous ? Mais Louise Eaton, qui le hantait, dont il était prisonnier…

Il pensa alors que Loulou, qui aimait tant l'amour, qui était si généreuse, ne voudrait pas qu'il se prive pour elle, maintenant qu'elle était partie… Non, elle l'aimait trop pour cela. Elle voudrait qu'il soit heureux, qu'il aime à nouveau… Et puis, ça aidait un peu David, Patricia ressemblait à Loulou. Et pas seulement physiquement. Elle était une rebelle tout comme son ancienne maîtresse. Elle était comme une consolation que lui envoyait la vie, non seulement un double de Loulou mais une seconde chance… Il pensa pourtant que c'était trop tôt pour recommencer quelque chose. Qu'il serait préférable d'attendre, de prendre son temps, d'être sûr que c'était la bonne personne. Mais lorsque, trop impatiente d'attendre qu'il fît le premier pas, Patricia se pencha vers lui et plaqua ses lèvres contre les siennes, il n'eut pas le courage de la repousser. Et puis, ne venait-elle pas de lui sauver la vie ? Ne lui devait-il pas, en conséquence, un petit remerciement ?

Ils firent l'amour avec fougue, encore plus que la première fois, au Plaza, pendant que le chat se délectait enfin de leurs restes qu'il convoitait patiemment depuis de longues minutes.

Après l'amour, ils s'endormirent.

Lorsqu'il se réveilla, une heure plus tard, David eut une mauvaise surprise: Patricia n'était plus dans la chambre! Elle avait filé à l'anglaise, comme la première fois!

David était furieux, contre la jeune femme certes, mais surtout contre lui. Il aurait dû y penser! Elle lui avait déjà fait le coup une première fois. Elle avait savamment laissé sa méfiance s'endormir. Puis elle avait fait l'amour avec lui dans l'intention bien arrêtée de le mettre hors de combat et puis pfft! bonjour la visite, ni vue ni connue! Et pourtant elle avait eu l'air si sincère, lorsqu'il la serrait dans ses bras, lorsqu'il lui arrachait des gémissements interminables…

Comme il avait été naïf! Décidément, il ne comprendrait jamais rien aux femmes et ce n'était pas la quantité qui ferait jamais la différence!

Et maintenant, il n'avait plus de témoin!

Eaton…

Il pensa à Eaton. Il fallait qu'il le vît, qu'il le confrontât.

Il se doucha rapidement.

En sortant du motel, pour se rendre chez Eaton, il eut une nouvelle surprise: Patricia l'attendait, appuyée contre la voiture, une cigarette au bec, tandis que son chat se frottait contre ses mollets, dans l'espoir évident qu'elle le prît dans ses bras.

– Qu'est-ce qui t'a retardé? demanda la jeune femme avec un sourire en coin.

– Hum… Merci de ne pas être partie…, dit David.

– Si tu n'avais pas eu une bonne note, expliqua-t-elle en regardant vers la chambre, je ne serais pas ici.

Il esquissa un sourire. Plaisantait-elle? Était-elle sérieuse? Il ne le saurait probablement jamais. Mais qu'importait?

N'était-ce pas précisément ce qui la rendait si charmante, si amusante?

– Viens, lança-t-il en se dirigeant vers la portière du conducteur.

– Où allons-nous?

– Chez Eaton.

– Chez Eaton! Mais tu n'y penses pas!

49

Pendant tout le trajet, Patricia tenta de le convaincre que se rendre chez Eaton était de la pure folie, que c'était littéralement se jeter dans la gueule du loup. Mais il ne voulait rien entendre. Il voulait simplement confronter Eaton.

Il savait où il habitait, un immense domaine dans les Hamptons. Ils y furent une petite heure plus tard. Il faisait nuit maintenant. Il devait être un peu passé 10 h. Il y avait une immense grille, impossible à franchir, d'autant qu'il y avait une caméra de surveillance qui la gardait. Il fallait penser à autre chose. Ils garèrent la voiture non loin de là, sur le bord de la route, revinrent à pied. Le mur qui ceignait la propriété était moins haut et, à un endroit, un arbre qu'on avait négligé de tailler permettait de se hisser sur le mur.

Juste avant de se laisser glisser le long du mur, Patricia demanda :

– Tu es certain que tu veux faire ça ?

– Oui.

Ils foncèrent. La chance leur sourit. Sur un des immenses balcons qui donnaient sur la mer, une porte-fenêtre était restée ouverte. David se réjouit intérieurement. Il y avait assez longtemps que le sort s'acharnait contre lui. Pour une fois, il le favorisait.

Ils étaient entrés dans un vaste salon où il n'y avait personne et qui n'était pas éclairé à cette heure, si ce n'était par la lumière de la lune. D'une pièce voisine, leur parvinrent alors des bruits et le premier réflexe de David fut de dire :

– Ils font l'amour.

On aurait dit des gémissements en effet, essentiellement féminins. Pourtant Patricia protesta :

305

– Non, voyons, il est en train de la tuer !

– Tu crois ?

– Écoute, même moi, qui suis une pro, je ne peux jouer la comédie comme ça et surtout pas avec un vieux dégueulasse comme Eaton. Non, je te dis, il est en train de la tuer.

Les bruits s'apaisèrent et même si David craignait de surprendre le couple au beau milieu de ses ébats amoureux, il décida de foncer vers la pièce qui, constata-t-il bientôt, n'était pas une chambre à coucher, mais plutôt le vaste et luxueux bureau d'Eaton. Mais un vieux domestique les aperçut et s'empressa de prévenir la police.

Patricia avait vu juste, car ce ne fut pas un couple nu qu'ils surprirent, mais Eaton agenouillé sur sa maîtresse, tenant un coussin de soie rouge sur son visage, dans l'intention bien évidente de l'étouffer mortellement.

– Gros porc, lâche cette femme ! hurla Patricia.

Eaton resta interdit, se tourna vers Patricia et David, qu'il ne reconnut pas. Il abandonna le coussin et courut vers son bureau, un très beau meuble en acajou dont il ouvrit lestement un tiroir. Il y avait un pistolet, mais David le devança, s'empara de l'arme qu'il pointa en direction de son ancien patron.

– On reste calme, personne ne va être blessé, suggéra Eaton en levant la main droite vers David. Si ce sont des bijoux ou des tableaux que vous cherchez, il n'y a pas de problème, prenez tout ce que vous voulez.

Il y avait des toiles suspendues aux murs, des œuvres de peintres illustres qui valaient sans doute une fortune, un Picasso, un Chagall, quelques autres.

Comme s'il voulait prouver sa bonne foi, Eaton, d'un geste nerveux, retira sa belle montre-bracelet en or, la posa sur le bureau devant lui.

– Tu ne me reconnais pas ? fit David.

Et il était vrai qu'avec sa casquette et ses lunettes fumées, il n'était pas facile à reconnaître. D'autant qu'Eaton, même s'il avait appris que son corps avait mystérieusement disparu de la prison, ne pouvait d'aucune manière s'imaginer David vivant.

S'il le reconnaissait ? Sa voix lui était familière, enfin familière, c'est un grand mot, il lui semblait l'avoir entendue récemment. Mais où ? Eaton fronçait les sourcils, embarrassé. Mais lorsque David retira ses lunettes fumées et sa casquette, découvrant son crâne encore rasé de condamné, Eaton crut rêver ou plutôt faire le pire des cauchemars.

– David, tu es…

– Oui, je suis encore vivant. Déçu ?

– Qu'est-ce que tu veux ? De l'argent ? Il n'y a pas de problème mais, d'abord, pose ce pistolet et nous allons discuter.

David ne disait rien, le trouvait méprisable.

– L'argent. C'est la seule chose que tu as sur les lèvres ! Ce que je veux, c'est la vérité. Pourquoi as-tu tué Louise ? Pour sauver cinq misérables millions ?

– Je ne l'ai pas tuée. Louise était très malade, elle était déséquilibrée. Elle s'est suicidée.

– Oui, elle s'est suicidée, comme cette jeune femme ! Avec un oreiller sur la bouche !

Et il se tourna vers Patricia qui s'affairait auprès de Sylvia, mais de manière désespérée, car elle n'obtenait guère de résultats et la maîtresse d'Eaton gisait toujours évanouie sur le canapé.

Ce fut ce moment que choisirent deux agents de police pour faire irruption dans le bureau d'Eaton, arme au poing, et pour ordonner :

– Laissez tomber votre arme !

David n'avait pas le choix, il obtempéra, cependant qu'Eaton triomphait.

– Il a tué mon amie, dit-il en se tournant vers le canapé.

Les policiers crurent d'abord qu'il s'agissait d'épanchements singuliers entre deux femmes. Mais ils furent vite détrompés, car Sylvia émit alors un hoquet, écarquilla les yeux et revint enfin à elle. Patricia la laissa, se leva, se félicitant intérieurement de sa persévérance.

La jeune maîtresse d'Eaton ne mit guère de temps à reprendre ses esprits. Elle s'était redressée sur le sofa, jetait un regard circulaire sur le bureau qui était plus peuplé que lorsqu'elle avait perdu conscience.

– Il a tenté de me tuer, lança-t-elle en pointant un doigt accusateur vers Eaton.

– C'est une folle ! protesta Eaton. Elle dit n'importe quoi. Pour me faire chanter et m'arracher de l'argent.

La jeune femme s'était levée et s'avançait d'un pas décidé vers son amant.

– Non, je ne suis pas folle (et elle paraissait fort lucide en effet), tu as tenté de me tuer parce que je savais la vérité. Et la vérité, c'est que tu as fait tuer ta femme parce que tu avais peur qu'elle te ruine en demandant le divorce.

– C'est ridicule, elle avait signé une entente matrimoniale, j'étais protégé, ragea Eaton, dont le visage était devenu écarlate de rage.

– Cette entente ne valait rien, elle avait été mal rédigée, tu le savais et c'est pour ça que tu as congédié ton ancien avocat. Tu aurais pu perdre deux ou trois cents millions, comme ton ami Goldbloom, qui lui aussi se croyait protégé par une entente matrimoniale. Et ça, tu ne le supportais pas, parce que l'argent est tout pour toi. Alors, pour ne pas courir de risques, tu l'as fait assassiner.

– Tu dis n'importe quoi !

– Non, je ne dis pas n'importe quoi, parce que ce que je dis, je l'ai appris de Jack Kubrick, ton nouvel avocat. Il me l'a avoué sur l'oreiller, après m'avoir baisée comme un dieu toute la nuit !

50

Rubin fit diligence et, malgré la singularité des circonstances, parvint à faire rouvrir le procès, qui fit, comme la première fois, salle comble mais comptait cette fois-ci deux nouveaux spectateurs : Elliot, le jeune infirmier, qui était assis discrètement au dernier rang, en compagnie du docteur Norman. Comme si le ciel avait voulu récompenser leur héroïsme, ni l'un ni l'autre n'avaient eu d'ennuis avec la justice et l'évasion de David était restée totalement inexpliquée.

En dépit de ses hésitations de dernière minute, Patricia accepta de venir dire à la cour ce qui s'était vraiment passé le soir du meurtre. Elle avait passé la nuit avec David, avait remis un préservatif plein de son sperme à l'homme qui l'attendait dans la chambre voisine où elle avait vu une femme allongée sur le lit, une femme qui pouvait fort bien être madame Eaton...

Mais Henry Blake, le *district attorney*, la tourna en ridicule, mit en doute sa crédibilité en raison du métier qu'elle exerçait, call-girl...

Comment croire une femme qui exerçait pareille profession ? Et si elle avait menti avec autant de facilité à David, ne pouvait-elle pas mentir à la cour, avec une désinvolture et un manque de remords égaux ? Habile, Blake laissa même sous-entendre, par des questions insidieuses, que la jeune femme était de connivence avec David et qu'elle partagerait avec lui la fabuleuse prime de l'assurance-vie de deux millions que madame Eaton avait prise à l'avantage de l'accusé. À la vérité, Patricia était furieuse et, lorsque la cour ajourna ses travaux pour la pause du lunch juste après l'interrogatoire dévastateur de Blake, elle explosa devant Rubin :

– Je n'aurais jamais dû vous écouter, maintenant, non seulement je suis passée pour une idiote, mais ils vont peut-être me coller un procès sur le dos pour complicité dans le meurtre de cette femme que je n'ai jamais rencontrée de toute ma vie !

Rubin tenta de la retenir, mais elle quitta la cour en le prévenant :

– Vous ne me reverrez jamais plus ici !

– Mais, Patricia, vous ne pouvez pas partir ainsi, il faut que je vous contre-interroge.

– Vous contre-interrogerez mon cul ! Moi, je pars en vacances aux îles Tombouctou !

Cette petite conversation, ils l'avaient eue dans le vaste hall du palais de justice, et Blake en avait été le témoin involontaire mais ravi.

– Un petit problème ? demanda-t-il ironiquement à Rubin, en lui faisant son sourire le plus suave, cependant que le visage de son adversaire se décomposait.

Rubin ne répondit pas. Il était atterré. Malgré tous ses efforts et même si elle était visiblement sincère, Patricia n'avait su tirer son épingle du jeu. Le jeune avocat allait-il à nouveau perdre son procès, et cette fois-ci pour de bon, parce que David, c'était évident, n'échapperait pas deux fois d'affilée à la chaise électrique. Les miracles, ça n'arrivait qu'une fois !

Lorsque, le soir, David demanda à son avocat quel était son sentiment quant à l'issue du procès, Rubin tenta de manifester son optimisme habituel, mais David ne fut pas dupe. Il avait vu, comme tout le monde au procès, comment le témoignage de Patricia avait été mastiqué et recraché par un Blake au sommet de sa forme : le nouveau jury, même différent du premier en sa composition, ne ferait que rééditer la décision du précédent.

Même si le verdict était prévisible, il y eut une commotion dans la salle d'audience lorsque le président du jury rendit sa décision : David était déclaré non coupable !

Non coupable !

David n'en revenait pas.

Il était enfin innocenté !

Il crut d'abord qu'il rêvait, que c'était une autre cruelle plaisanterie du destin.

Il se pinça, l'astuce des aiguilles l'avait rendu insensible à ce supplice dérisoire. Mais non, il ne rêvait pas, il ne dormait pas, car son avocat se tournait vers lui, se levait et, des larmes de joie aux yeux, lui ouvrait les bras, l'embrassait avec une émotion extrême comme s'il venait de sauver son frère, comme s'il venait de se sauver lui-même de la chaise électrique !

Mais non, David ne rêvait pas, car pendant qu'il se laissait étreindre par son avocat qui exultait de cette première victoire majeure de sa carrière, Eaton se levait à son tour, le visage cramoisi, et tendait un poing rageur en sa direction, mais pas longtemps parce qu'aussitôt, deux policiers le menottaient sans ménagement, puisqu'il devenait *ipso facto* le principal suspect du meurtre de sa femme, la table ayant d'ailleurs été mise par Sylvia Gere que Rubin avait commodément appelée à la barre.

La foule, qui s'était levée pour acclamer David, applaudissait bruyamment. Il y avait eu une première salve, lorsque le verdict surprenant était tombé, et une deuxième, encore plus nourrie, presque frénétique, lorsque l'antipathique Eaton avait été arrêté.

Sur les marches du palais de justice, les journalistes, les photographes attendaient David comme un véritable héros.

Mais il s'échappa d'eux pour se précipiter vers ses deux sauveurs, le docteur Norman et Elliot qui tous deux avaient pris d'énormes risques pour lui sauver la vie.

– Comment pourrais-je vous remercier de ce que vous avez fait pour moi ? dit-il au médecin, qui se contenta d'abord de sourire, puis répondit :

– J'ai déjà été remercié.

Faisait-il allusion à Dieu, avec lequel il venait de se réconcilier ? Ou à son fils ? David ne le saurait jamais, car le médecin lui décocha un clin d'œil et se contenta de lancer :

– Sois prudent, à l'avenir, fiston !

Et il partit, le laissant seul avec Elliot, qui avait les larmes aux yeux.

David le serra dans ses bras, rempli de reconnaissance. Et ce fut sans doute pour Elliot une des plus grandes émotions de sa vie. Et en même temps, une occasion de tristesse. Car ce qu'il souhaitait plus que tout au monde que David lui dise, il savait bien qu'il ne l'entendrait jamais : que David l'aimait, pas seulement par amitié mais physiquement, comme un homme peut aimer un autre homme.

— Je n'oublierai jamais ce que tu as fait pour moi, Elliot, dit enfin David, jamais. Quand je serai un peu remis de mes émotions, je vais t'appeler, je veux que nous allions prendre un verre ensemble…

— Tu n'es pas obligé…

— J'insiste….

— Si tu insistes…

Elliot sourit. Prendre un verre ensemble… Il savait bien que ce ne serait qu'amical. Mais c'était mieux que rien, non ? Au moins il pourrait le voir, lui parler… Et puis, on ne savait jamais. David, c'était sûr, était un homme à femmes, mais peut-être connaîtrait-il une conversion tardive dans… cinquante ans !

David ne put consacrer plus de temps au jeune infirmier et s'en sépara. Il venait d'apercevoir, sur le trottoir en face du palais, deux visages bien familiers qu'il avait cru ne pas revoir un jour.

C'était son ex-femme qui l'attendait avec sa fille Lydia. Celle-ci serrait dans ses bras la petite poupée qu'il avait confectionnée pour elle en prison.

Il courut vers elles, et Lydia, qui s'était détachée de sa mère, lui sauta dans les bras en prononçant le mot le plus doux de la terre :

— Papa !

Après une étreinte qui dura bien une trentaine de secondes, David posa sa fillette sur le trottoir, et son ex-femme qui parais-sait en pleine forme — en fait, elle avait pris du poids et son visage accusait une rondeur inhabituelle — lui dit alors :

— J'ai beaucoup réfléchi, David… Lydia t'a perdu une pre-mière fois lorsque nous nous sommes séparés, une deuxième fois lorsque tu as été condamné à mort, je ne veux pas qu'elle te perde une troisième fois. Ce ne serait pas juste pour elle… ni pour toi.

Il n'était pas sûr de comprendre ce qu'elle voulait dire. Il le comprenait en fait, mais c'était trop beau pour être vrai, surtout de la part de son ex-femme qui ne lui avait jamais laissé la moindre chance depuis leur divorce, qui avait toujours joué dur, si l'on veut. David avait haussé des sourcils sceptiques et, dans l'expectative d'une conclusion désagréable, il n'osait rien dire, mais attendait simplement.

– Tu peux avoir la garde partagée, si du moins tu la veux encore…, ajouta son ex-femme.

S'il voulait la garde partagée !

S'il voulait être en mesure, avoir le droit en fait, un droit reconnu par le tribunal, de voir sa fille deux semaines au lieu de deux misérables week-ends par mois !

– Mais oui, mais oui, je…

Et cette fois-ci il ne pouvait plus retenir ses larmes, mais il attendait avant de remercier son ex-femme, car il craignait qu'en une de ces volte-face sadiques qu'elle lui avait infligées plus souvent qu'à son tour, elle ne se reprît tout de suite pour lui dire que c'était une plaisanterie, que ce serait le statu quo avec Lydia, et qu'il pouvait bien aller se faire cuire un œuf…

Puis il pensa que son ex-femme avait peut-être une idée derrière la tête. Cette proposition inattendue et généreuse, ne la faisait-elle pas pour amorcer une réconciliation ?

Elle avait fait un premier pas, il n'avait qu'à lui dire qu'il…

Mais il n'en eut pas le temps car, ayant posé une main sur son ventre, elle déclara :

– De toute manière, je suis enceinte alors, je vais avoir de quoi m'occuper…

– Ah ! je vois, je… Félicitations !

Il n'était pas vraiment contrarié car il y avait longtemps qu'il savait que les choses étaient impossibles entre eux.

Mais quelqu'un avait été déçu par cette révélation. C'était Patricia qui s'était approchée de lui au moment même où sa femme prononçait ces mots : « Je suis enceinte. »

Elle tourna aussitôt les talons. Il tenta de la rappeler, mais en vain.

– Je reviens, dit-il à son ex-femme.

Elle sourit, elle éprouvait désormais assez d'amitié à son endroit pour ne pas se montrer jalouse de ses nouvelles affections, pour ne pas lui en vouloir de tenter de sauver un bonheur extérieur à son orbite.

David finit par rattraper Patricia, la prit par un bras, mais elle le repoussa vivement.

– Fous-moi la paix ! Je ne veux plus rien savoir de toi !

Elle fit quelques pas, il la rattrapa à nouveau et cette fois-ci elle s'immobilisa sur le trottoir, l'air fermé pourtant, comme si elle voulait le laisser dire son petit boniment même si elle était persuadée de son inutilité.

— Attends, Patricia, tu ne comprends pas. C'est mon ex-femme et je ne l'aime plus depuis longtemps.

— Tu es encore plus dégueulasse que je pensais : elle est enceinte et tu la plaques !

— Mais, Patricia, laisse-moi au moins le temps de t'expliquer les faits : elle n'est pas enceinte de moi, elle est enceinte de son nouveau conjoint.

Patricia ne dit rien, resta confuse un moment puis, avant de quitter David, elle jeta :

— J'ai été stupide, quand même, je n'aurais pas dû revenir, je n'aurais pas dû témoigner. Maintenant que tout le monde sait que je suis une call-girl à temps partiel, plus personne ne va vouloir me donner un emploi à temps plein comme actrice. Mon plan quinquennal pour devenir une célébrité est foutu ! Adieu !

51

C'était vrai et c'était faux.

Tout le monde savait qu'elle était une call-girl, certes, mais dans les jours qui suivirent, son agent fut inondé d'appels, et des rôles lui furent offerts. Elle était devenue une célébrité, même si ce n'était pas pour avoir remporté un Oscar, et sa carrière qui avait piétiné jusque-là semblait enfin lancée.

Le sort de David fut moins enviable.

Même s'il avait été innocenté, il ne fut pas question pour lui de retrouver son poste au Hamptons.

Et avec les autres terrains de golf, il n'eut pas plus de succès : quelle administration aurait été assez étourdie pour embaucher un professionnel de golf qui avait séduit la femme du président de son ancien club ?

Aussi se retrouvait-il avec une gloire bien moins monnayable que celle de Patricia. Une gloire qui, si elle avait bien des vertus, n'avait pas celle d'effacer ses dettes, fort lourdes.

Il eut pourtant une consolation.

Car deux semaines après la fin du procès, il reçut une lettre.

Il crut d'abord que c'était une facture et eut envie de la jeter sans l'ouvrir dans la pile où aboutissaient invariablement toutes les autres factures.

Mais c'était une lettre de la compagnie d'assurances de sa maîtresse assassinée.

Une lettre laconique mais fort claire : on lui versait la prime de l'assurance-vie de deux millions de dollars que sa maîtresse avait prise à son bénéfice.

Il esquissa un sourire : c'était sa petite vengeance sur la vie, sur les riches qui avaient craché sur lui.

Mais une petite ombre restait au tableau, ternissant sa victoire : Patricia lui avait sauvé la vie et il avait ruiné la sienne.

C'était en tout cas ce dont elle lui avait fait le reproche.

Il pensa à une astuce.

Il avait toujours son numéro de cellulaire.

Il le composa.

Ce fut un bonheur réel pour lui d'entendre sa voix après une séparation de deux semaines.

— Mademoiselle Patricia, dit-il en modifiant sa voix, car il voulait lui fixer un rendez-vous vénal sans qu'elle sût que c'était lui, est-ce que vous êtes libre ce soir ?

— Non, je regrette, je ne pratique plus, désolée.

— Attends, Patricia, ne raccroche pas, c'est moi, David ! s'empressa-t-il de préciser en reprenant sa voix normale.

Elle demeura un instant silencieuse au bout du fil.

— Oui, je t'écoute, dit-elle enfin.

— Tu ne vois plus de clients ?

— Non, j'ai tourné la page de ce roman dégueulasse de ma vie, j'ai commencé à avoir des rôles. Ça va être difficile au début, parce que je ne serai plus financée par tous les maris frustrés de New York mais, comme ils disent dans l'Évangile, on ne peut pas avoir deux maîtresses, la prostitution et la gloire, alors j'ai fait mon X dans la bonne case même si je risque de manger de la vache enragée à court et à moyen terme. Si tu attends toujours que quelqu'un croie en toi pour foncer, tu risques d'attendre de midi à quatorze heures, alors comme on n'est jamais mieux servi que par soi-même, j'ai décidé de commencer à croire en moi et tu sais, c'est comme Walt Disney le disait, le téléphone a commencé à sonner et ce n'est pas toujours pour de stupides enquêtes. Il faut dire que je suis passée à la télé avec mon décolleté des grands soirs, ça ne nuit pas au destin !

— C'est chouette… Je suis content pour toi. Je pense que tu as pris la bonne décision.

— Merci. C'est tout ? dit-elle un peu sèchement, sans s'enquérir de lui.

— Non, écoute, je me demandais si tu n'accepterais pas de prendre un dernier client ?

— Puisque je viens de te dire que c'était fini, ça…

– Pour un million de dollars ?

– Un million de dollars ? Mais qui serait assez fou pour payer un million pour coucher un soir avec moi !

– Moi. Mais pas seulement un soir, deux semaines. À Hawaï.

– Est-ce que je peux y penser ?

Et il n'eut pas le temps de répondre qu'elle ajouta, d'une voix de fillette tout excitée :

– On part quand ?

Le jour suivant, au moment de l'embarquement, Patricia parut nerveuse, embarrassée. David le remarqua tout de suite et demanda :

– L'avion te rend nerveuse ?

– Habituellement, non… mais…

Elle paraissait éprouver de la difficulté à rassembler ses idées.

– Eh bien, je m'apprête à passer deux semaines avec quelqu'un que je ne connais pas vraiment.

– Mais on se connaît.

– Vraiment ?

– Bien, pas vraiment, mais après tout nous …

– Est-ce que tu crois au crime parfait ?

– Le crime parfait ? Pourquoi me demandes-tu ça ?

– Parce que si c'est toi qui as tué Louise Eaton, c'était le crime parfait. Et en plus tu as récolté deux millions. Pas trop mal…

– Mais comment aurais-je pu le faire ? Dis-moi, je suis curieux.

– Eh bien, il y a quelque chose que ton avocat ne t'a pas dit.

– Quoi donc ? fit David, qui maintenant paraissait fort nerveux.

– Eh bien, un soir pendant le procès, j'étais seule avec lui dans son bureau, et il m'a montré un exemplaire de la police d'assurance de deux millions que Louise Eaton avait prise.

– Et alors ?

– Eh bien, il l'a fait analyser par un graphologue…

– Un graphologue ?

– Oui, tu sais, un de ces types qui analysent l'écriture.

– Oui, oui, je sais, mais ensuite ?

– Eh bien, le type est positif à cent pour cent. Ce n'est pas Louise Eaton qui a signé la police. Son mari a imité sa signature.

– Pourquoi aurait-il fait une chose aussi stupide ?

– Ç'a été la première réaction de Charles. Mais ensuite il a pensé que ce ne serait pas utile pour le procès et il ne l'a pas utilisé. Mais moi, j'ai continué à y penser. Il y avait quelque chose qui clochait.

Elle se tut un instant puis reprit :

– Je pense qu'Eaton l'a fait pour te piéger.

– Je sais qu'Eaton m'a piégé, mais pas de cette manière…

– Laisse-moi terminer. Disons qu'un jour, au golf, Eaton a eu une petite conversation avec toi. Il t'a dit qu'il savait tout au sujet de ton aventure avec sa femme. Il avait les photos pour le prouver et, de toute manière, comment pouvais-tu nier ? Alors, il t'a dit : « Soyons pratiques. Faisons un pacte. J'en ai marre de ma femme et je ne veux pas lui donner les cinq millions de dollars. Alors, tu la tues et tu sauves ton emploi. Et je vais même te donner un petit boni parce que tu m'aides à économiser autant d'argent. »

– Les deux millions de dollars de l'assurance ?

– Non, parce que, cette partie-là, il ne te la révèle pas. C'est son plan secret pour te compromettre. Ce qu'il te propose de faire, c'est d'aller avec moi au Plaza pour brouiller les pistes. Il faut que je sois assez bruyante pour que tout le monde nous remarque. À minuit, après mon départ, tu es censé appeler la femme d'Eaton et lui demander de venir te rejoindre. Mais elle ne te rejoint pas et finalement tu t'endors. Pendant la nuit, l'homme de main d'Eaton qui m'attend dans la chambre d'à côté badigeonne les cuisses de madame Eaton avec le sperme que je lui ai remis et il transporte son corps dans ta chambre. Quand tu te réveilles, tu te rends compte qu'Eaton t'a joué un sale tour et tu prends la poudre de perlimpinpin. Ce qui devait être le crime parfait n'était plus parfait du tout, du moins pour toi. C'était pour Eaton que c'était le crime parfait. Il se débarrassait de toi, de sa femme et de l'obligation de lui payer les cinq millions qu'il aurait peut-être été obligé de lui payer. Mais tu as eu de la chance avec la chaise électrique et on connaît le reste…

David demeura silencieux. Dans ses yeux flotta une expression de tristesse.

Ou était-ce de l'angoisse?

– Qu'est-ce que tu en penses? demanda la jeune femme.

– Je pense que tu as de la difficulté à faire confiance aux hommes.

– Vraiment?

– Oui. Et je pense que tu as besoin de vacances.

– Moi aussi. J'espère seulement que ce ne seront pas les dernières. Parce que, maintenant, je suis une femme qui vaut un million de dollars.

David ne dit rien. Il se contenta de sourire.

Et l'avion s'envola pour Hawaï.